KB058012

일러두기

1 —— 이 시집의 원문은 저자의 수정修正과 가필을 거쳤다.

2 —— 원문에서 한자로만 표기되었던 글자에는 음을 병기하였으며,
　　　의미 소통에 문제가 없는 부분은 한글로 바꾸었다.

3 —— 한글 맞춤법, 외래어 표기법에 맞지 않는 부분들은
　　　저자의 의도를 최대한 살리는 것은 원칙으로 삼되 약간의 수정을 거쳤다.

4 —— 본문 중의 •표는 독자들의 작품 이해를 돕기 위해 편집자가 가려 뽑아
　　　일일이 그 내용을 찾거나 번역하여 책 끝에 부기附記한 '편집자 주' 이다.

김구용 문학 전집

人五丕之肅 ① ── 시집

詩

솔

詩 시

肉体의

瞑想.

妖艶은

室內로는

莊衣飾하고

妖艶과

門밖이

바같이

起

罪와

肉慾의來

出没한다.

一脈

빼은

사통하는

間隔의

無心에서

따라

어지럽게

빼은

都市

에는

無心에서

피는

燕尾菔꽃

한

송이도가

어베

었다.

밤이면

船舶이

검은

形態들이

바다에

가득하게

꾸겨지는

波도의

反射

영상影像

하나의 지붕은 서로 돕는다.
내외內外는 누구를 영접하는가 보다.

갈등과 결과도 삼킨
기혈器血은 분노에서 벗어나
망각에서 벗어나 합류한다.

있는 것과 없는 것이
이르는 곳마다 목을 축인다.

그림자는 바다 안을
날으며 별[星]을 낳아
위기에서 벗어나는 한 마리 새[鳥]

녹소綠素는 발화점을 안은 채
모순이야말로 합리적이었다.
알[卵]을 까는 허공과

상처를 잠재우는 밤은 가난하지 않았다.

창은 서로 속삭이나
갓난아기는 눈을 감고도 빛을 본다.
뜨락의 구멍난 배[舟]는 꽃나무가 되고
지나온 언덕[岸]은 꿈을
수확하고 있었다.

1971

두보杜甫
— 천 이백 주기周忌

그 이상 부속품일 수는 없었다.
휴식을 만들기에 부지런하다가
바퀴가 되어 돌아가는 황혼,

어느 날이었다.
빈 차들은 달려들었다.
수육獸肉은 가게마다
거울 안에서 춤을 추었다.
사람은 아무데도 없었다.
수화기마다 연신 매연을 뿜었다.
소음은 사진마다 달려 나왔다.

하나만 먹으면 죽지 않는
천도天桃가 익을 무렵이었다.
누구나 한 번만 먹으면 더 이상
죽지 않는 총알은 출감하였다.
자물쇠가 잠긴 고향집 앞에서

가면과 야구 방망이는 만나
서로 무엇인지 의논하더니 없어졌다.

어느 날이었다.
상반신은 카인이요
크레오파트라의 하반신을 한
사람이 방안으로 들어섰다.
앉은 이는 하나인데
그림자는 둘이었다.
불을 끈 유방乳房,
눈을 뜬 침묵,
문제는 술잔에 빠져
모발을 펴고 있었다.

무수無數는 하나였다.
시간은 시간을 부정否定하면서
마침내 벗어나
어느새 빛이 되어갔다.
창마다 죽지 않는 천도天桃가 왔다.

1970

나무

그는 그가 아니고
아이들의 것이다.
하늘에 뿌리를 심으면
열매들은 얼마만한가.
결혼하면서
죄이기로 긍정한 그는
그래서 밑지지 않고
골목마다 구경거리가 되어 왔다.
추악한 영광과
썩은 물고기 빛 미덕은
목관 악기를 빠져 나간다.
고통은 괴롭지 않았다.
그의 일기 책장마다
잘못에서 해는 길길이 자라난다.

1970

유월

털이 난 꽃을
본 사람은 죽는다.

죽었던 사람은 살아난다.

달을 희롱하며 바다에서 나온
말[馬]은 창 앞에서 기다린다.
덕수궁 박물관에 가면
달마達磨의 짚신은 있느니라.
믿어지지가 않거든 한번 가보십시오.

누워 있는 사진은 물이 흐른다.
안경은 바람을 쫓아간다.
언제나 그물[網]이 가꾸는 것이다,

시간에서 벗어난 사잇길의
그 목단牧丹의 무량수광無量壽光•은.

20   1970

풍미風味

나는 판단 이전에 앉는다.
이리하여 돌[石]은 노래한다.

생기기 이전에서 시작하는 잎사귀는
끝난 곳에서 시작하는 엽서였다.
대답은 반문하고
물음은 공간이니
말씀은 썩지 않는다.

낮과 밤의 대면은
거울로 들어간다.
너는 내게로 들어온다.

희생자인 향불.

분명치 못한 정확과
정확한 막연을 아는가.

녹綠빛 도피는 아름답다.

그대여 외롭거든

각기 인자하시라.

1970

배

흙의 욕망에

또 배[船]가

눈[眼]을

지나간다.

희미하게

어디까지나 따뜻이

손은 스스로 썩는 비료,

고민을 제약製藥하는

만년필은

대안對岸의 제 그림자에 송전送電한다.

이름은

옷[衣] 하나로

사람이 되어

벗으면 떠오르는

실내의 태양과

성역聖域의 교정交情,

여자의 다리 하나가

판단을 떠받친다.

흙 없는 거리[街]에

목[首]들은 범람하고

번쩍이는 갈증의

집광기集光器는 무연탄을 빨아들이며

배신背信이 가슴[胸]을 만든다.

결함缺陷은 배[船]를 낳는다.

배는 스스로 하나며

하나는 모든 것이다.

배는

그 하나도 없는

눈[眼]을

안팎으로

나누며

간다.

1969

축祝

나를 두고
부처님이 되나.
나를 버리면
부처님이 되나.

석사자石獅子는
하늘을 날다가
연꽃되어 내려온다.
가슴을 열면
호수마다.

말[言]과 행동을 두려워하면
병이니라.
무無에 집착하면
병이니라.
두려움은
성공을 자랑하거나 아니면

남에게 강요한다.

부처님은 사문四門*을 나가고
너는 사문으로 들어온다.
그들은 들어오나 나가나
다르지 않다.

보살은 고해苦海를
여의주로 바꾸었다.
당초에 도덕은 없고
당초에 인과因果는 없었다.

과학은 계율
다라니陀羅尼*는 창조 예술,
그래 세상은
생 · 노 · 병 · 사가 없어
사람마다 수많은 우주일세.

사리불舍利弗*아
물고기를 안 먹느냐.
너는 죽음을 꾸짖고
죄를 비웃는가,

의문은 대답이 없어
스스로 깨닫느니.

뽐내는 마음은 믿지 않아
비난하는 마음은 믿지 않는다.

자신의 눈[眼]을 본 사람은
연蓮 위에 앉는다,
창窓마다.

부처님이 쉬시는 숨을
그녀는 숨쉬며
부처님이 하시는 시무외인施無畏印*을
그들은 하며
부처님이 잡수시는 식사를
나는 먹는다.

1969

따뜻한 장판방에서

따뜻한 장판방에서
나는 이렇게 편안히
작년 봄의 엽차를 마실
자격이 있는가.

깜깜한 바깥과
울음은 얼어붙었는데
창 너머 별은
거울 앞에 의자를 놓고
조용히 앉아 있었다.

나는 아무 생각도 않으려
약간 애를 쓰다가
없는 말씀을 찾은
한겨울의 꿈이다.

비가 온다.

30

1969

소簫

"심심해요."
"퉁소가 하나 있었지."
"들려주세요."
"찾는 중이야."
"우리 함께 찾아요."
"그런 이야기라네……"

"그러다가 장가를 들었지."
"그러셨다구요, 알고 있어요."
"내가 부자지를 잃기는……"
"알고 있어요. 전쟁에서지요."
"날씨가 무덥군."
"아이, 심심해."
"옛 퉁소나 보게."
"어서 들려주세요."

"밤마다 거나하니 취해서

집으로 돌아가는 길에 불지."

"왜요."

"인정을 위해서야."

"달이 뜨면 좋겠네요."

"삼국 시대지."

"아직 통행 금지 해제 전인데요."

"퉁소소리가 들려오면

아내는 사내를 뒷문으로 내보내고

남편을 영접하거든……"

"왜 그러세요."

"비가 오는군."

"술을 더 들여올까요."

"그만하면 됐네."

"퉁소는 어디 있을까요."

"우리 내외는 그 가락에 감겨

함께 늙었어."

"여기 있네요."

"그런 이야기지."

"소리가 나지 않아요."

"그럴 거야."

1968

응원가

— 성대成大

우리의 피는
한 구슬을 만든다.
신념에서 솟아라
보다 앞서서
시간을 뚫은 곳에
환호소리는 우거졌다.
이어받은 사명에
날개 펴는 불사조,
건아여 엮으라
시련의 승리를.

우리의 힘은
아름다움을 만든다.
불굴에서 떨쳐라
보다 맞서서
번개를 끊은 파도
월계나무는 솟아 있다.

전해 받은 깃발에
이루어온 칠백 년,
건아여 엮으라
고난의 승리를.

right1968

습작習作

비가 오듯이

피는 하늘로 뿌려진다

백치의 몸에 흐르는 전류여.

시멘트 관은 포도알에도 개[犬]에도 별에도

부설됐는데

"우리를 용서하소서."

붓을 잡으면 산화酸化하는 얼굴은

안개 속에 문제로 남아 있었다.

안개 안에서 노래하는 숲은

비가 오는데

입술은 의미 없는 의미를 좇는다.

녹綠빛 그늘은 잉태하고

집[家]은 천천히 자신으로 환원한다.

광석은 환원還元에 놓인 열쇠로

오고 가건만

거리[街]는 호수가에 살면서

한 번도

달을 본 적이 없다.

왜?

1968

그 말씀

내가 언제인가
그 말씀을 드렸던가.

그것은 말하기 전에
이미 말하여진 것이다.

처녀의 공책에
듣는 피의 이끼[苔].

믿는다.
남이 믿지 않는 것을
나는 믿는다.

금이 간
종소리도 빛나는데
미안해서 나는
행복할 수 없다.

쇠[鐵]와 여백餘白인

내일과 한계로

강은 날아 내린다.

없는 것을 찾아서

찾은 것을 지우면서

손[手]은 날마다 새롭기만 하다.

1968

옥玉

언제나 어디서나 누구나
보는 해는 하나요,
자랑하지 않네.

듣기보다 고생한 옷을 입은
보기보다 고운 옥玉은
나의 죄 많은 손에
이마를 맡기고
미안해 하네.

사랑을 위해서 눈은 내리며
감사를 위해서 밤은 오는가.
새는 울건마는
나에게는 노래로 들린다.

언제나 어디서나
우리의 뉘우침은 서로요,

햇빛처럼 사이가 없네.

지유 산방只有山房

— 최진원崔珍源 교수에게

경정산敬亭山*만한
눈[眼]이 있어
강호江湖여, 대화여
그것은 마음 자리로
휘어드는 귀로歸路,
그것은 유백乳白빛 필통에
열린 하늘복숭아.

책 속의
사슴과 거닐면
세월은, 거울은
"지유只有·지유."
무엇에도 변하지 않은
임하林下의 소리로세.

1967

원허 대사圓虛大師

나에게 있어
스님은 표훈사表訓寺*,
설명 이전의 자비이다.

스님은
중생의 괴로움을 괴로워하고
중생의 기쁨을 기뻐하시기에
평생 자기가 없었다.

"스님, 물러가겠습니다."
"우리는 오랜 친구가 아닌가."
병상의 스님에게서
내가 들은 보물은
한 개인의 소유일 수 없다.

자기가 없었던
스님 몸에서

보게나
저절로 불이 일어나네.

불은 일만 이천 봉,
종소리는 무량수화無量壽花●,

거리에서도
요정에서도 직장에서도
형무소에서도 전장戰場에서도
어느 나라에서도 한밤중에도
누구나 본다,

평생 자기가 없었던 스님 모습을.

바다거나 돌이거나
나무거나 시간이거나
언제나 어디서나 원허圓虛.

듣게나
서로의 가슴마다 번지는 음성,

"우리는 오랜 친구가 아닌가."

언젠가

언젠가 자다가 깨었을 때
죽어 있는 그녀를 보았다.
해[日]는 날마다 식사를 신세지듯이
그가 마룻바닥에 일어나 앉아
허무를 홀가분히 벗은 것은
없는 것은 항상 아름답기 때문이었다.
벽에서 평화 위조범의 그림자는
그녀와 대화를 되풀이한다.

"찾지 마세요. 난 어디에도 없어요."

"아니다. 너처럼 나는 행복하다."

1966

창에 박힌 포도葡萄

햇빛이 창에 박힌 포도를 부르자
물고 늘어진 못[釘], 그 낡은 흙벽에서
의미의 젖꼭지는 나온다.
누구나 "무슨 일입니까" 하고
묻지는 않았다.

소망은
출발 때의 싸움과는 달리
거울로 변하여
비오는 쓰레기 차열車列을
천천히 통화구通話口로 통과시킨다.
어디고 내용을 들은 이는 없었다.

매매란賣買欄의
염색소染色所가 기억하는
숲은 시계 위에 지쳐 무너진
남자에게 바지를 입힌다.

창은 저절로 열리고
아무도 대답하지는 않았다.

1966

어느 날

나는
시들어 떨어진 꽃에서
어느 아기 어머니를 보았다.
그 꺼칠한 길에
이상한 해무리[暈]가 떠 있었다.

몸은 괴로움을
영양화하는 공장이었으나
분명한 생각의 경치이며
실은 비를 맞고 있었다,
책임 없는 아름다움을
누구나 감상하듯이.

힘드는 목숨일 바에야
흠 없는 말씀은
자동기自動機가 낳은 상품 정도라고나 할까.
다리 밑에서 더러운

사람들은 정을 나눈다.

가을 나무는
어느 아버지,
나는 감동을 받았다,
나라 없는 포로의 행렬이
다시 떠난 뒤에도……

1966

선인장

그는 팔을 어제와 내일로 뻗고
간혹 방황한다.

한밤중에 눈뜬 그림자였다.

자기 몸을 애무하듯
서로의 가지[枝]에 기대어보아도
우리는 휴지 조각이며
기생충이었다.

누구나 소용이 없는 일이라지만
그는 알 수 없는 일을 근심한다.

빼앗긴 그릇[器]과
열리[開]는 사장沙場에서
그의 말씀은 푸르렀다.

1965

사랑을 위하여 나는 잊는다

여유도 없이 이만
나는 성숙하나 보다. 그런대로
너에게 뜻이 됐으면 싶다.

잎사귀는 먼 경치를 위해서 떨어진다.
자명하듯이
돈 때문에 열린[實] 것은 아니었는데
가난한 사람들은 점店방을 외면한다.

나는 잊는다,
내게로 쳐드는
시멘트 상像의 손을 위하여,
실직자가 몸을 굽힌
수반水盤 안의 눈동자에게 보이기 위하여.
때로는 비를 맞으며, 연기 속에서
또는 가죽과 피가 번쩍이는 영창映窓에서
나를 잊는다,

사랑한다며.

나무가지의 그림자는
흐름[流]을 안[抱]는다.
기다리다가 지쳐서
여자가 과일을 저무는 길로
동댕이쳤을 때
나는 아팠다.

개미들은 달이 뜨는 숲으로
나를 운반해간다.
고마운 일이다.
시간과 시간이 서로 만나
씨앗은 초라한
시고詩稿 속에 묻혔다.

1964

맹盲

그의 몸은 새[鳥]
그의 먼[盲] 눈은 고요하다.
그 샘은 빛[光]을 분해한다,
빈약한 초상화를 위해서.

아내는 올 때마다 쇠창살 사이로
"이젠 굶지 않으니
건강해야 한다"고 당부했다.
절도범은 머리만 끄덕이었다.
그들의 앞에서 수목은 날아가버린 지 오래였다.

심심하면 그 부탁을 생각한다.
거리距離를 잃은 그는
샘물에 나타난 아내와 함께
주렁주렁 열린 빛들을 건져 올린다,
비록 늘 그런 것은 아니지만.

그나마 다행한 일이다.

그 새[鳥]가 볼 수만 있었다면

샘물은 초상화를 지워버리고

잡은 손은 철제로 변하고

그 많은 빛들은 먼지로 변했을 것이다.

1964

거울을 보며

말씀은 처음에 섬으로 나타난다.
끝난 곳에서 뻗어나는 나무가지가
다음 말씀을 찾기까지의
그 동안이 여정이었다.

거울은 하품을 한다.
뜻을 스스로 지워버리면
다시 날개가 되어 날아오른다.

가다가 좌초한 돛단배에서
기름이 새어 나오는 경우도
산들바람은 하늘의 산호밭에서
달을 가꾸고 있었다.
고병古甁의 포도잎 덩굴은 살랑거리지만
그림자는 잡히지 않는다.

섬 기슭에 우유빛이 퍼지는데

손은 시계를 멈춘다.
비가 가슴마다 다른 의미로
창마다 다른 자세로
내린다.

녹綠빛 귀를 기울이면
거울 안에서
피곤한 날개는 돌아온다.
이리하여 말씀은
스스로를 부정하면서 생겨난다.

누구도 가난하지 않는

누구도 가난하지 않는
여자의 몸에서
달이 솟는다.
155마일에
목욕탕에
달이 솟는다.
아기는
녹綠빛 머리를 달에서 내민다.
들여다보아야 고장은 없건만
요즈음 여름철 감기는 과학적이다.
친구여, 과수원이 창 밖으로 날아 지나간다.
그래 무엇을 생각하는가.
아무래도 주인일 수가 없다.
다시 연습 삼아
돌[石]의 눈[眼]을 뜨면
소녀는 저기서
카아네이션을 사서

제복에 다네.

그 미소에 닻이 내리고

사람들은 수입품 효도를

져내리기에 홍예문虹霓門처럼 흰다,

달은

가슴마다

결실하는데.

1963

9월 9일

"관세음보살, 별로 소원은 없습니다. 관세음보살 하고 입 속
으로 부르면 관세음보살 정도로 심심하지 않다.
비극에 몽그라진 연필만한 승리를 세우지 마십시오. 때가 오
거든, 이 몸도 가을 잎처럼 별[星]이게 하십시오."

호생관毫生舘°의 애꾸눈과 루드비히 반 베에토벤의 귀를 가
진 나무가 서 있었다. 그는 도시의 계단을 밟고 산으로 올라
가, 그 나무와 함께 정처없이 바라본다. 성지聖地는 보이지 않
는 곳에 있었다. 혜초慧超°가 갔던 곳에서 구름은 돌아온다.
저녁 노을에 향수鄕愁의 항아리가 놓인다. 항아리 밑에서 번
져 나간 그림자의 깊이가 백월白月의 언덕을 개항開港하고
있었다.

1962

불협화음의 꽃 II

그녀의 피부는 먼 바다 소라 속처럼 고요하였다. 그 나선 계
단을 내려가면 무엇이 그녀의 마음에 있는지 아무도 모른다.
아침은 흑요석의 눈에서 때때로 탄생하였다. 그는 그녀에 대
해서 황홀하였다. 어색해서 머리를 숙인 것은 아니다. 파도가
출렁이는 동안 그들의 지상은 어떻게 변했던가. 그들의 손에
는 녹슨 못이 박혀 있었다. 승부는 길바닥에 바퀴만 남기고
사라졌다. 음성은 생활을 분석하며 사방에서 호소하였다. 그
러나 실효는 반향만큼도 나타나지 않았다. 그들의 입장은 불
탄 자리였다. 각자의 몸부림은 적확한 표정이었다. 모든 상처
가 대답이었다. 그들은 '사랑'을 침묵에서 찾는 수밖에 없었
다. 하건만 결과는 죽음과 마찬가지로 나타났다. 죽음은 어떤
자세에도 결말을 짓는 안식을 주었다. 그들의 허망한 동작은
바다빛으로 무성하였던 것이다. 노인은 그에게 말한다. "이
런 어둠에서 버리라." 그는 그녀에게 대답한다. "그러면 다리
[橋]에서 서로 만납시다." 약속 시간은 지나갔다. 담장의 철망
은 새벽까지 안개 유리창에 그림자 져 수그러진 그녀의 머리
를 희망처럼 휘감고 있었다. 가난한 사람에게는 도시는 섬

[島]이었다. 황량한 안면顏面이 해바라기 이우는 공사장과 맞쳐다본다. 파도소리가 꺼져가는 내등內燈에 일어난다. 선거 휴지는 밤 바람에 날려 쌀가게 앞에 드러누웠다. 죽음의 달은 왜 저리도 아름다운가. 달은 가슴 속 밤 하늘의 사리舍利만 하였다. 그는 명절날 셋방에서 중국 만두를 씹는다. 주인은 암컷에게 또 별[星]만한 즙汁을 벽 너머 안방에서 주입하고 그림자처럼 쓰러졌는지 조용하다. 노래소리는 벽마다 이중 삼중의 달로서 기어올랐다. 그런데 옆집 창은 아직도 열려 있다. 머리 속은 실현성 없는 방장房帳에 가려 있었다. 지쳐버린 유방乳房이 길 없는 광경에 낙엽진다. 시간은 쿨걱쿨걱 썩다가 흘러간 물처럼 돌아왔다. 세월의 검은 매[鞭]가 기름진 석면石面에 주름살을 그었다. 그것은 죄 없는 낙인이었다. 고고孤高는 혈연을 그으며 연분緣分하였다. 찾을수록 연분한 공허가 확대한다. 그것은 애정의 육박이기도 하였다. 문패를 붙이지 아니한 옆집 식구들은 치료를 병원에서 받는 깡패들처럼 신경질을 부렸다. 형제들 사이의 증오가 그 집 내용이었다. 그러나 바깥에서 보면 그 집은 평화한 경치를 돕고 있었다. 붉은 세타를 입은 여자의 귀는 백지白紙였다. 그리운 그녀는 창 쪽으로 돌아서서 기다리고 있었다. 모발은 다른 손을 기다리는 포도송이였다. 창의 공간이 그녀를 소유하고 있었다. 은막 없는 영사映寫가 그녀의 사념인 데 지나지 않았다. 태양은 내부를 토로하였다. 그것은 그녀의 숙란熟卵이었다.

그것은 콩기름을 튀기며 해바라기 생리로 나타나 있었다. 그러나 비 오는 지표에서는 그러한 시각에도 등불이 젖고 있을 것이다. 비 내리는 안개 속에서 강변은 불사不死하는 여자의 선을 뻗고 있을 것이다. 비는 총탄에 쓰러진 간디 옹이 서 있는 동상에 내릴 것이다. 시간의 돛단배는 야소耶蘇의 무덤에도, 나무가지들을 헤치며 지나갈 것이다. 어떤 촌색시는 달을 백자白磁로 옹달샘에서 떠 마실 것이다. 피는 밤 너머 해처럼 흙 속에서 끓어 올랐다. 그러나 안계眼界는 삭막素漠한 집들의 대화였다. 그는 옷을 입어야 한다고 생각하였다. 책상 위 수선화를 굽어보는 초상화일 수는 없었다. 그래서 배[船]들은 절망과 욕구의 접선接線에 떠 간다. 그들은 보이지 않는 목적을 향하여 간다. 굴뚝 연기의 그림자가 밭고랑 진 갑판에 서 있는 그들 주위에 황량히 흩어진다. 그림자는 열심히 그림자를 지우며 나아간다. 마님은 세파에 흔들리면서, 염주를 돌리면서 자상하였다. 그들은 달이 구름과 하늘과 바다와 대지인 사단四段의 판자벽에 구멍처럼 떠 있음을 보았다. 사구砂丘는 입항入港하는 선체 건너편에 흩어진 전등불들을 바라보았다. 돛이 떨어지자 파도소리는 들리었다. 육지의 덕은 쌍둥이를 안고 있었다. 어디서나 무책임은 돈처럼 점잖하였다.
식모 아이는 미장원으로 영업을 나가는 과부 아씨에게 "외상값 삼백 원 주고 가세요" 한다. 젊은 과부는 "이른 아침부터 재수 없게 왜 이러니" 하고 눈을 흘긴다. "괜히 아침부터 또 신경질을 부리셔." 식모 아이는 의미 있이 웃는다. 이러한 아침이면 그는 생각하였다. 지폐나 신神에게 열중하기는 쉬웠다. 그는 때때로 성스러운 자아에게 손을 모았다. 죽음은 다시 죽을 수 없으므로 영생하였다. 무엇에고 열중한다는 일은 얼굴을 붉힐 일이었다. 그는 가난과 병약과 고독의 골목을 흘러간다. 하늘과 맞닿는 바다에 이르기 전이라도 물은 어디서나 물이었다. 과오나 비애가 그를 더럽히지는 못하였다. 도둑과 성직聖職은 그에게 있어 한 쌍의 눈동자였다. 나의 자성自性이 남의 자성이었다. 성인聖人의 말씀은 들을 때뿐이었다. 경전을 덮고 나면 그는 벽에 홀로 남은 자기 그림자를 보았다. 그는 공자처럼 실직자가 될 자격이 없었다. 그는 석가처럼 걸인이 될 소질이 없었다. 그는 예수처럼 피살될 용기가 없었다. 그에게는 '언어'가 없었다. 그는 찾기 전에 있었던 것이다. 사춘기의 소녀는 젊은 장교에게 "이유도 없이 죽고만 싶어요" 한다. 이슬이 뺨에 내린다. 일선에서 돌아온 장교는 "거 무슨 뜻이지" 하며 웃는다. 그들은 해안선으로 교접하였다. 이튿날 군대 행진은 주악에 맞추어 사양斜陽을 횡단한다. 밤을 뒤덮는 하나의 기계로 나아간다. 거리는 창마다 손들을 흔든다. 하나 하나가 부속품으로 발동한다. 사장실에서는 녹綠빛 모발 인형의 웃음이 '명도冥途°'의 휘파람소리를 질렀다. 명령은 날개를 폈다. 전쟁은 춤을 추고 있는 것이다. 싸움에서 벗어나 죽음에 들어가도 신을 보지는 못했다. 그는

그녀를 전장戰場에서 생각한다. 그녀는 석양을 받고 삼한森
閑한 계류溪流에 삼분의 일쯤 잠긴 독[甕]이었다. 폭발은 시선
을 뒤흔든다. 하늘은 명멸하였다. 그는 싸우면서 엉뚱한 생각
을 하고는 하였다. 만일 '암탉과 면도'라는 말을 이해하려면,
먼저 언어에 대한 관념에서 벗어나야만 했다. 그는 '유리컵
과 자물쇠와 성냥'이라는 혼동에서 받는 감도感度를 습성으
로 파악하지는 않았다. 그는 '무아無我'에서 정확한 동화同
化의 세계로 들어가곤 하였다. 그래서 굴뚝이라든가, 초석礎
石이라든가, 태양이나 산은 지난날과 반대로 영원하지 않았
다. 그의 사념은 각각으로 승화하며 수밀도水密桃의 씨로 변
하였다. 그것은 이러한 점에서 어떤 이야기의 줄거리도 작자
만의 것이었다. 읽는 사람은 "한 가능이 반대의 수긍일 수 있
을까" 하고 되물었다. 그러나 성공은 매상고賣上高였다. 언어
는 찾을수록 소모되었다. 도시는 한낱 인조품이었다. 차는 전
망창에 생물처럼 천천히 기어드는 길을 거두어들인다. 그의
마음은 길과 같았다. 누구나 표면상은 뜻대로 걷고 있었기 때
문이다. 양쪽의 가로수들은 열을 지어 끊임없이 나타난다. 그
는 "나무가 있는 길을 상상해보았는가. 간다는, 즉 걷는다는
소비가 없으면 길은 필요 없다"고 그녀에게 중얼거렸다. 나
무들은 일제히 그들을 반기며 손을 흔든다. 참아왔던 여러 가
지 고민들이 나무가지마다 밤 하늘의 별들로 주렁주렁 열리
기 시작하였다. 그는 그녀와 함께 벗어날 수 있는 도로를 만

든다. 아무도 내일을 모른다. 사랑에는 문명이 없었다. 나무들은 누구를 위하여 길마다 녹음綠陰을 드리우고 서 있는지 알 수 없었다. 선회하는 위기의 중심점이 속도에 따라 열린다. 문을 향한 육박은 그의 대답이었다. 종일은 피로하였다. 그는 지친 걸음으로 셋방에 돌아와서 전등을 밝혔다. 원고지와 낡은 양복과 조선 백자가 주인 없던 시간에 놓여 있었다. 그는 라디오를 틀었다. 밤 너머 이국 땅은 어느 술집이었다. 여자들의 넓적다리가 쏟아져 나온다. 그는 라디오를 게으른 몸짓으로 끄고 신문을 본다. 활자의 행렬은 지나가기 시작한다. 뉴우스는 그에게 되묻는다. "이런 사실을 어떻게 생각하는가." 그는 아무런 흥미를 느끼지 못하였다. 흥미는 능력 밖의 것이었다. 함지咸池*에서는 신을 창조하기에 몇천 년을 허비하였다. 부상扶桑*은 매장하려 서두를 것도 없이 애초부터 신을 만들지 않았던 것이다. 그는 학교에서 비로소 신을 배웠었다. 그러나 신은 이해하기 힘들었다. 우주는 생멸生滅하듯이 마음마다 들어 있었다. 자성自性의 본질은 설명되지 않았다. 그는 어쩔 줄을 모르겠다고 하지 않았다. 내일이 있듯이 전부는 아니었다. 승객들은 제각기 생각에 결박되어 있었다. 열차는 달리고 있는 것이다. 내[我]라는 것이 없는 시간이 행동을 열어준다. 어째서 미워할 상대가 있겠는가. 어떤 기쁨도 그를 동요하지는 못하였다. 문은 그에게 감금이 아니었다. 앞은 동시에 출입구였다.

그는 불을 끄고 미군용 담요 위에 누웠다. 잠이 들자 지구의 회전으로 호흡하였다. 밤에 장미는 자라난 추억에 머리를 박고 있었다. 장미는 갈수록 상하였다. 장미는 쌓아 올린 정욕에 수금囚禁되어 마르고 있었다. 그러나 창 밖의 소나무는 노경老境에 서 있었다. 서로가 대조적인 반면을 보였다. 피색皮色과 국기國旗로 나뉘어진 양쪽 해안은 원래가 아름다웠던 것이다. 해와 광명은 그들에게 하나였다. 살인자는 장미의 달디단 자극을 상기하였다. 파산자破産者는 솔바람소리를 들었다. 누가 성인聖人을 약자弱者였다고 하는가. 발우[鉢]와 수레[車]와 십자가와 독약을 비웃은 사람은 없었다. 역시 지상은 천당보다 위대하였다. 이성간의 정염情炎은 바깥에 내리는 빗소리를 들으며 요동하였다. 옆방에서 자던 식모 아이는 미장원 마담과 대학생의 교접에 자화磁化하였다. 어둠은 벽을 지워버렸다. 두 마리 뱀은 빗소리 속에서 철사로 타오른다. 열아홉 살난 식모 아이는 지평선에 흩어진 열매들의 등불들을 바라보며 암석으로 젖고 있었다. 이유를 벗어난 입궁入宮은 역사가 없었다. 날이 새면 대학생은 입대入隊해야 한다. 이튿날 대학생은 열차로 떠나갔다. "이번 비에 논밭은 해갈했어요." 면장面長은 신작로에서 공무원에게 말하고 달리는 열차를 바라본다. 정사情事는 증발하였다. 남은 빗방울이 차창에 굴러 내리며 녹綠빛 풍경에 칼금을 그었다. 과부는 이층 미장원에서 불어난 청계천을 굽어보며 한숨을 몰아쉰다. 미정未定은 의상을 입었다. 솔직이란 언제나 아름답지 못하였기 때문이다. 양산을 단장短杖처럼 짚고 걷는 형법刑法 교수와 그는 함께 한 쌍 은행나무 밑을 지나간다. "생활력이 강한 여자를 데려야지요. 범죄란 놈이 어디서 생겨나는 줄 압니까. 가난에서지요. 돈은 건강입니다. 내 그런 데를 하나 소개해드릴까요." 그는 "글쎄요" 하고 대답하였다. 내부로는 어릴 때 소꿉동무이던 그녀를 생각하였다. 그는 앞일을 모르기에 그날 그날을 통과하면 그만인 것으로 생각되었다. 그는 형법 교수를 회피하고 있었다. 인생에는 작자[神]의 이야기 줄거리가 없었다. 시비는 끝이 없었다. 그는 분별을 버렸다. 자기 자신이 어떻게 되어가는가를 구경하였다. 그는 사방을 개방하고 '그러냐' '아니냐' 의 분수령에 서 있음을 알았다. 결합한 단념이 그의 도로가 되어 뻗어 나간다. 그는 지나가는 가로수들을 보았다. 가로수들은 지나가는 그를 보고 있었다. 움직일 자유는 있었다. 그러나 방향을 잃은 뒤였다. 내면은 거부로 이루어져 있었다. 그는 언제나 그러하였다. 바다 건너 대륙에서는 세탁기가 돌아간다. 자동차가 교통을 벗어나려 해저 같은 빌딩 협곡을 흘러간다. 냉장고가 문을 여닫는다. 그러나 황금으로도 만족과 평화는 사지 못하였다. 손은 지적의 사랑을 잡지 못하였다. 미망인은 이자 계산과 법이론法理論을 성장盛裝하고 계단으로 올라간다. 그러나 초가草家들은 예로부터 가난과 인내와 인정으로 모여 불을 밝혔다. 어디까지 견디며 점잖을 수가 있었던가. 불안은 타인을 위로하면서도 자신을 잃었다. 그는 필사적으로 감사의 의자에 앉아 있었다. 그것이 그의 유일한 식료품이었다. 그는 가지가지 현상을 측량하며, 자기 자신을 알기 위한 일을 했다. 걸작이란 어떤 것인지 알 필요조차 없었다. 추악하다면 인간을 버리고 거울에서 무엇을 얻을 수가 있는가. 생각한들 모든 것과 어떤 관계가 있는가. 어느 날이었다. 그녀는 그에게 "당신은 위선으로 복장服裝하였다"고 웃었다. 그는 "어린이의 머리를 쓰다듬는 동안은 미처 위선이란 말도 생각하지 못하였다"고 어리석은 대답을 하였다. 눈들은 근심의 건물을 비친 호수였다. 그가 한밤중에 잠을 깨었을 때마다 그의 돛은 혼자였다. 그는 그것이 무엇인지 알 수 없었다. 그는 모르는 것을 신앙하였다. 죽음은 수벽囚壁에서 자유로이 나온다. 생존의 피땀은 녹슨 그림자에 흘러내린다. 그는 남들에게 안식의 그늘을 마련해주지 못한 만큼 그러기를 갈망하였을 따름이다. 그날 석간에는 한낮의 등대지기가 공간에 짓눌린 모양으로 자살해 있었다. 미혼모들은 공항에서 혼혈아에게 마지막 손을 흔들었다. 혼혈아들이 들어 있는 창에 구름은 흐른다. 여객기는 등대를 굽어보며 무한을 간다. 그의 돛은 아직도 방향을 잡지 못하였다. 그는 보던 신문을 놓았다. 지난날 그에게서 배운 제자가 오랫만에 다방으로 찾아왔다. "세정世情해서 통행증도 없이 겨우 접경선接境線까지 들어갔습니다. 꼭 십 년 만에 두메 산골 고향엘 왔으나 아버님과 어머님 무덤은 없었습니다. 그 솔밭 언덕은 넓은 영지로 변했고, 군인들만 들끓고 있었습니다." 전선電線들과 먼 보라빛 산과 건물들과 피뢰침과 대사관 안의 규목나무와 백주에 원색 배를 드러내놓고 낮잠을 자는 양주점들만 늘어 섰는 골목과 저편 판장板墻들이 다방 창에서 내다보는 그를 에워싸고 있었다. 그는 "웬일인지 허무하기만 하네" 하고, 지난날의 제자에게 웃어 보였다. 계산대에서 백합의 돛을 단 칠선漆船이 음파音波에 흔들린다. 제자가 간 뒤에도 그는 전축에 귀를 기울이었다. 모진 비바람 속에서 타오르는 황금 장미의 반항은 아름다웠다. 흑유黑油의 비말飛沫은 돛단배의 앞을 절안絶岸으로 열어준다. 인어들의 별[星]빛 노래를 난타亂打하는 종소리가 기계의 흉곽에서 쏟아져 나온다. 그러니까 삼일 전의 퇴근 때 일이었다. 로오타리를 돌아나가는 초만원 버스 안에서 혹 늦지 않았나 하고 그는 앞 직업 여성의 어깨 위로 간신히 팔을 들어보았다. 시계가 없었다. 그는 입원한 조카에게 전화를 걸었을 때도 분명 팔목 시계를 보면서 "여섯 시까지 가겠다"고 하지 않았던가. 전날이 번개처럼 생각났다. 잡지 편집장은 다방에서 말하였다. "주의합시오. 요즘은 소매치기가 뒤통수만 긁어도 앞 사람의 시계가 없어진답니다." 그는 "그런 재담才談 맙시오" 하고 대꾸했다. 그게 바로 '징조'였다는 생각이 화살처럼 꽂혀 바르르 떤다. 우연은 소매치기마냥 사실이었다. 운전사는 빈 택시를 몰고 거리를 달린다. 손을 드는 손님과 만났다면 그것은 우연이다. 그러나 그는 지금 우연처럼 고장故障이었다. 그는 조금 전까지만 해도 시침으로 돌고 있었음을 절실히 느꼈다. 이기利己의 부정不正과 타협할 줄 모르는 천사는 없었다. 그는 담배를 피워 물었다. 숲, 초가 지붕, 돌담, 낡은 공장의 굴뚝 연기, 비둘기 노니는 공원, 판자집들 구역 등 누가 어디에 있건 누구나 자신의 가치를 찾아다닌다. 그들은 그곳이 어디건 간에 자기의 도달과 출발을 발견할 것이다. 그들은 도리 없는 태양 아래 서 있었다. 신앙은 반사로反射路를 가는 것이 아니었다. 지난 죄악은 각명刻銘의 후광이었다. 의식은 손톱에도 냄새나는 주름살을 폈다. 목적은 미지의 산아産兒였다. 그러나 망각이 관혁貫革을 뚫었다. 석화石化한 몸에서 해열解熱하는 기름은 흘렀다. 검은 연기는 도시를 뒤덮었다. 그는 상한 그대로 본질이었다. 언젠가 친구 집에 갔을 때 요람에서 웃는 아기는 그를 교훈하였다. 아침 여덟 시면 큰길을 건너가는 국민학교 아동들은 그의 스승이었다. 합승차의 변성기 조수의 부르짖음이 그의 가슴에 감동을 일으켰다. 그는 우두머니 벽에 앉아 있는 자기 그림자를 보았다. 피로가 없다면 보이지 않은 '상대'를 어떻게 찾는단 말인가. 식물원빛 차를 탄 남자들이 사장沙場으로 들어왔다. 청년의 마음은 휘발유에 그을러 있었다. 투명한 기억만이 실내로 뒷걸음질친다. "기다리지 않는다면 지리하지도 않으리라." 그는 자기 자신의 추잡한 얼굴을 피하려 눈을 감는다. 어둠에 떠오르는 소리가 부르짖는다. 늪에서 포도빛깔로 익은 젖꼭지가 나온다. 아름다움은 칼처럼 분명한 의미를 담았다. 그의 손톱에는 여러 노선과 병행하여 홈[溝]이 패여 있었다. 알지 못할 곤충은 점점이 알을 슬어놓았고, 촉루燭淚는 뚝뚝 떨어졌고, 쇠사슬은 드리워 있고, 심지어 뱀 껍질이 손톱에 열을 지어 있었다. 그는 당황하였다. "나는 괴벽하지 않다. 이건 육체 이상일 것이다." 그는 팔에다 청동 무게의 자기 머리를 눕혔다. 그에게 있어 "그것은 꽃이라"는 말과 "나는 꽃이라"는 뜻의 차差는 무한無限으로 나타났다. 그는 지식의 낙인이었다. 아무도 과거를 수정할 수는 없었다. 그는 창 앞에 앉아 있었다. 가지가지 외계의 일들이 기록된 서적들은 유리창을 벗어나지 못하였다. 정신은 샘물소리를 들었다. 여러 가지 성자聖者들은 나무 그늘에서 속삭이었다. 성자들은 산업품 사용을 거절하였다. 그들은 성력聖力을 잃는 줄로만 믿고 있었고 욕심을 미워하듯 물력物力을 두려워하였다. 그는 "나는 다른 사람들보다 많은 일을 합니다. 그런데 수입은 다른 사람들의 절반도 못됩니다" 하고 말하였다. 웃음소리가 어디선지 일어났다. 그는 '과보果報'라는 버림인지 "요령이 없다"는 훈계인지 만발한 웃음을 듣고 아득하였다. 그것은 거울의 웃음이었다. 거울에는 사치하지 않았던 귀족의 품격 대신에 팥죽을 사 먹는 망명객의 입김이 냉기를 뚫고 골목에서 쏟아져 나왔다. 과중한 일을 하는 천사는 아내도 두지 못했다. 천사의 과오는 보상되지 않았다. 망명객은 몸을 굽히고 거울에 입을 맞춘다. 상대의 입술은 감각이 없었다. 누구나 과거로 돌아가지는 못하였다. 그의 눈은 주름살의 포위 안에서 미소로 익어[熟]가고 있었다. 선회하는 위기의 중심이 속도에 따라 미소를 반영하면서, 터질듯이 원구圓求로 부풀었다.

유방乳房의 그늘은 애정을 반영한 무게였다. 샘물은 그 중량重量에서 솟았다. 아름다움이란 이처럼 평범한 데서 빛났다. 옛 외국 동화銅貨에 쌍나란히 냉각된 남녀의 옆얼굴처럼 그는 지난날 그녀와 함께 들었던 악곡樂曲에 혼자 앉아 있었다. 합죽선合竹扇에 꽂힌 선향線香에서 항해하는 연기가 아득하였다. 그는 딱딱한 의자에 앉아 발을 책상 위로 뻗고 음악을 들으며, 신경통에서 벗어나려 꼼짝을 않았다. 귀를 기울이는지 책상 위를 보는지, 뒤에서 볼 때 그는 졸고 있는 듯한 자세였다. 방은 시각視覺과 청각聽覺으로 구성되어 있었다. 심지어는 책상 위 물건들까지가 동화의 세계였다. 그 영역에는 로오타리의 장식을 겸한 촉대 위 불빛 분수마저 산봉우리로 하얗게 얼어붙어 있었다. 먼 곳에서 걸어온 청년은 서적들로 층층이 쌓인 현대 건물들의 좁은 가로街路를 지나다가 피곤한지 가끔 걸음을 멈춘다. 그 청년은 한 마리 파리였다. 그러나 저편 청룡자병靑龍磁瓶 밑으로 들어오는 파리는 최신형 자동차였다. 그곳은 경문經文을 각刻한 석편石片 위에서 벽을 등지고 서 있는 고대 금동金銅 불상 아래였다. 자동차는 십이지十二支 방사로放射路가 집중한 광장에 이르러 멈췄으나 그 무엇도 내리지 않았다. 다시 왼편에 나타난 파리는 그대로 파리였다. 파리는 책상 넓이를 양분하고 뻗은 그의 다리[脚] 때문에 앞이 가로막히자, 어리둥절한다. 검은 풀이 숭설숭설 난 큰 제방으로 알았던 것이 갑자기 움직이는 바람이었다. 파리는 그 괴물에 놀라 곧 헬리콥터로 변하여 떠올랐다. 헬리콥터는 직시直時 직선直線으로, 그 너머 교외에 착륙하였다. 교외의 공장은 창이 없었다. 그것은 모던 형 라디오였다. 쏟아져 나오는 말과 음악과 광고는 어느 시대보다 다량 생산을 과시하고 있었다. 라디오 속에는 종업원이 단 한 명도 없었다. 실직한 시민들은 방 속에 처박혀 있는지 길거리도 무인 지경이었다. 청취자는 적막뿐이었다. 파리들은 죽음처럼 새로운 도시를 다 순시하기 전에 하품처럼 일제히 창 밖으로 날아가버렸다. 그 중 한 마리가 소치小癡의 수묵水墨 목단牧丹꽃에 잠시 내려앉았으나 그나마 곧 없어져버렸다. 책상은 다시 그가 늘 일하여 온 고향 풍경으로 돌아왔다. 이곳 저곳에 보수報酬 없는 사색이 녹음綠陰을 드리워 있었다. 그의 휴식은 이곳만이었다. 대기가 가끔 정적을 왜곡시켰다. 하여간에 찾을수록 멀어지고, 버릴수록 가까워지는 곳이 그의 위치였다. 그는 이웃집의 이끼 핀 시멘트 담벽을 향하여 시원스레 가래침을 칵 뱉었다. 가래침은 햇빛에 삼분의 일쯤 침식浸蝕된 쇠창살에 적중하자, 최신 탄두彈頭로서 천천히 내려오고, 생식기로서 늘어나 다음 쇠칸살에 닿을 듯하다가 뿌리째 뚝 떨어진다. 누가 배암이 오기도 전에 능금을 먹었던 것이다. 하나로 제시한 동의와 반문은 믿음을 찾는 아름다움에 빛났다. 어쩌다가 친구들이 오면 "조국의 위치는 어디에 있나" "국제법으론 어떤가" 등 새삼스러운 소리들을 늘어놓다가는 가버리는 것이 고작이었다. 그의 피에 자라났던 작품들은 회고回顧에서 시들고 있었다. 지난날은 다방에서, 셋방에서, 거리에서, 직장에서, 대중 식당에서, 어디에서 돌아보아도 섬이었다. 구하고 버림을 당한 곳이었다. 남녀는 달[月]을 처형하고, 밤나비처럼 눈멀었다. 별들이 금침衾枕에 방울져 말라붙어 있었다. 죽은 세탁소 딸은 타산을 모를 만큼 착하였다고 한다. 그 이야기는 타오르는 수면水面에 꽂힌 비수匕首였다. 얼굴이 못난 세탁소 딸은 사내에게 배신당하고 자살했다는 것이다. 이제는 유혹당하기 그 이전으로 돌아와 누워 있었다. 보아야 무덤은 분노도 사랑도 아니었다. 목적 없는 풍경에서 행복은 물결치고 있었다. 소망을 끊은 해변에서 나무들은 속삭임을 나눈다. 그는 그러한 애달픈 이야기를 냉정히 구경할 수 있었다. 그는 구하지 않고 행동하는 사람이었다. "가난하되 욕망 없는 나를" 활동으로써 찾고 있었다. 슬픔은 그를 결실하게 하였다. 그러므로 그가 수확한 굴욕과 곤궁은 풍성하였다. 시궁창 같은 거리에 사는 사람들이 자랑하는 마지막 재산이었다.

그는 신을 원하지 않았다. 천국은 너무나 무료하였다. 그곳의 일각一刻은 이승의 한 생애보다 길었다. 무엇을 분별할 수가 있는가. 그것은 하나[一]이기 이전이었다. 그는 전부가 아니기에 나아갈 수 있었다.

뱀과 천사는 입을 맞추었다. 그는 화향˚방장花香房帳의 정감에서 뒷걸음질친다. 거울은 정면에서 반영하였다. 노인은 형무소 안에 움츠리고 앉아 있었다. 노인은 돌이킬 수 없는 원인과 절벽화絶壁化한 시공時空에 끼여 있었다. 고랑쇠를 찬 마음은 황량한 종소리를 들으며 철창을 쳐다보았다. 그때였다. 마담은 돌아보더니 "망측해라" 하였다. 마담은 사장의 웃음에 놀란 척하였다. 마담은 "아이 징그러워" 하고 가벼이 꾸짖으며 몸을 맡겼다. 새벽빛으로 소생한 마담은 사장의 욕심을 다 먹었다. 문제는 둘 사이에 태어난 사생아였다. 어른이 된 아이는 부모를 모를 만큼 아직도 실험관實驗管에서 탈출하지 못하였다. 흑대黑帶의 시간은 달려온 실꾸리와 나란히 누워 맞춰다본다. 거울 속의 눈동자 안에서 거울을 들여다보는 그의 얼굴이 그를 보고 있었다. 그는 그녀가 서 있는 뒷선반 바구니의 청동빛 포도와 앵두鸚頭와 유리 빠나나와 함께 벽걸이의 일부로 끼여들었다. 그는 옛과 지금과 앞날까지 포함한 하나로서 여전히 창 앞에 좌정坐定하고 있었다. 그러나 그의 얼굴은 풍화風化한 비문碑文 같지는 않았다. 그래, 그의 관심사가 된 것은 물고기와 음악과 꽃과 새 등속이었다. 열대

어는 접대부 방에서 서정抒情을 그린다. 고국을 잃은 잉꼬새는 독신자의 셋방에서 알을 깠다. 꽃은 하늘을 보지 못하였다. 얼굴들은 도시만큼 흙 냄새가 없어서 갈증에 걸려 있었다. 그는 본향을 잃고 새장 안에 갇혀, 발이 돈에 묶여 있었다. "뭘 그렇게 열심히 보세요" 하고 그녀는 말하였다. "표정에 변화가 없는 새와 물고기와 꽃을 감탄한다"고 그는 대답하였다. "관심이 아직도 무엇에고 있으세요" 하고 그녀는 조용히 물었다. "왜 이런 말을 미리 유의하지 않았던가" 하고 그는 그제야 생각하였다. 다른 음색이 동시에 그의 머리 속에서 퍼졌다. 그는 마술사의 손을 들었다. 그녀는 그의 앞에서 일직선으로 물러나갔다. 성장盛裝과 과실果實과 칼의 원무圓舞는 연기로 사라졌다. 이튿날에야 그는 영감을 체험하였다. 빌딩 내부를 밟고 올라가던 발은 복도의 '정치과'라는 간판 앞에서 걸음을 멈추었다. '정치과鄭齒科'인지 '정치과政治科'인지를 알 수 없다는 것이 힘이 되어 다시 계단을 올라갔다. 잡지사는 이 분의 거리距離에 있었다. 이리도 저리도 해석할 수 있다는 것은 그의 자화상이었다. 잉여 물자가 입항入港하듯이 그는 잡지사에서 나왔다. 그는 원고를 도로 가지고 힘없이 거처로 돌아왔다. 옆집과의 판장板墻 틈에서, 살진 쥐 한 마리가 썩은 새끼줄 곁에 나타났다. 쥐는 그의 셋방을 노려본다. 그는 반짝이는 쥐의 눈을 맞바라봤다. 이그러진 해바라기들 사이의 부엌 위 양철 지붕에서 검은 고양이가 침묵의 등을 굽히었다. 두 시선이 교차한 사점死點만 남겨 놓고 순간은 끊어졌다. 검은 그림자는 이미 뛰어내렸다. 쥐의 목에서 외줄기의 불이 솟았다. 고양이는 이를 드러내며 고무막 같은 침묵을 찢었다. 그가 본 것은 쥐가 아니었다. 지난날 그가 어깨를 나란히 하고 돌격하던 친구의 경험이었다. 두 조각난 출혈出血은 그들의 것이었다. 흙은 그들의 살이었다. "무엇이 이 지경이게 했는가." 생각할수록 우스웠다. 최선을 다하였던가. 그들은 어둠에서 탈출하지 못하였다. 그들은 쏘았고 서로 죽어갔다. 자연은 제공할 뿐이었다. 남은 반은 인간의 책임이었다. 그래서 누구나 후회라는 보물 열쇠를 가지고 있었다. 악화하면 트이게 마련인데, 문은 열리지 않았다. 물[水]은 성격이었다. 그는 애증으로 설명되지 않는, 그 무엇을 끌어안았다. 어떤 사람은 '최후의 심판'을 믿는 자유가 있었다. 그러나 진리는 '최후의 만찬'에도 간섭하지 않았다. 희망은 모르기 때문에 죽지 않았다. 태극선을 쥔 마담은 외면하고 소리만 보낸다. "서울에 온 지 석 달도 안 된 년이 벌써 염병했구나." 레지가 아무 대꾸도 없이 쟁반을 계산대 위로 올려놓을 때였다. 뭇 시선들은 두드러져 오른 유방의 햇무리와 계란 하나 들어갈 만큼 열린 겨드랑의 숲으로 몰려들었다. 눈이 서로 보는 눈과 그들을 보는 눈들과 눈을 본다. 염병染病이 밤송이로 침입하기 직전이었다. 시간은 와해하였다. 여자는 맹자盲者 앞에서 옷을 벗었다. 장님은 조심스레 백자白磁를 안아 마신다. 여자의 면목面目은 출입구에 있었다. 그림자는 정오의 창에 교접交接하였다. 식물이, 유혈이, 요구가, 포도鋪道가, 싸움이, 해가 입을 벌린다. 세월은 추억처럼 빨랐다. 유행가만이 바다를 건너와 기후 다른 곳에서 괴체怪體로 번식하였다. 사람의 정성이 들어 있으면 보잘것없는 기계일지라도 정을 느꼈다. 가치는 고대 불상, 목판본, 자기磁器, 단갈斷碣, 영묵零墨일지라도 심혈로 이루어지기까지 작자의 침묵한 깊이에 있었다. 그와는 닮지 아니한 초상화가 유리액額 속에서 불빛 반사로 녹아 내린다. 그들이 부산 피난 당시였다. 십사 세 레지가 다방 난로 곁에 궁상스레 앉아 있는 그를 그린 그림이다. 생각하면 죽은 사람들이 해방된 셈이었다. 그는 자기와 닮은 데라고는 가난하기 고목枯木 같은 초상화 쪽을 보았다. 그를 그리던 소녀의 모습이 아무것도 보이지 않는 역광逆光 안에서 떠올랐다. 그 당시 소녀의 아버지는 전사했었다. 몇 해 전 가을에 소녀는 깡패와 배가 맞아 어디론지 사라졌다. 그 후 깡패는 신문에 등장하더니, 형무소에 있다고 한다. 그는 질병 같은 안개 속에서 촛불을 밝히고 분별없이 앉아 있었다. 내부의 음향은 기도로 옮았다. "그들에게 불행에 대한 대가를 주소서. 나의 밤은 근심스런 눈을 뜨고 있습니다. 여자는 어디서 울고 있지나 않는지요. 지상에는 누구도 죄가 없습니다." "배고픈 것은 죄가 아니다" 하고, 감방에서 노인들은 투덜거렸다. "우리는 공도 허물도 없고 있다면 만들어졌다는 것뿐이다" 하고 수인囚人들의 얼굴은 반향反響하였다. 그들은 눈을 감고 돌담과 썩은 초가와 숲과 남루를 입은 아내와 딸과 감[枾]과 옹달샘소리를 보고 있었다. 갈망들은 각기 벽을 벗어나 고향에 돌아가 있었다. 마음의 행위는 법률로도 구속하지 못하였다. 늘 찾도록 마련인 자유는 언어의 핵을 칼로 찔러 그것을 뒤집어 생성 이전의 바탕을 밝히는 데 있었다. 기계가 신축 공사장의 거창한 일들을 하는 사이였다. 선량選良보다 소수인 일꾼들이 삽질을 한다. 머리와 머리는 호텔에서 나누어 가지기에 한창이었다. 기관사는 농부를 보자 즉시 열차를 세웠다. 그러나 때가 늦었다. 검은 것이 우주를 뚫고 시점視點으로 들어왔다. 농부를 역살轢殺한 열차는 천천히 떠나갔다. 창들과 물품들은 일시에 소리를 질렀다. 쌕크드레스°는 "아이 속상해" 하였다. 쌕크드레스는 선그라스를 쓴 남방 셔츠를 핏빛 손톱으로 할퀴려 했다. 눈[眼]이 방안에서 내다뵈는 먼 산과 입맞추었을 때였다. 허무의 깊이는 넘쳐 흘렀다. 비할 바 없이 미소微小한 것이 파열하고 신천지를 열었다. 생과 사는 일월日月처럼 무성한 뒷골목을 비치었다. 금점金占꾼은 피로하였다. 누구나 갓난아기는 빈상貧相이 아니었다. 그러나 뺨은 시간에 깎이었다. 피색皮色은 좀먹었다. 눈은 점점 이상스레 빛났다. 굶어 죽은 볼프강 아마데우스 모짜르트의 자장가가 라디오에서 나온다. 중년 남자는 자장가소리에 입을 꽉 다물면서 눈을 떴다. 파도는 진전할 수 없는 얼

굴의 바위에 흩어진다. 폭풍은 날았다. 마조도馬祖島* 상공에
서 싸우던 별들은 줄을 그으며 떨어진다. 폭격은 해협을 붉게
진동한다. 어느 강자들이 오늘도 눈과 눈 사이로 펼쳐진 지도
에 작용할 수 있는 방사성능을 측정하고 있는지 모른다. 카인
의 형제는 아니었다. 사람들은 옛날로 왕래하고 있었다. 누구
인가가 "당초부터 호전적인 신을 만들지는 않았다"고 속삭
이었다. 그는 음악을 들으며 비단실 끈에 결박되어 있었다.
그는 무료를 즐길 줄 알았다. 깨어진 그릇은 몇 어리석은 손
[手]들이 저질러놓은 짓이었다. 사랑도 분노도 반항도 사고思
考도 없는 심장이 고무덩어리로 쟁반 위에서 뛰었다. 왜 칼로
찌르고 흐르는 피에 썩는지 알 도리가 없었다. 그들은 다른
토질土質에 열대 식물을 옮기려 하였다. 그는 수평선 위아래
로 오르내리는 칠색七色의 공이었다. 그는 손[手]들과 무관하
였다. 공은 가지고 놀도록 속이 비어 있었다. 공은 싸움도 인
종忍從도 아니었다. 그것은 가지지 아니한 희망이었다. 그는
정면 거울에서 돌아서서 어디로인지 걸어가고 있었다.
어떤 교수는 "지나친 밤은 새로운 태양을 제조하지 못한다"
고 하였다. 그는 "도무지 알 도리가 없다"며 웃었다. 생각은
표본통 안에 핀으로 꽂혀 있었다. 주먹은 하늘을 반영할 유리
에서 석고화하였다. 그러나 시작과 끝이 없는 것은 믿음이었
다. 창 바깥 시멘트 벽에 피어난 이끼의 빛을 보는 그는 빗소
리를 우두커니 들었다. 악기 없는 연주에 흑요黑耀의 이슬이

내린다. 누구나 의미도 없이 몸짓을 하는 때가 있다. 그것은 지속持續이었다. 지속은 볼 수 있고 보게끔 하는 사이였다. 나무가지들의 물방울들마다 들어간 달은 낱낱이 우주를 결실하였다. 감정은 창변窓邊마다 지혜를 결정結晶하였다. 판단은 그러한 음영과 광점光點을 대문 사이로 보였다. 강은 여백에서 번져 나갔다. 허공은 화초를 스스로 구성하였다. 가능과 우연은 쉴 사이가 없었다. 소년이 하늘에 선을 지른 둑[堤] 위의 꽃들을 밟고 지나간다. 그들은 자고로 그렇게 없애며 갔던 것이다. 하늘로 뻗은 손이 폭파된 지붕을 잡는다. 조상彫像은 아궁이의 가랑잎처럼 오무라들면서 쓰러진다. 그들은 때때로 자기 자신마저 잊고 걷는 것이다. 윗부분은 날아가고 없었다. 내장을 뽑힌 건물들 속에서, 쌓인 시체들이 성역聖域의 안식을 누리고 있었다. 그는 담배 한 가치를 피워 물었다. 어디서나 이기利己의 부정不正과 타협할 줄 모르는 바보는 없었다. 수입은 바른 지침이었다. 평화를 부르짖는 입들에서 연기가 나왔다. 그리하여, 타버린 땅에 시가市街는 재건되었다. "뜻대로 안 되는 것이 정상이라면, 낙망할 필요조차 없다." "그는 왜 슬픔이란 말을 썼을까." 자문하던 검은 피색皮色이 국기 휘날리는 식민지에서 낮잠을 잔다. 테를 산으로 두른 호수만한 하늘에 반사하는 날개가 살충제를 분무하며 외국품들 상가에 닿을 듯 전선들 위로 헤엄쳐 간다. 자동 계산기는 은행 안에서 프로펠라처럼 돌고 있었다. 덕분에 애인도 없는 처녀들은 감원되고 저무는 거리로 쏟아져 나온다. 철문은 그들의 등뒤에서 내려졌다. 아라비아 숫자들은 야광의 행진을 한다. 여자의 손이 그의 생각 곁에서 불타는 장미로 정지하였다. 그는 괴로운 거부를 해야만 했다. 사내 가슴에 부란腐爛한 향내를 풍겨놓은 능금은 병상으로 돌아갔다. 슬픈 기둥과 조대彫臺에 얹혀 있는 서책들은 말한다. "전쟁은 앞으로도 있을 것이다." 내일을 기다리는 미망인의 손은 노우트의 여백이었다. 회의의 그림자가 그 공책에 경사傾斜지고 있었다. 누구나 능력이 없었다. 도시는 강간과 싸움과 수갑과 병을 대가로 공급받았다. 광명을 기다리는 그들은 잠마저 이루지 못하였다. 그들은 알았기 때문에 추방당한 것인가. 언제나 식食과 성性이 지상을 꾸미었다. 한 언어가 유혈과 기아를 조명했을 때였다. 그는 무언無言을 감수하였다. 서로가 무능 위에 올라서려 서로를 짓밟았다. 때[時]가 언제 그에게 죽음을 분부할지 모른다. 웃음은 쓰러진 자 위에서 웃었다. 하반신으로 성격된 본능만이 움직이었다. 열리지 않은 국회는 대기 속에 동결되어 서 있었다. 창들은 시위 행렬을 굽어보았다. 계단은 검문으로 통하였다. 신문들은 아우성을 친다. 통행 금지된 백주의 길거리는 눈이 내린다. 냉도冷度는 싹[芽]을 잉태하였다. 반목이 요구하는 협력은 종이 조각으로 찢겨져 나갔다. 결정권을 잡은 기계가 담배를 피고 있었다. 머리가 약방을 찾아 위험선상에서 헤맨다. 그녀는 부서진 벽에 그림자를 눕히고, 초토焦土에 서 있었다. 여자는 근심하였다. 태양은 그녀의 것이었다. 지난날, 그는 한창 볶아대는 총소리 속에서도 법당의 정적을 느꼈었다. 그들의 몸은 그들을 반영하였다. 존재는 의미를 잃고 있었다.

그는 그를 잃은 것만 같았다. 굴뚝에서 솟는 연기가 산들의 침묵을 깊게 하였다. 그는 솔직히 사실을 받아들였다. 생각의 탯줄이 체내에 세계를 주입하였다. 그의 정신은 음악처럼 보이지 않았다. 그의 괴로운 육체가 아름다움을 조형하고 있었다. 그는 긍정의 길거리를 향하여, 부정의 골목을 내려간다. 그는 부당한 수입으로 살고 있었다. 그는 성性에 있어 자독自瀆의 수자囚者였다. 가도 가도 하늘과 땅 사이에서 벗어날 길은 없었다. 그러나 거리의 주민들은 아무도 후회하지 않았다. 그런 필요를 느끼지는 않았다. 어느 곳에서는 관리들의 시범대로 술과 여자와 돈을 에워싸고, 사람들은 모여들었다. 이러한 가치 조준에서 벗어나면 너는 향수에 몸부림치다가 자살적이게 마련이었다. 개인은 그러한 주위를 극복할 수 없었다. 굴욕은 안전한 편이었다. 양단에 걸린 깃발로 그들은 비바람에 펄럭이었다. 부덕不德이 감미롭게 그들을 감싸주었다. 그들은 아편 환자로서 고병古瓶 옆에 편안히 누워 있었다. 힘이 부족한 사람부터 장의차에 실려 나갔다. 관은 도로를 달리며 흔들린다. 사람들은 양편에 늘어서 있었다. 회사원의 눈은 장부帳簿를 덮고, 십자 거리를 비치었다. 상점들은 돈에 극진하였다. 사람은 안목에 없었다. 음악가는 판단과 단정을 떠나면서 곡을 짓기 시작하였다. 그는 산이나 기계나, 보행步行이나, 일광日光처럼 그 자체였던 것이다. 사고事故는 간혹 피를 흘렸다. 그러나 열차는 기쁨과 슬픔을 모른다. 어디나 점은 산재하고 연속하였다. 끝을 볼 수가 없었다. 피난 당시 항도港都에서 한 부인은 매음賣淫으로 한동안 병든 남편과 어린 것을 부양하였다. 그들 부부만이 아는 순금純金의 비밀이었다. 일선에서는 송장들을 넘으며 전투가 불로 뒤덮였다. 남편은 어린것의 손을 잡고 밤 골목에 서 있었다. 남편은 방에서 손님이 나올 때를 기다렸다. 불빛은 판자 틈 사이로 꺼진다. 가슴은 그럴 때마다 깜깜하였다. 분노와 비애는 꺼졌다. 아내는 바로 그의 생존이었다. 아무도 자기 목숨을 미워할 수는 없었다. 병든 남편이 일자리를 찾아 거리로 나간 뒤면 아내는 거울 조각 속에서 여윈 얼굴을 쓰다듬었다. 오욕은 서로를 설매雪梅로 보았다. 한 생각을 내포한 천년의 씨앗은 어둠에서 싹트고 있었다. 기류는 미쳐 날뛰었다. 눈[眼]은 검은 언덕에 서 있는 이해였다. 소망을 읽었을 때가 찾은 것이다. 그는 물결을 진정시키고 거울로 삼았다. 저녁 노을이 배아胚芽의 음악으로 나부끼었다. 추억에는 소년이 달뜨는 고개를 넘고 있었다. 인공 두뇌는 인광燐光을 번쩍이며, 파괴선破壞線을 그으며 날았다. 집중은 무無를 폭발하였다. "머리 좀 짚어주세요." "몸이 불덩어리군." 화조火鳥는 하얗다. 사람들은 의미도 없이 몸짓을 하였다. 걸음은 저절로 옮겨졌다. 이러한 시간이 없다면 어떻게 살 수 있는가. 적은 "나를 사랑하라"며 포로의 가슴을 총구로 겨누었다. 포로는 "당신을 사랑한다"거나 "나는 죽음을 각오했다"거나 어느쪽이건 대답할 수 있을 것이다. 대답은 어느쪽이건 간에 거짓이었다. 대답하지 않을 수 없는 일순이 비무장 지대로 육박肉迫하고 있었다. 청년이 무어라 대답하건 그는 이미 그가 아니었다. 그제야 청년은 자기 자신과 죽음의 철창 너머로 면회하였던 것이다. 불은 켜졌다. 그는 그녀가 전처럼 귀엽게 보이지 않는 데 놀랐다. 그는 스스로를 미워하리만큼 부끄러웠다. 그는 불이 켜졌을 때마다 "왜 기계가 발기勃起했던가" 하고 자문하는 버릇을 되풀이하였다. 조물주의 시기는 대단하였다. 그녀는 늘 미소하였다. 철조망을 주름살과는 대조적으로 뚫은 기갑機甲 부대는 집중하였다. 그리워서 돌아보는 그녀의 목줄기가 얼음으로 빛났다. 그는 의사意思에 반하여, 눈을 감았다. 그는 시계視界를 지워버렸다. 그리고 방황은 그녀의 손을 잡았다. 역시, 대단한 내용은 없었다. 청포도는 주렁주렁 달린 태양의 하나로서 서로 돌았다. 모두가 무진장한 형상 속에서 무한히 퍼졌다. 그는 일어섰다. 그는 산 너머와 결별하였다. 너는 하품을 하였다. 그는 밟히지 않는 자기 자신의 그림자를 따라갔다.

1961

언제나 삼·사월이면

언제나 삼·사월이면 꽃은 피는데
언제나 학마을 보리고개는 가파르기만 한가.

농꾼은 힘없이 뒷간을 바라보며
서울은 외국 담배가 곱게 피어 오르고
농담을 잃은 손[手]을 위하여
서고書庫를 뒤져봐도 흉년이란 죄목은 없다.

입이 없는가
시냇물은 노래하는데.
드러눕는가
돌은 이끼를 피우는데.

탐욕과 문명 사이에서
인간은 일몰日沒하나.
싸움과 기계 사이에서
인정은 사라지나.

언제나 삼·사월이면 꽃은 피는데
언제면 학鶴과 함께 식사를 할까.

1961

아리랑 Ⅲ

이러한 달밤이면 아프리카에서
풍금風琴이 천사들을 모을지 모른다.

그와 그녀 사이에 정점을 이룬 곳
둥근 거울 안에서 시선은 서로 만난다.

그러나 고발되어 신문에 나온 실연失戀처럼
'거울의 난파선'을 외면하였다.

적막은 집산 생멸集散生滅의 의상으로 춤추며
물러가는 길거리의 시각을 알린다.
「춘희椿姬」의 막은 라디오에서 오르는데
비오던 날 떠났던 이李양은
지난밤 꿈에 육수점肉獸店 안으로 들어가더니
오늘은 하얀 봉함 편지가 되어 날아왔다.
누구나 백년 안에 떠날 일을 생각하여보아라,
아무도 미워할 수는 없다.

무념無念의 눈

천연天然한 청각.

그러한 영양을 섭취하지 않는다면

먼 시장으로 이고 가려

굴 껍질을 부엌에서 까는 아내를,

병자病者가 불러들이지는 못하였을 것이다.

형무소 담벽을 끼고 도는 동네에서

"메밀묵이나 약밥 사요."

소년은 밤의 소리였다.

소리의 눈과 코와 입은

얼굴에 성좌星座하였다.

너의 손은 걸레

네온의 망령

사람 없는 도시,

달의 수액樹液은 문 안에서 마른다.

대지는 눈을 뜨고

눈물과 피는 합쳐 흐른다.

개선凱旋은 형제의 시체들을 넘어오는데

사춘기 소녀는 월간 잡지를 보며 깔깔 웃는다.

그래서 종장終章은
바뀔 때마다
높아지는 담 밑에서
웃음을 불러내려고
그림자가 복선伏線한다.
"소설은 끝났지만"
내일은 계속하는 것.

무념을 구조構造한다.
천연의 시간은 온다.
누가 시간에서 탈출하는가.
무념은 성패成敗에 관여하지 않는다.
그래서 세계는 늙지 않는다.
무수히 부정否定한 길을 얼마나 부정하면
이르를 수 있는 곳인가.

널 널 널 상사디여
널 널 널 상사디여
널 널 널 상사디여

1961

아리랑 II

세균의 번식처럼
저마다 개성個性하는데

문文씨는 두 눈을 가진 유리 컵,
나무가지를 뻗는 번갯불은
씨의 영역으로 확대한다.

우리보다는 그들도 행복하지 않다.
우리보다는 그들도 고독하다.

밤마다 태어나는 자병磁瓶의 사슴은
포도빛 새벽을 마신다.
우리는 괴로움을 괴롭다고 않는다.
우리는 기쁨을 기쁘다고 않는다.

언어 이전의 말씀,
그 모습.

전기 면도기로 빵 모양의 콘센트 안에서 매음부를
결박하고 풀을 깎는다.
손은 총을 들어 철조망에
걸린 발가숭이 풍경을 겨눈다.

웬일인가, 곡예단의 옷 빛깔 같은
빈 깡통을 줍던 소년이 연기로 변하여
하늘 너머 둑 아래로 굴러떨어지는 모양은.

언제인가 창에 고이는 눈물은
우리의 침묵을 듣게 하소서.

문씨의 방에서 보호를 받는
외국산 새 한 쌍은 라디오의
국악에도 맞추어 노래하네.
바깥의 따분한 글자나 말들은
나라마다 다르지만
책이 지니는 뜻은 서로 통하네,
생각에 국경이 없듯이.

소원은 즐거운 시를 심는 일.
그러나 나는 지저분한 셋방에서

등불을 밝히고, 수렁길을 걷는
군중 속의 나를 헛되이 바라본다.

이 밤에 우는 사람은
문씨의 눈물인 것이다.
꿈에 모국으로 돌아온 한 쌍 새는
나의 휴식인 것이다.
내일을 돌아보며 웃는 웃음은
잠시일지라도 기쁨인 것이다.
모든 책에 있는 말은
내가 일상 사용하는 낱말인 것이다.

1960

불협화음의 꽃 I

보이지는 않아도
해는 구름 위에 있었습니다.
"아무 생각을 마십시오."
과연 버릴 수 있을까요.
이럴 수도 저럴 수도 없을 때
돌[石]일 수 있을까요.

전사戰死는 기억에 쇠[鐵]의 나무와
비늘이 돋힌 바위로서 일어섭니다.
거지는 지나가는 수녀修女를 보며
"이해에 차별은 없다"고 생각하였습니다.
그들의 뜻은 오곡五穀이며,
육신은 양안兩岸이었습니다.

"창 너머 풍경을 보십시오."
이럴 수도 없어서 거부하며
저럴 수도 없어서 긍정합니다.

한없이 무너지며
끝없이 건립建立하는 흐름에
비친 스스로를 보며
그러므로 너는 존재합니다,
구내 식당에서.

두려움은 형벌 없는 문을 만나지 못할 것입니다.
괴로움은 무념無念한 뜨락을 걷습니다.
종소리는 빈약한 부엌에 새벽으로 들며
아내의 방기放氣는 코를 부는 말[馬]소리를 내었습니다.
사람은 섬[島]들 사이로 멀어져가는데
아내의 가슴에 전해오는 불안은
창에 하늘을 넓히며 새로운 세계를 열고
그들은 제각기 별이 되었습니다.

도덕은 묘표墓標로 서고
날로 비대하는 육법 전서는
혈압이 높았습니다.

수면睡眠은 책과 성냥과 옆을 지나온 아내의 몸으로
그를 안정시킵니다. 노우트에 숲처럼 우거진
두뇌의 언어가 뒷골목 시궁창에 흐르면서

월인月印한 것을 보십시오.

유리 저편에 조립되는 야망,
전등불 밑에서 국제 매독梅毒은
노랑 저고리와 남빛 치마를 입고
열일곱 살로 앉아 있습니다.
그는 이러한 내면에 눈을 감았습니다.

그는 닫히기를 바라는 창문을 열었습니다.
식食과 성性이 매일每日하며
하반신으로 분별되듯
본능은 기명器皿을 성장盛裝하였습니다.

나선 계단은 지리한 시선,
문은 입을 닫았습니다.
아직도 결론은 열리지 않는데
추운 겨울이 씨앗을 잉태하였습니다.

말씀은 상륙 직전과 미망인의 진주와 굶주림을 보여줍니다.
그러한 이야기들이 굴다리 밑으로도 떠내려옵니다.
우산 고치는 노인은 일손을 멈추더니

"잘못이 있는 한 말씀은 죽지 않는다.
슬픔이 있는 한 소리는 영생한다"고 하였습니다.

안내인은 축대築臺를 내려서며 푸른 전설傳說을 설명합니다.

불사不死의 말씀인가 영생의 소리인가요.
종소리는 젖빛이었습니다.

내리는 눈[雪]발을 면사面紗로 쓰고
건물들은 열을 지었는데
활자들은 조상彫像의 투시透視 안으로 지나갑니다.
삼엄森嚴한 묵상默想에
로마로 뻗은 옛길처럼
백주白晝는 외로웠습니다.

찾으면 세계는 어디에나 있었습니다.
보지 않아도 시계 바늘이
파도 치는 구름과 썩은 바위[岩] 속에서
돌고 있음을 누구나 압니다.
누구나 찾기 전에 자신과 함께 있었습니다.
그렇다면 도대체 누구일까요.

그는 병든 주위周圍에서 성숙하건만
미망인은 그의 눈을 피해
계산대로 들어갑니다.

천정이 없는 서재와
도둑도 손대지 않을 벽장,
사람 없는 집들이 노래합니다.
일월日月은 철모에 고인 물에서 목욕하며
잡초들은 근심을 모릅니다.

이용과 실패로 뒤틀린 청동靑銅은
머리를 두 손으로 안습니다.
사랑은 입을 다물고
어디론지 가는 중입니다.

대답은 온몸의 상처였습니다.
"알면서도 못하는 것
그 까닭을 용서하는
출입구를 보십시오."
신은 아무도 보호하지 않습니다.
그들이 씨앗을 심지 않으면
무명 전사들은 축복하고야 말 것입니다.

불신不信이 앞을 가린 곳과
동종銅鐘이 거창巨創한 곳에서
눈[眼]은 정차停車하였습니다.
첩첩한 의식意識으로
태초로 통하는 터널은
기름땀으로 피로 광명합니다.
종소리가 밤 술집에서도 들립니다.

그는 나면서부터 나라 없던 백성,
죽은 아내는 반신불수였습니다.
그러한 동반은 다른 사람들을 깨우쳐줘야 할
강물과 산맥으로 어우러졌습니다.
목적지도 모르면서 출발한 젊은이들은
"미워하지 않는 곳에
지혜의 마을은 있다"고 믿었습니다.

길만 남은 거리[街]에
소년은 개와 함께 있습니다.
초토焦土의 해바라기 줄기들 사이로
벽만 남은 마음은 다시 살아나고
지하실에 가득 고인 물에서

번식하는 개구리들과 모기 떼들이
태양의 화분花粉으로서 폐허에 날읍니다.

마음에 비친 사물만으로는
거울의 본질을 알 수 없었습니다.
모두가 어둠에 사라지고
볶아대는 총소리에서
그는 그 이전과 혈관을 이었습니다.

광질鑛質은 그의 방에 음향을 기름땀과 광선과 영량影量으로
우상塑像하였습니다.
석죽화石竹花는 생사 사이에 폈는데
한 점 티끌을 뚫은 광선에
기도는 눈동자로 들어옵니다.

등[背]을 서로 기대고 앉은 모피毛皮의 여자가
제 목을 넥타이로 졸라맨 운동 선수를 돌아보며
"행렬은 눈발 속으로 조용히 가네요."
청각이 거리距離의 중심으로 수축하자
호면壺面에 빛나는 윤곽의 탑을
석양은 보았습니다.

그들은 새로운 법을 만들어
달을 무인 지대로 유형流刑하였습니다.
그곳 연륜年輪에 비수를 꽂고
우주를 찢어
화염의 액液은 방울방울
분열分裂한 골짜기로 스며듭니다.

그러하듯 얼굴마다
벽이 둘러진 신시神市에서,
외국 제품들은 매매를 화장化粧하고
대담對談을 위한 바쁜 걸음마다
나날은 갈보의 기침을 흘립니다.

남편은 아내의 신경질과
장마철의 식구들에 에워싸였습니다.
그들의 동작은 확실한 대답이며
결과가 겨우 종지부를 넘어섰으나

하늘이 무슨 말을 하겠습니까.
보여줄 따름입니다.
그는 버려야 한다는 생각마저 버렸습니다.
사람들은 구내 식당으로 드나드는데

열차의 출발 기적이 지난날을 알립니다.

<u>**1960**</u>

많은 머리

그는 사람마다의 나[我]며
수많은 머리,
침묵은 사자死者의 눈을 뜬다.

어지러이 쏘는 소리에
신록新綠은 행진한다.
탄압을 모르는 자연
어둠도 눈은 빛나건만
꽃들은 져서 건물들에 새로운
해로 솟는다.

사람들이여, 기항지寄港地에서나 원시림原始林에서나
사무실에서나 잠시 일손을 멈추고
개이는 장마비를 보아라.
녹음錄音된 사진과 전파의 활자를
도서관에서 길이 쉬게 하여라.

흐름은 어디서나 오는 것
완숙한 바다, 공장 안 태양
포도葡萄의 속삭임,

밥상에 모여 앉을 어린이들,
또는 나란히 앉아 마주보는
늙은 부부의 봄날에는
앞을 뚫으며 친구를 메고 가던
젊음이, 그날이 기초되어, 창은,
문은 늘 새로운 경치를 열 것이다.
그러한 소망은 암석도 눈을 뜰 것이다.

물빛 하늘과 함께 가는 타개로打開路에서
기념탑은 청동을 꽃피웠으나
행동은 죽지 않고
그들만 없다.

1960

절단된 허리

선열先烈들은 시공時空에 쌓아올린
노래의 각기 한 부분,
조각들은 끊어진 허리를 본다.

처지處地는 동물의 폭력과
반지를 낄 사치도 아니다.
스스로를 버리고 그래야만 할
일은 어디서나 발견되지 않았다.

무엇이 육신을 찾아왔기에
한 장 지평선 너머로
약소 민족은 가는 것인가.

만나면 잡색 유리의 살갗과 닿지만
누구나 자기 내부 둘레에
허물의 창살이 없다면
그래서 괴로움이 성숙하지 않는다면

무엇으로 서로를 아낄 것인가.

추종과 배타가 손을 잡듯이
아랫도리의 문을 휘황히 가리며
유혹하는 세모歲暮에 눈은 내린다.

어제와 내일을 잊고
따뜻한 자기磁器의 음색과
체취에 취한 그림자가
한 쌍의 득得·실失로서 벽면에서 돈다.

감각만 남고
머리가 없는 군중의 흐름에
반사하는 계산이
닥쳐올 폭파를 신호한다.

영혼을 부리다가
버림받을 무기의 가장자리에
곡식을 기르려고 고혈枯血은 봄비에 씻기고
공장은 방송되어, 다음해면
간소한 혼례나마 올릴 것인가.

다음날이면 신문에서 되풀이할
밤은 식도食道에 깊어 그 안에서
피살被殺은 눈을 뜨며 있다.

열을 지은 가로수의 사지四肢는
찢기어 절규하는 홍수에 사라지고
열과 빛은 철鐵로 들어서건만
젊은이는 열리지 않는 문을 향하여
그녀를 기다린다.

기다리지 말라.
불쌍한 사람들을 잊지 말라.
달 없는 밤에 홑옷 차림을 하고
골목에서 손님을 기다리는 미혼녀는
날마다 웃으면서 수치羞恥를 벗는다,
초광속超光速은 별에 평면으로 육박하는데.

그들은 가난한 국토, 귀중한 마음씨
팔 수는 있으나 살 수는 없는 마음씨,
그는 새벽 벽보에 해수병咳嗽病의
그림자를 던지며 계단을 내려간다.

침묵은 전차처럼 손님들을 싣고
광선光線에 엉키어 달린다.
언어는 누구나 사용하는
손바닥에 과실果實로 놓인다.
행동은 기旗의 바탕처럼
아무 공죄功罪도 없는 나날이었다.

그들은 국기國旗를 입고 살아난 사자死者,
고향에 돌아온 사람이 탄혈彈穴에 열쇠를 꽂고
기상 예보를 보던 때는 지난날이다.

웃음이 술잔에 철철 넘쳐 흐른다.
어머니들은 어둠과 피로 뒤덮인
도덕의 장송葬送을 바라본다.
겨울 가로수는 헌사獻詞하였다.

아픔이 상처를 안다면
끊어진 허리에 기도하라.
괴로움은 이르기 전에 사랑이었다.

1960

아리랑 Ⅰ

세칭世稱 괴로움이란 음식을 조미調味하는
소금이나 고추가루 양념장 같은 것
이성異性의 웃음만큼이나 필요한 것
그러한 것들은 철로가의 허다한 논밭과
또는 보이지 않는 바다에서 와서
입 안에서 녹아버리기까지
얼마나 많은 손들과 시간을 통과했는가.
좀 생각하여보아라,
식사가 끝난 뒤에 담배를 피워 물고
남창南窓으로 돌아앉아 햇볕에 연기를 뿜는
우리도 예외없이 그들 중의 한 사람임을.

그는 "대답하라"고 외친다.
산울림은 "대답하라"며 사방에서 일어선다.
너는 얼어붙은 염원으로 만든 종에
혼돈의 염루炎淚를 모아서 세운 탑에
명銘을 무슨 말로 새길까.

발은 가로수 그늘을 밟는 걸음을 멈추고
다시 한 번 생각하여보아라.
일만 이천 봉은 그의 회상에 솟아 있다.

부득이와 제정制定이 문제일 뿐
손톱을 깎는 동안도 아프지는 않았다.
하늘의 비밀은 무한이요,
피부가 아님을 설명할 수 있기 때문이다.
누가 십자가에 흐르는 피를 원통하다고 하는가.
그럼 어떻게 하라는 말인가.
그는 공장의 나사못보다 평화롭지 못하다.

인과因果라니?
천만에 말씀은 이름도 모를 사실뿐이다.
가   "아니야, O는 나를 좋아해
      책상에 벗어 놓은 속옷이 있어."
나   "O가 좋아하는 사람은 바로 날세.
      O와 아침 식사를 뒷골목 여관에서 함께 했네."
다   "모르는 소리, O는 나만을 좋아해.
      최근의 편지를 보여줄까."

칼들이 난자亂刺하여도

O는 빛나는 불사不死,
황혼의 날개가 펴는 어둠이다.
"짐작할 수 있군."
"남자란 당신도 그렇지 뭐야요."

여름철이면
아이스케이키 통을 실은 자전차가
권태롭게 섰을 법한 곳에서
노인은 걸음을 멈추고
떠들썩한 학교 운동장 쪽을
겨울 나무들 사이로 보는데

궂은비가 내리는 날
그녀가 열차로 떠나기 직전에 써서 보낸 내용에서
그가 사가지고 온 철사 새장 안의
가을 하늘빛 잉꼬 한 쌍에서
시장의 미군 양말 한 켤레를
훔쳐 달아나던 소년이, 한 주먹에
일곱 구멍으로부터 쏟는 피에서
사람들이 강변에 모여 폭발물들과 함께 놀더라는 소문에서
가지가지 사물과 표정에서
나를 발견한다.

물은 흐르듯

가죽 구두가 변하듯

살구꽃이 새들의 노래를 모으듯

그러하듯이

나를 발견한다.

1960

끊어진 땅은 없었다

나는 전방선前方線에 이르러
한 병사에게 물었다.
"집안 소식은 종종 듣나요."
"고향이 신의주입니다."

하늘은 핏빛이었다.
망원경으로 들어오는 북쪽에는
끊어진 땅이 없었다.

"이 이상은 못 들어갑니다."
눈앞이 바로
저승보다 약간 멀구나.

열매는 뜻 없이 맺고 지며
날짐승들만 오가는 지대는
무슨 형대刑臺의 기름진 밧줄인지
세계의 양식良識을 끊었다.

"누가 이 지경으로 만들었나
뭣 때문에 뭣 때문에……"
태양과 희생은 되묻는다.
죽이지 못하면 죽는다는 곳은
하늘도 신도 없었다.

비행기도 배도 없는
산천은 옛 그대로건만
군사들은 고지高地에 서서
몸이 영혼 같은 적막에 시리다.

오천 년 역사가 아니라도
한 마음이면 해결되는 것
어두울수록 광명처럼 분명한 것

헤드라이트는
바라만 보고 돌아오는 어둠의
각刻 · 일각一刻을 헤친다.
"후세後世에 대답해야 한다.
후세에 대답해야 한다."
흰 눈은 속삭이며 내린다.

말하는 풍경風景

"한 번도 다른 나라를 침범한 일이 없는 그는 영광에 태어났음을 감사합니다." 송장은 치아 자국난 배[梨]를 집게손으로 움켜쥐고 있었다. 타오르는 싸움을 보았으나 회화화繪畵化한 기억이 솔밭 사이 법당에서 월향月響한다. "억울하다는 소리는 하지 말게……" 대사臺詞는 눈[眼]도 없는 무대 뒤에서 쓰러졌다. 묵념은 등대의 목줄기를 쳐다보며 별들의 숨을 쉰다. 석조화石彫花와 주동朱棟은 잠시나마 자신을 보려 원하였다. 거울은 어디에도 없었다. 내부에 묻힌 온옥溫玉의 침묵으로도 아끼지 않는다면 누가 흐르는 피를 뉘우칠 것인가. 푸른 줄기로 뻗은 맥脈들이 시든다. 포풀라 잎새들이 반짝이는 감옥에서, 눈보라치는 유형지에서 경계를 넘는 침목枕木 밑으로 보다 가까운 죽음의 안식으로…… 쓸데없이 언어를 낭비한다. 십자가의 피살은 아들이 아니라, 신이었다. 당신은 우리와 다름없는 불성佛性이었다. 도난당한 밤의 피곤은 눈을 못 떴다. 물고기는 사기 그릇에 녹슬어 있었다. 시골 친정에 가버린 아내로부터 편지 한 장을 못 받은 실직자의 구두발에 개는 걷어차여 비명을 지른다. 의욕은 연 잎사귀에 뼈만 남았다. 떡 조각은 두 사이의 돌담 밑에서 엉켜 붙은 벌레들로 망령처럼 움직인다. 강물은 착한 불행을 씻으며 산과 희생을 비친다. 연극은 없는 목적을 향하여 표정을 지었다. 그러나 본연의 노래는 돌[石] 속에 하늘을 열었다. 정관靜觀은 바다 안개로 피화皮化한 가로등 불에서 소리를 발견한다. "한 번도 다른 나라를 침범한 일이 없는 영광에 감사합니다."

1959

어린이 나라

어린이의 나라는 돌도 합창을 해요
복동이는 방안의 횟대를 타고
악마를 잡으러 산 너머로 갔어요
순이는 베개만 업으면
모래로도 맛난 밥을 지어줍니다
어린이의 나라는
어른들이 못하는 일들을 다 하지요
자동차는 슬쩍 날아올라 사람을 비켜요
병아리도 배추와 악수하는 사인 걸요
복동이는 얼굴을 교실 창 밖으로 내밀었어요, 보세요
얼굴이 창보다 더 크네요
산 위로 점잖이 올라오는
햇님의 머리카락과 수염은 순금純金이구요
꽃들은 서로 모여 재미나는 얘기를 해요
어린이는 새로운 세계를 만들어요
나무마다 주렁주렁 달린 열매들은 손짓해요
"내가 이쁘지 어서 따 가지려므나

그럼 무슨 소원이건 이루어줄게"
공주는 책 속에서 나오더니
"바둑이는 두견새 우는 산에 묻혔다"
며 울먹이어요. 복동이는 제일
위험한 나무에 올라가 능금을 따서
순이에게 주며 "내일 아침이면
바둑이가 돌아올 테니 슬퍼 마"
하고 위로했어요. 어린이의
나라는 거짓말이 없어요
그들은 기쁠 때나 힘들 때나
새로운 발견을 해요
그들은 구름과 연필과도
합창하는 목소리인 걸요

1959

꿈의 이상

입은 화구호火口湖처럼 슬픔을 말하지 않는다. 누구나가 세 때 식사를 되풀이하면서, 복잡한 길을 걸어온 것이다. 그리고 달구지는 하루의 액연額椽 속에서 뻗어나는 저편으로, 길을 과거로 영구히 남기며 간다. 태고적부터 이 지도의 사람들은 동시에 계절과 유리와 흙에 대한 애정으로 질기게 살아왔다. 누가 "무엇이" "왜" 하고 묻는다면 그들은 "어찌할 수 없었 다"고 대답할 것이다.

열차가 간혹 머리 위의 다리로 지나간다. 지붕도 없는 시멘트 벽에 동심의 태양과 항아리와 교통 순경과 양공주와 총과 비 둘기를 몇 가지 색분필의 치졸한 그림들로 그려진, 거지 아이 들의 거처는 쓸쓸하였다. 한 거지 아이가 서양 깡통에 얻어온 밥과 김치와 된장찌개를 퍼먹더니 한시름 놓은 듯 적진으로 의 기성奇聲을 지르며, 가마니짝을 젖히고 튀어나갔다. 열차 의 밑바닥이 거멓게 머리 위 다리로 지나간다. 우리의 자손 거지들은 어디로 갔을까.

그는 저녁 노을 길을 무성한 지식 사이로 걸으며 생각하였다. "알 수 없다. 그것이 나의 모습이다. 무엇의 노예인가. 그럼 주인은 누구일까. 누가 어떠한 증언을 할 수 있다는 것인가. 나 이외의 신을 인정하여서는 안 된다. 의식은 뿌리를 뻗어 너의 발을 휘감을 것이다. 세탁물들은 나의 목을 졸라맬 것이다. 쇠사슬은 목적을 버렸을 때 빛을 발하며 끊어진다. 발은 탈출의 첫걸음을 내어디딘다. 돌[石]이나 총이 되는 것은 아니다. 나와 너는 비로소 동작할 수 있을 따름이다. 아무도 원하지 않고 버린 물건들을 본다. 손은 병든 과실果實들을 가꾼다. 수피樹皮는 우리를 분별하지 않았다. 그러므로 바탕은 단념과 이유가 없다. 해를 삼킨 구름과 폭풍우와 뇌성벽력이 산과 길을 희미하게 가릴 때마다 대답을 듣는다. 그러나 있는 것은 너와 나의 침묵과 동작이다. 알 수 없다는 것이 내 본시의 고향인 것이다."

그래서 행위는 후회를 모르는 춤이었다. 라디오의 음악은 부득이의 불신과 저격狙擊과 방벽과 배반인지 항거인지 한계마저 지워버린 화염과 파도의 종말과 밤 거리[街]로 그를 에워쌌다. 행동은 초침에 말려들어 구슬땀을 흘리며 쓰러질 듯 춤추었다. 시비是非는 귀에 이르러 음악으로 화하였다. 마음은 시간마냥 무엇에고 물들지 않았다. 그것은 미닫이에 비쳐진 촉대燭臺의 그림자로서 정적을 드러냈다. 촛불은 보석의 수포水泡를 뿌리면서 자체로 동화하고 있었다. 누가 방안에 있는지, 아무도 모른다. 그는 스스로 충고하였다. "가난한 친구는 세 여자와 결혼하고 그들은 동서同棲하면서 고생한다.

아무도 바라지 않을 뿐, 누구나 갇힌 여자나 남자가 될 수 있는 것이라"고 스스로 대답하였다.

세 여자는 우연히 자리를 함께 하였다. 그가 그녀들을 안 것은 미혼 여성 좌담에서였다. 서로가 초면이었다. 우연은 계획과 반대로 마찰도 없이 열리었다. 그녀들의 말은 장미빛 나일론에 포장된 발정發情이었다. 발성發聲은 그릴의 담수淡水빛 실내에서 속기速記되었다. 삼십사 세의 처녀, 직업은 여의사, 월수 이십만 환의 그녀는 '처녀 잉태의 가능'과 '성녀聖女들의 고민을 수술한 자기 자선慈善과 체험'을 점잖이 말하였다. 등뒤의 농촌 풍경화를 약간 가리고 앉은 이십육 세의 처녀는 구경꾼처럼 좀체 말을 하지 않았다. 옛날은 이화李花*의 혈통 높던 왕족이었고, 지금은 편모 슬하인 현직 여교사였다. 사회자인 그는 그녀에게 말을 의식적으로 걸지 않았다. 그는 그녀가 침묵의 가면을 스스로 벗도록 친절을 베풀었다. 그녀는 말하지 않기로 결심한 만큼 진정 하고 싶은 말이 있었다. "목숨을 걸고 나를 사랑하는 사람이 있으면 결혼하겠어요." 그녀는 대리석처럼 체온을 잃고 있었다. 여대생은 묻지 않아도 칸나꽃 목소리로 연신 노래하였다. 그 단순한 다변多辯이 여교사에게만 가시로서 대리석의 기질을 아프게 하였다. 그래서 여교사는 아픔의 반영처럼 냉정하고 아름다웠다. 여대생의 말은 이상하게도 다른 사람들과 조화를 잃지 않았다. "연애는 정치더군요. 참 근사한 불모기不毛期입니다. 그

120

들을 해균害菌이라고는 할 수 없어요. 그럼 우리 자신은 무엇이게요. 난 방안에서 혼자 거울과 대하지는 않아요. 현미경으로 대상을 보면 기류가 나타나요. 그들은 곱다란 사기사詐欺師들뿐이에요. 서로가 진심으로 사랑하는 체 연기만 하고 있어요. 그들은 그걸 복장마냥 교양이라고 하니 참 영리한 동물들이에요. 나는 가끔 세도勢道 있는 깍쟁이가 되고 싶은 걸요. 결국 비판이니 지성이니 하는 것은 승부에서 생겨나 학적學的으로 합리화한 것이라고 생각했어요. 나쁘다는 뜻은 아니예요. 부정이 우롱하고 있어서 참 재미나요. 편리해요. 그리고 남·여는 겉과 속마음이 배반한 그 사이에다 유리를 끼우고 '연애'라는 그림을 펭키로 그린답니다. 면도날은 여성에게 필수품이에요. 주의를 해야 하니까요. 그래서 길거리는 타산打算과 보호색들을 입고 있더군요. 그런데 서로가 왜 무관심한 척하는지 모르겠어요. 본능은 보물인 걸요. 젊은 사람들은 총명해요. 그들은 결혼할 용기부터 잃고 있어요. 그들은 속이며 속는 체하는 계약서를 내밀면 벌겋게 날인을 해요. 행동한답니다. 햇볕을 받고 우울할 필요는 없으니까요. 무엇이건 반드시 그래야만 할 가치는 없는 걸요. 전 장난꾸러기예요. 전 심심하면 창가에 앉아 그런 바깥을 내다보며 소일한답니다. 날개가 성숙하면 사회로 날아갈래요." 여대생은 귀엽게 웃었다.

잡지사가 예정한 지시대로 "전쟁이 지구를 파괴할까요" 하고 그는 기계처럼 되지 못한 화제로 옮겨갔다. 여의사는 "그런 비극이 없기를 바란다"며 조심스레 대답하였다. 여교사는 "그런 신무기들이 터지면 우리는 어떻겠고, 안 터지면 어떻겠느냐"며 반문하였다. 여대생은 "그런 골머리 아픈 일은 흥미가 없다"며 열심히 초코렛만 빨고 있었다. 그는 "좋은 말들을 해줘서 고맙다"고 칭찬하였다. "어떻거면 좋은가" "어떻게 될 것인가"는 누구에게나 항상 별[星]의 그림자였다. 그들이 서로 알게 된 최초의 만찬은 지상에의 추락이었다.

잡지사 쪽 사람은 사회를 보아준 그에게 "고맙다"고 하였다. 세 처녀는 묘석墓石의 열로 서서 "좋은 음식을 대접받아 고맙다"고 하였다. 일본 병정은 전우를 생으로 잡아먹었다는 고백을 밀림에서 썼다. 그것이 사실인 것과 마찬가지 정도로, 모두는 밤거리에서 헤어지며 "고맙다"고 합창하였다.

알 수 없는 일은 육신의 정신이었다. 그는 지난날에 실직자로서 쓰레기 안에 전락한 일이 있었다. 어디를 가나 그는 기아飢餓와 외면하지 못하고 기름때 묻은 거리를 헤매었다. 어느 날이었다. 그의 눈은 태양도 식료품으로 보였다. 육신으로부터 벗어날 길은 없었다. 그가 잠시 걸음을 멈추고 하늘을 배경한 자기 얼굴을 보도步道의 고인 물에서 발견했을 때 그것은 박물관의 유리장 속 융전絨氈에 놓인 폐물廢物이었다. 그는 유연히 과실점果實店으로 들어갔다. 베짱이가 신명神明지게 여름을 천정에서 내려온 조리형 풀집에서 노래하였다. 그는 공중 누각을 들여다보면서 베짱이에게 "너는 신이 특제하신 총아라"고 인사하였다. 벽 크기의 거울 안까지 통한 만큼 마술적 효능을 실제보다 두 배의 영역으로 확충한 갖가지 과일들은 혈소血素였다. 증후症候는 고열高熱을 여기저기에서 띠고 있었다. 또 하나의 그는 거울의 내부에서도 동시에 "먹지 않으면 이것들은 썩는다"고 입을 놀리었다. 베짱이는 무성한 반주伴奏를 그의 말에 대해서 하였다. 비대한 등을 숫자번호 모양으로 거울에 드러내놓고 섰던 가게집 주인은 그의 언동을 과육果肉들 한가운데에서 지켜보고 있었다. 그는 다시 "먹지 않으면 이것들은 썩는다"고 손가락으로 가리키면서 비굴하게 웃었다. 주인의 묘기는 그의 허기진 팔을 뒷덜미로 비틀어 올렸다. '아니라'면 누가 어떻게 할 수 있다는 것인가. 주인은 무서운 힘이었다. 그의 기형적 자세에 전류하는 고통이 베짱이의 노래를 들리지 않게 하였다. 육체의 아픔은 정신을 순화시켰다. 그는 단지걸음*으로 무참히 쫓겨났다. 연회빛 양복 청년과 흰 옷으로 단장한 여자가 막간처럼 과실점 안으로 구경하는 눈[眼]들 중에서 등장하였다. 그는 부럽게 쳐다보았다. 여자는 동정하지 않을 수 없다는 듯이 그에게 오렌지 하나를 집어주었다. 그는 사양하지 않고 받았다. 청년은 여자 대신 민첩하게 한 개 값을 치르었다. 구경하는 눈들의 대부분이 웃었다. 굶주림에 놓인 오렌지 한 개의 양감量感은 희화戱畫였다. 그는 여자에게 "고맙다"는 말 대신, 오렌지

123

를 들어보이면서 가게 주인에게 우정 있이 미소를 보냈다. 천식喘息은 이상할 것이 없었다. 왜냐하면 팔이 비틀려 올라갔을 때, 그는 고통에서 기대했던 만큼 기아飢餓를 잊었던 것이다. 그는 흰 옷차림의 여자를 정면으로 보았다. 학은 무한을 금빛 속으로 날으며 있었다. 그는 굴욕을 오렌지에서 그러한 정도로 느끼지 않았다. 신은 기독基督의 시체를 무슨 목적에서 세웠을까. 아직도 밥 한 그릇을 순교자의 교훈과 동정만으로 줄 사람은 없었다. 그는 공복감과 애욕에서 그 여자로 인하여 마음에 오렌지를 심었던 것이다. 그는 오렌지를 쳐들어 보면서 여자에게 "이건 태양이라"고 말하였다. "시인이군요." 여자는 야릇한 표정을 지으며 알연憂然히 웃었다. 그것뿐이었다. 그러나 그는 망각에 의하여 희게 치장한 여자의 손을 마음으로 잡을 수 있었다. 그것은 악몽 같은 성욕性慾의 습격이었다.

고독을 지워버린 밤이었다. 달나라를 목표한 권위가 지구도 파괴할 수 있는 계절이었다. 그는 수목들 옆까지 왔을 때 회중 전등으로 비쳐볼 수 있는 잔디밭에서 걸음을 멈추었다. 아래는 창고 지대였다. 언덕 위의 벤취에 나란히 앉은 청년과 소녀의 대화는 탑을 중간쯤 두고 들려왔다. "끝났다고 생각하면 안 돼. 너만 잃는 것이다. 다들 나타나 있다. 보라구. 쉬고 있는 것은 없다." "당신은 알[卵]로 까진 사람이에요. 그런 위선은 버리기로 했어요." "그럼 외로워진다. 그건 독약보다

무서운 거다." "양공주는 심심하지 않겠네요." "너처럼 자학
하지는 않을 거야." "그런 말부터가 따분해요." "그래, 지금
은 따분한 시간이다. 가죽[革]의 식물들이 하다못해 그런대로
생성하며 서로 말하며 적응하는 셈이다. 우리가 따분한 시기
에 태어난 그런 것들의 꽃인지 모른다." "난 차라리 손가락을
빨았지, 싫어요. 왜 이래요!" "하면 되는 거야." 소녀는 흐느
껴 울다가 "남자가 왜 이래!" 하고 반항하였다.

그것은 신화의 광경이었다. 정신은 어디서나 소화 불량이었
다. 눈물 없는 세상은 싱거웠다. 묘하지가 않았다. 그는 아버
지의 유언을 남녀의 대화에서 연상하였다. 아버지는 영원히
남길 수 없는 말씀을 하였다. "너, 나 없으면 어떻게 살래" 그
리고는 "언젠가는 알게 될 것이다" 하고 눈을 감았다. 아버지
는 천지天地와 동화하였다. 별의 생물들은 비늘 구름 사이에
서 눈을 깜박이었다. 이십 년 전 한밤중에 철없이 머리를 숙
이고 들었던 유언이, 달덩어리로 병풍을 헤치며 그의 가슴 속
에서 솟아올랐다. 역시 그 달이었다. "누구나 굶는 것은 자유
니라." 책은 "자살을 처벌할 수는 없다"고 인쇄되어 있었다.
녹음錄音은 "죄악이라고? 미안하지만 굶을 힘은 없다"고 되
풀이하였다. 그의 하숙방은 근 이천 년 전 마구간보다 빈약하
였다. "아직도 알 수 없다. 알 수 없다는 것만 알았다." 그는
원숭이처럼 아래 내의만 입고 있었고 못에 축 늘어진 남루를
아득히 쳐다보았다. 하품을 씹었다. 존재와 공간은 그에게 있

125

어 구분되지 않는 것으로써 하나의 투명한 원구圓球였다. 그
것은 사념思念이 발하기 이전의 모양이었다. 사랑과 미움이
원구 속에 박혀 있는 수인囚人 묘지로 걸어가는 이발관의 청
년과 식당 하녀의 손을 결합시키고 있었다. 청년과 하녀는 불
을 잡목림 사이로 토하며 원구의 테두리를 뚫고 나오는 열차
를 보았다. 열차 안의 사람들도 시야에서 밀려나며 원 밖으로
사라지는 그들을 동시에 보았다. 그러나 실상은 원에 안팎이
없었다. 임파선淋巴線이 고장난 신사는 삼등칸에서 총명하였
다. "오후 9시면 도착하지요. 바다는 안 보일 것이오." 마담은
고양이다운 마노瑪瑙 눈동자에 정을 담뿍 담은 채 "출입구는
전등이 밝으니까요. 난 곧 아기 아버지를 알아볼 거예요." 천
연스레 거짓말하고 애교를 부리며 웃었다. 서로의 무언無言
은 가락을 반발로 이루었다. 굶주린 그는 분명하였다. 곤란은
'사랑'을 조롱鳥籠 속으로 완상玩賞하는 버릇이었다. 회의에
사로잡히면 불여의不如意의 의식이 밑받침되어 일생을 제 마
음대로 체념하였다. 고정 감상은 꽃을 피웠다. 그는 꽃이 아
니었다. 그는 신과 함께 어깨 친구하고 인생의 내막에 서 있
는 능금나무를 들여다보면서 기쁨을 존경하였다.
그는 투명을 더럽히지 않고자 수전노마냥 자아 세계에 애착
하였다. 사실 사랑은 위험하기에 생기 있이 주변을 밝혔다.
노인의 은빛 수염은 여성의 입술에 꽃술로 퍼졌다. 그는 언제
나 자살을 멸시하였다. '이즘'이라고 이름 붙는 것은 그에게

흥미 이상일 수 없었다. 견뎌낼 수도 벗어날 수도 없는 중요성이란 언제 끝날지 몰랐다. 목숨은 그처럼 난해하였다. 그러한 정열은 과부가 병원보다 남편의 사인을 잘 알기 때문에 세월을 두고 후회하는 반면에 해당하였다. 아내는 남편에게 강요했던 것이다. 남편은 연록빛 냄새 풍기는 화염에서 목욕하였다. 남편은 그 결과 봄날 새벽에 심장마비로 승천하였다. 법에 걸리지 않는 살인 경험이 있었던 하숙집 늙은 과부는 그의 방에 놀러와서 말하였다. "죽은 사람이 산 사람에게만 남는다우. 나도 어서 가야 할 텐데, 죽으면 설마 지옥이야 있겠소. 한평생이란 지나치게 길구려." 늙은 과부는 권태의 파도와 싸우고 있었다. 결국은 나타나고야 말 섬[島]이기에 때로는 찾기도 하였다. 그들은 자기 위치에서 대상이 되어 함께 운행하였다. 희망의 충돌, 유성의 잔해, 미묘한 불사不死 등 이런 것들이 우주 우편의 글로서 땅 위에 뿌려졌다. 그는 편안히 자다가도 간혹 뜻밖의 결빙結氷에 수금囚禁된 해수海獸의 눈을 떴다. 늙은 과부는 "좋아하는 여자가 있다면서 왜 한번도 데리고 오지 않으시우" 하고 물었다. 그는 "날마다 만나는 걸요" 하고 대답했으나 그의 표정은 석화石化하였다. 그는 생각을 거부하면서 있었다.

최초의 만찬이 미혼 여성 좌담에서 있은 지 얼마 뒤였다. 그는 그 열매 같은 여대생과 함께 식사를 하였다. 여대생은 "난 많은 풍파를 겪어온 것 같아요. 어떤 고생도 견디며 살 수 있

다는 자신이 섰어요" 하고 애띠게 웃었다. 젊음이 비오는 하
늘에 두 젖을 고혹적으로 떠받들고 있었다. "그럴까." "그래
요, 가슴에 용납하여, 산호珊瑚와 재롱을 부리고 싶어요." 그
러나 그의 웃음은 공허에 감전되었던 것이다. 그는 "가난한
내가 미래의 공간에 싹터오르는 다른 행복을 상하게 할까"
늘 두려웠다. 그가 그러한 검은 내일을 조소彫塑한다면 스스
로 염오厭惡할 것이다. 또 희망은 속임수라고 생각하였다. 그
러나 행위 없는 안정은 미숙하였고 모래성의 계속에 지나지
않았다. 누구나 앞일을 안다고 생각해보라. 사람은 움직이지
도 못할 주제들이다. 지붕 위로 '죽음'과 겨루는 초음속이 머
리 속에 피 한 방울을 흘리지 않고 하늘을 끊으면서 은빛 포
물선을 그었다. 서로의 운행은 바다의 수림樹林에 여러 가지
기후 변화를 일으켰다. 눈은 상대를 한 포도의 별[星]로 보았
다. 그러나 그들은 개인마다 태양이었다. 이리하여 수많은 태
양들은 황홀한 상징을 거느리고 파도를 박차며, 황금의 바퀴
[輪]로써 벽 너머 잡답雜沓한 시가市街를 이루었다. 새로운 식
민지 정책으로서 광장에 세워진 검은 약소 민족의 국기가 본
토인들 위에서 장중한 주악과 함께 나부끼었다. '선'은 망하
였다. 그러나 '악'은 승리하지 못하였다. 분별력을 잃은 것은
아니었다. 아무런 가치를 발견할 수가 없었다.
관능의 여인을 중심한 간판 밑으로 사람들은 극장에 몰려들
었다. 어느 날 그는 흰 바탕에 진전하는 환영을 어둠에서 보

왔다. 불사조로 활약하던 신사가 용하게도 성서에 나오는 마귀들을 다 정복하더니, 메커니즘에 물들어 낙원의 실내에서 점잖이 자살한다. 그는 이른바 명화名畵를 비웃었다. 그와 함께 온 여교사는 자기 자신을 잃고, 곁에서 영사映寫에 사로잡혀 있었다. 치명상을 입고도 웬일인지 죽지 않는 신사가 반라半裸의 여자와 씨부렁거린다. 그는 왕족인 여교사가 따라 우는 눈물을 보고 놀랐다. 여교사는 만화漫畵의 주사注射에도 자극되리만큼 절실한 모양이었다. 그러나, 길거리로 쏟아져 나온 관객의 얼굴들은 평범하였다. 여교사의 얼굴은 냉정하였다. 그는 망연하였다.

유有는 무無로써 구극究極하였다. 무는 유를 전개하였다. 그들은 둘이 아니고 하나였다. 그날 밤, 그는 중량重量의 책을 읽다가 돌아누웠다. 빗물에 얼룩진 수복문壽福紋의 도배 벽이, 그의 내부로 꺼져 들어오기 시작하였다. 나타난 곳은 어딘지 알 수 없었다. 유백색 기류는 사방에 가득하였다. 그는 몽유병자로서 앞으로 나아갔다. 버들가지 하나 드리워 있지 않는 유황의 수면을 헤엄쳐 건너가다가 그는 침몰하였다. 싸늘한 감각이 눈동자들을 살갗의 세모細毛에서 깜박이었다. 내리는 눈[雪]이 미각味覺을 전하면서, 체온에서 구슬로 꺼지면서, 다시 수많은 물방울로 결정結晶하더니, 투사하였다. 처음에 그는 거지 떼들이 황야에서 노숙하는 거나 아닌가 하고 착각하였다. 어느덧 그는 폭격으로 무너진 건물들 사이를 걷고 있었다. 잡초가 눈보라에 떠는 창 너머였다. 하얀 여자가 예배하듯 길바닥에 틀어박은 가로등 철주鐵柱 옆에 서 있었다. 그는 "누구냐"고 물었다. 하얀 여자는 "그 동안에 잊으시다니! 굶은 당신에게 오렌지를 드린 건 나예요" 하고 얼굴을 들었다. 그녀의 모습은 분명하지가 않았다. 그는 반가워서 뛰어갔다. 그가 가까이 갈수록, 그녀는 폐허의 골목으로 뒷걸음질치며 손짓하였다. 맹수가 어둠에서 으르렁거린다. 기관소리가 어디선지 들려왔다. 보이지 않는 강철의 발동發動이 그녀와 그의 보조에 맞추어 따라오고 있었다. 음향은 고랑쇠를 오무리면서 그를 중심으로 에워싸기 시작하였다. 금속이 착암기鑿巖機처럼 그의 고막을 뚫으려 했을 때 그녀는 무슨 약속마냥 솟은 성城으로 들어가버렸다. 기관소리는 동시에 멎었다. 성문은 고혈枯血빛으로 엄연히 닫혀 있었다. 성문 앞의 군용 트럭의 두 눈은 황천黃泉빛이었다. 그는 그녀를 부르려 했다. 그러나 '이름'을 몰랐다. 계속 찾아 헤매었다. 사람은 없었다. 적막은 악몽이었다.

그는 전처럼 흰 옷차림의 여자를 잊지 못하였다. 언제나 다름 없는 방 속이었다. 방 속 사람의 문제는 누가 문에 자물쇠를 바깥에서 채우느냐 안 채우느냐 그러한 차이에 지나지 않았다. 아무도 그러한 일이 있을지 없을지는 모른다. 그는 방 속의 공백 지대에 앉아 있었다. 책상 위 PARKER 만년필은 자기 반사를 따라 날으는 법칙으로서 그를 엄습하였다. "나는 바다를 신품新品으로 건너왔다. 첫번째 고장故障은 그때 당신이 약간만 경험이 있었더라도 손수 치료하였을 것이다. 그런데 당신은 유명한 백화점에 가서 나의 진단을 부탁하였다. 기술자는 분해한 후 수술해야 된다면서 외피만 남기고 나의 오장五臟을 중고품으로 바꿔 넣었다. 기술자의 손은 고급 시계와 만년필을 전문으로 환장換腸하는 기구였다. 그래서 나날은 서류로나 시간으로나 사고 투성이었다. 몰랐기 때문에 나를 그런 곳으로 데리고 간 것은 이해할 수 있다. 그러나 당신은 '저놈이 내 신품에 사자死者의 모발을 이식하는구나' 하고 확실히 알았었다. 그런데 당신은 놈에게 끝내 침묵하였다. 당신은 속는 줄 알면서 왜 말하지 않았던가." "황무지에 있는 도정표道程標의 권태로써 언급할 수 없었던 것은 아니다. 분노가 그늘을 이룬 때문은 아니었다. 고고高孤한 성자聖者가 장난꾸러기 어린아이들을 보는 그런 미소는 아니었다." "그럼 왜 지적하지 않았는가." "이런 문제는 나보다는 네가 잘 아는 전문일 것이다. 네 말은 사실이다." "사실이었다고? 당신은 속은 줄 알았으나 값을 다 줬다. 당신은 놈을 문책했어야만 옳았을 것이다. 기술자가 당신의 뒷모습을 비웃은 것은 기왕의 사실이었다. 그러나 이런 답변은 이론에 맞지 않는다." "이론은 가능한 부분이다. 전부는 아니다." "원인 없는 일이 있을 수 있는가." "이것은 놀라운 이야기다. 얼마 전 일이다. 네 몸 같은 은빛 버스가 강원도에서 무성한 절벽 아래로 굴러 떨어졌다. 그 버스 안엔 나의 친구가 있었다. 물론 손님들은 다 죽었다. 나의 친구와 그들은 같은 운명으로 세상에 태어났던 때문일까. 그러나 이와는 다른 일이 있었다. 그날 떼죽음에서도 한 여자는 살았다. 그녀는 사고가 나기 전에 뒤가 마려워서 반대편의 콩밭 고랑을 보았으므로 부득이 도중에서 내렸던 것이다. 원인이란 떼죽음과 한 여자가 살게 된 결과인 것이다." 그는 사상史上에 내재한 전사자들을 우연이라고 하지 않았다. 그는 알 수 없는 자연을 신봉하였다. 그는 언제인가는 거리를 걷거나 어느 식당에서 그 흰 옷차림의 여자와 반드시 다시 만나리라고 고대했었다. 미친 듯이 먹고 짐승처럼 웃었던 오렌지에 대한 추억은 그의 태양이어서 산맥의 시냇가에 어떤 성격을 점숙漸熟시키었다. 사랑의 핵이 잎을 태양에서 내밀었던 것이다.

그는 편의한 백화점 앞에 이르렀다. 공기는 이상하게도 축축한 거리를 암회색으로 응광凝光시켰다. 그는 분잡한 피곤을 느끼며, 잠시 걸음을 가각街角에서 멈추었다. 푸른 잎들 사이로 길 건너편 건물의 위아래 할 것 없이 전면에 늘어붙은 다방, 미장원, 당구장, 양장점 등 간판들이 무슨 개성들을 전시한 벽 같았다. 간판들 중에서 이층에 자애 산부인과 병원이라고 쓴 간판과 그 밑으로 반쯤 열린 창을, 그는 동시에 우러러보았다. 처녀 의사는 덤불을 그 창 안에서 헤치며, 한 겹 깊은 태아胎兒를 긁어내는 중이나 아닐까. 그는 그렇게 짐작하였다. 사혈蛇穴을 채굴採掘하면 그녀의 수입이 느는 것은 사실이었다. 그는 이층에 올라가서 놀다 갈까 하고 생각하였다. 그러나 여의사는 흰 까운을 입었을 것이다. 지난날 그에게 오렌지를 주었던 그 여자의 흰 옷차림이 떠올랐다. 그는 산화酸化하는 이중의 영상에서 막연한 염증을 느꼈다. 그는 자애 산부인과 병원 밑을 그냥 지나 가로수를 따라 걸었다. 손에 핏빛 펭키칠을 한 거지 아이가 청룡문靑龍紋 옷을 휘감은 마담 앞을 막고 동정을 강요하고 있었다. 그는 하숙집에 돌아가기로 하고 도중에서 흰 옷차림의 여자들을 몇몇 보았으나 그에게 오렌지를 주었던 그녀를 보지는 못하였다. 그녀는 그에게 있어 찾을수록 멀어지는 모습이었다.

고독은 피안의 판자 주택들에 뿌리를 박은 무지개였고 수림樹林이었다. 과실果實들은 게으른 몸짓을 환각에서 하고 있었다. "그 하나가 전부였다. 아름다움은 추한 바탕에서 살아났다. 나는 그것을 알아야 한다. 착하지도 악하지도 않은 내가 있다. 그러기에 인과도 부조리도 신도 윤회도 운명도 없는 것이 내게서 무성하였다." 하늘을 막은 구리[銅]빛 사념의 등[背]이 물에 그림자를 굽히었다. 피곤은 그를 잠재우고 있었다. 누워 있는 것은 그의 육체였다. 생각은 망각에서 유리창 밖으로 나타난 흰 옷차림의 여자를 보고 있었다. 군용 트럭의 두 줄기 황천黃泉빛 헤드라이트는 어둠을 뚫고 지난날과 연결하였다. 어깨에 무엇을 둘러멘 청년과 여자는 오고 있었다.

제야의 종소리가 물결친다. 그는 청년의 어깨에 메여 오는 물건이, 유리창 밖을 내다보고 있는 바로 자기 자신이었음에 놀랐다. 연회빛 양복은 어깨에 기절한 그를 둘러메고, 그의 시계視界에서 이동하는 지하 통로를 따라 걷는다. 청년의 등에서 거꾸로 늘어진 그의 손이 오렌지 한 개를 쥐고 있었다. 흰 치마자락은 오렌지를 따라 불빛에 연신 펄럭이었다. 그의 머리의 타박상에서 떨어지는 핏방울이 그녀의 흰 치마자락에 기꺼이 꽃들을 피운다. 지하 통로의 사람들은 청년과 여자에 의해서 어디론지, 그 모양으로 운반되어가는 그에 대해서 무관심하였다. 남ㆍ여는 계단에서 우는 거지 아이의 옆을 지나 출구로 올라간다. 눈이 입을 벌리는 바깥에 흩날리었다. 성마리아는 점점 솟아올랐다. 노파는 출입구에서 버팀 목판의 물건들을 수호守護하며, 카바이트 불빛 너머로 꺼멓게 서 있는 모습이었다. 노파는 아들인 거지 아이의 울음을 들으며, 옛 해산解産을 생각하는 듯 성녀로서 별 없는 하늘에 묵묵하였다. 어깨에 기절한 그를 멘 청년과 따르는 흰 옷차림의 여자는 장엄한 남대문과 아들을 외면한 노파와의 사이를 지나 어디론지 간다. 그의 시선을 따르던 광경은 출구에서부터 더 이동하지 않았다.

시간은 고정하였다. 그는 유리창 저편으로 메여가는 자기 자신을 향하여 절규하였다. 그는 흰 옷차림의 여자를 불렀는지, 시체가 되어가는 자기 자신을 불렀는지 그것마저 분별하기 이전의 소리였다. 방 속의 형광등은 꺼졌다. 시야는 유리창마저 깜깜하였다. 정신은 스스로의 절규로 육체에 돌아왔다. 태양은 나무잎에 피를 발[簾] 밖에서 흘리고 있었다. 그는 흰 옷차림의 여자와 만났을 때 의식을 잃은 자신을 보았을 따름이었다. 변화가 그의 생활에 없었음은 백주에 전등불을 켜놓고 자는 것처럼 무의미한 기적이었다.

여의사가 그를 데리고 간 곳은 성당 안이었다. 수인囚人을 사형한 십자가가 그들을 굽어보았다. 기독基督은 부활하사 떠나고 없었다. "마르지 않는 종교의 빛을 믿지 않으세요." 여의사는 그에게 물었다. 그녀의 눈은 밝았다. "그건 개인의 자유지요." 그는 대답하였다. 흐르는 구름에서 쓰러지는 성당의 첨두尖頭로부터 시선을 옮긴 그는 마리아 상을 녹음綠陰 사이로 쳐다보았다. 흰 옷차림의 마리아는 하늘을 쳐다보고 있었다. 그는 마음에 오렌지가 떠올랐다. 그는 여의사에게 요즈음 심해진 신경 예민증과 쇠약을 말하였다. 듣기만 하던 여의사는 그에게 "인유人乳가 좋을 것이라"고 대답하였다. "층계를 내려 화단으로 가는 수녀들이 갑자기 노쇠해 보인다"고 그는 말하였다. 과년한 여의사는 엄숙하리만큼 그를 돌아보았다. 여의사의 눈은 무언의 반문이었다. 오렌지는 까맣게 첨탑을 덮어 누르면서 푸른빛으로 끓기 시작하였다. 그는 자기 자신이 다시 하나의 기계로 변하는 과정을 느꼈다. 그는 비바람으로 변색한 벤취에 앉았다. 여의사는 "어디가 불편하세요" 하고 물었다. 그는 "아무렇지도 않다"고 대답하였다. 그러나 그는 어떤 위기의 철조망을 짐작하면서 마음속으로 신음하였다. 전류는 온 혈관을 눈부시게 달리었다. 추억이 앞에서 묵중한 철문을 열었다. 고막을 찢는 기관의 금속성과 함께 비등沸騰하는 시계視界가 차츰 갈매기도 날지 않는 흘수선吃水線으로 정착하였다. 과거의 녹음은 파도로 출렁이었다. 바다가 굽어보이는 곳이었다. 어느 시골의 언덕 위에 있는 성당이 초점화하였다. 그것은 석화石化한 하늘이었다. 의병들이 왜군倭軍을 만났을 때는 그렇지 않았을 것이다. 총구멍에 견주어진 그는 조선祖先들보다도 원통하였다. 그의 앞을 가로막은 사람은 동포였다. 그는 높은 창에 있는 잡색 유리의 예수 상으로 변신할 수 없는 자신이 안타까울 지경이었다. 십자가가 굽어보는 밑에서 북에서 온 동포는 그에게 다발총을 들이대고 가까이 왔다. 잡히거나 달아나는 우연은 어디에 있는가. 결정적인 순간이 앞으로 다가왔다. 죽음을 의식한 때까지가 지옥이었다. 시체가 되면 무서움은 해소될 것이다. 전우戰友는 계곡의 피살자에서 충격을 받았다. 그러나 죽은 자는 구원된 것이다. 그는 각오하고 눈을 감았다. "내가 이처럼 떠나다니……" 당내堂內는 어둠 속으로 사라졌다. 목숨을 뚫는 몇 발의 총소리가 났다. 그는 태양으로서 눈을 떴다. 도리어 북에서 온 동포가 쓰러져 있었다. 동포는 죽어 있었다. 그가 탄생하기 전처럼 동포는 우주의 침묵을 표현하고 있었다. 그는 뜻하지 않았던 정반대 앞에서 수목으로 서 있었다. 물을 길러 갔다가 낌새를 눈치챈 그의 친구가 뒷문으로 들어와 십자가 뒤에 숨어 서서 북에서 온 동포를 쏜 것이었다. 그들의 혼란한 두뇌의 바깥에서 비가 패연沛然히 쏟아진다. 그때 석화石化한 하늘이 파열하였다. 기체의 폭음은 그들의 머리를 지워버렸다. 고통은 길지 않았을 것이다. 그는 공포와 경주하면서 덤불 속으로 굴러 들어갔다. 살아 남은 기쁨은 긴 고문이었다. 폭탄에 명중命中한 성당과 친구는 계시 같은 화염을 토했다. 귀를 멀게 하는 그림자와 함께 풍경은 무너지고, 빗발 속에 잔허殘墟를 드러냈다. 침묵은 거대하였다. 모두가 약하고 덧없었다. 내려진 막은 한계를 지었다. 회상은 정지하였다.

그는 여의사에게 "내려갑시다" 며 일어섰다. 그는 시가市街를 바라보며 "기도합시다. 무엇을 바라기 때문은 아닙니다. 서로가 자아를 찾기 위해서 기도합시다" 하고 말하였다. "하느님은 우리의 소망을 들어주시겠지요." 그녀는 딸기를 수놓은 물빛 핸드백을 만지작거리며 대답하였다. 그가 "하느님은 신이 아니라"고 대꾸하자 그녀의 손은 핸드백에서 경직하였다. 사물은 전라全裸한 그대로를 나타내고 있었다. 지난날의 전쟁처럼 어디서나 살인은 있을 것이다. 신문지를 밟고 지나가는 실직자들이 상가商街에서 방황할 것이다. 전차 길로 나온 여의사는 그에게 "잘 놀았어요. 지나시는 길에 놀러와주세요. 적당한 약을 드리겠어요" 하고 헤어져 갔다. 건물들을 조 각조각으로 비치고, 지나다니는 남녀의 다리들을 비치는 길 바닥 흙탕물을 튀기면서 장의차가 돌아 나가고 있었다. 그는 "사람들에게는 삶을 즐겁게 하고, 천수天壽를 마친 사람에 대해서는 감사하는 꽃다발을 바치도록 기도하자. 무엇을 바 라기 때문은 아니다. 모두의 소망이 없어질 때까지 자신에 기 도하자" 며 도심의 하늘을 쳐다보았다. 하늘의 태양은 오렌지 였다. 표정을 잃은 문에는 안팎이 없었다. 황금빛 오렌지는 위치를 삼킨 곳에서 솟아 있었다. 황금빛이 중천中天을 놀라 운 속도로 떠오름에 따라 시가市街는 착란한 원색으로 절개 되었다.

몇 달이 지났다. 그는 마침내 발병하였다. 문은 닫히자 벽으 로 변하였던 것이다. 정신이 비바람에 비둘기처럼 시달린 결 과였다. 대학 시간 강사로서 유지해온 그의 수입과 생활이 동 시에 정전되었다. 그는 암담한 앞길에 누워 있었다. 주위는 시간에 꾸겨지기 시작하였다. 그는 어떤 책이건 읽을 때마다 그 저자를 생각하였다. 생전에 부자가 된 외국 작가들의 예를 상상하였다. 그는 고문서古文書를 조사할 때마다 호구糊口의 재료로 생각해왔고 학생들에게는 와전訛傳을 사실로서 명 백한 유혈流血도 의문으로서 강의했는지 모른다. 그는 자기 의 모색을 보다 귀중한 곡식으로 생각하였다. 수백 년 또는 수천 년 전에 죽은 사람들이 남긴 글에 대해서 단정할 수 있을까. 단정할 필요가 있을까. 이해는 수심水深에 있었다. 넓이는 막연한 흐름에 살고 있었다. 더구나 위대하다는 사자死者의 생전 일생이 사고思考에 어느 정도의 가치 대상이 된단 말인가. 문제는 별[星]의 연광年光에 있지 않았다. 그것을 보는 눈에 있었다. 굶지 않고 살아야 한다는 것이 우선 중요하였다. 육체의 고장은 이러한 목전의 중요성 때문에 고통을 생존시켰다. 그는 중첩한 연색鉛色 걱정 때문에 전부터 교섭이 출판사 쪽에서 있었던 인세印稅도 아닌 싸구려 고료稿料를 얻기 위해 번역이나마 착수하지 않을 수 없었다. 그는 사자死者의 글을 병상에서 옮기는 산[生] 기계가 되었다. 번역기로서의 그는 굴욕과 소모를 느꼈다. 그는 병실에 투영된 스스로를 바라보며 남의 논밭을 경작하고 있었다. 여의사는 그의 입원을 알자 찾아와서 "저의 병원으로 옮기세요" 하고 간곡히 청하였다. 그는 그녀가 호의를 베풀겠다는 이면에 암시와 공약의 가이샤* 상이 부각浮刻되어 있음을 알았다. 그는 "미안한 짓은 괴로운 일이라"고 대답하였다. "오해하신다면 권하지 않겠어요." 여의사는 황혼에 돌아갔다. 또 하나의 그는 중유重油를 바른 세포들이 사자死者의 작품을 우리말로 재녹음하는 동작을 각각의 흐름에서 볼 수 있었다. 달님은 창백하였다. "생각하는 것은 그만두자." 그는 심호흡을 하였다. 그러나 머리 속이 어두울수록 눈앞에 어리는 한 점 광명을 어쩔 수 없었다. 그는 증오의 화염에 대해서도 봄 아지랭이 정도로

바라보면서 꽃피는 언덕에의 거리距離가 되고자 하였다. 그
것은 생각뿐이었다. 그는 번역하던 손을 놓고 병상에 눕고는
하였다. "내가 탄식할 때이다. 당신은 반사反射처럼 웃으며
내 앞에 나타난다." 그것은 아래위를 하얗게 입은 여자의 모
습이었다. 그는 그녀의 이·목·구·비를 분명히 기억하지
못하였다. 그는 그녀의 이름을 막연한 '이상理想'처럼 믿고
있었다. 그것은 현실에 나타난 정신의 영역이었고 가능의 배
반당한 모습이었다. "병든 기계가 당신을 본다. 당신은 자비
의 구름에 솟아오른 한 점 빛이다." 그리고 그는 생각하였다.
"아무도 당신의 침묵을 이해하지는 못할 것이다." 맹자盲者
의 태양은 기아飢餓에 주어진 오렌지였다. 그의 육체는 양측
에의 반영이었다.

일요일 아침이었다. 여교사는 가슴에 다알리아와 그라지오라
스를 섞은 꽃다발을 안고 입원실로 찾아왔다. 여교사는 "여
러 가지로 어려우실 텐데, 제가 치료비를 대면 어떨까요" 하
고 친절히 말하였다. 파도는 그녀의 표정에서 바람 빛깔이었
다. 유리창의 바다는 숲으로 쓰러지면서, 여러 가지 자극으로
반짝이었다. 그는 머리만 흔들었다. 여교사는 "왜 쓸데없는
신경을 쓰세요" 하고 안타까워하였다. 바람이 그녀의 얼굴에
구름을 몰았다. 내측內側에 미정未定의 진실한 조화를 비치
던 그의 머리맡에서 꽃다발은 행복한 색채를 자랑하였다.

일력日曆은 넘어갈 적마다 비용을 청구하는 고지告知였다.

출판사 사장은 자선가로 가장하는 데 성공하고, 죽은 사람의 글은 치료비가 되고, 번역은 과로를 강요하였다. 그러기에 별로 염려할 것은 없었다. 그러나 그는 번역이란 철통鐵筒 속에 수금되어 습성화한 기억 장치와 자기 내장內臟 계열과 원문을 파악하는 신경 분포까지가 면밀히 용접되어 한 괴물로서 발동하는 데는 참을 수가 없었다. 그의 사고思考는 허락되지 않았고 죽은 원작자原作者의 지시에 따라 진행하게 마련이었다. 복종은 향방向方과 예의일 수 없었다. 처음은 무엇이 어떻게 되어가는지를 몰랐다. 사자死者의 음덕陰德으로 얼마의 돈을 받기 위한 그는 피곤한 것만 알았다. 세상을 떠난 외국 원작자에 의해서 그는 하루에도 몇 번씩 피살되며 부활하였다. 그는 시각을 잃은 인조 인간이었다. 자의식이 기계의 묘내墓內에서 들적이면 용광鎔鑛의 소리로 한숨을 쉬었다. 사방의 적막은 해저로 퍼졌다. 교묘히 연결된 동선銅線들과 혈관들을 달리는 전류의 진동에 따라 가치 없는 장면이 계속 모국어로 나타났다.

그는 인간 기관이 되어 사자死者에게 조종당하고 있음을 느낄 때마다 눈을 병상에서 감았다. 환경은 벗어날 수 있는 자연을 열어주지 않았다. 번역 기계는 때때로 실소失笑하였다. 하필이면 원서는 읽을 보람조차 없는 과학 모험 소설이었다. 연회빛 양복을 입은 청년은 그 소설 속에서도 나타났다. 늙은 박사의 딸을 사랑하는 그 청년은 늙은 박사의 제자였다. 늙은 박사는 새로운 기계를 만든 발명가였다. 누구나 그 새로운 기계를 방 속에서 조절하면 벽 너머 세계가 어디든지 암록빛 유리판에 그대로 나타났다. 주부는 출근한 남편을 집 안에서 그 기계로 감시하고, 경찰은 범인의 숨은 곳을 가시 뽑듯 체포하고, 정치가들은 모든 나라 수뇌자들이 무슨 비밀을 의논하며 계획하며 지시하는가를 서로 알고, 심지어는 어떤 놈팽이가 여탕女湯을 그 기계로 투시하면, 다른 기계가 그 놈팽이를 지적하고, 가상 적국들의 시설들도 뼈 속까지 보이는 놀라운 출현이었다. 그는 작자가 살았을 때 만든 박사의 말을 되도록 정확히 번역하면서 조소하였다. 그는 전기 바늘마냥 늙은 박사의 다음 말을 원고지에 번역 중이었다. "비밀이 없는 세계를 생각해보라. 신비는 끝났다. 과학은 새로운 역사를 열었다. 평화는 이 기계에 의해서 이루어질 것이다. 따라서 모든 과오는 지구에서 사라진다. 신을 두려워하지 않는 자도 양심에서 벗어날 수는 없을 것이다." 전쟁에 쓰려고 강력한 약품으로 양식養殖하는 균들처럼 원서의 활자는 꼬무락거렸다. 그는 만화 같은 연극을 옮기던 붓을 놓고 쓰게 웃었고, 번역한 매수를 헤아리며 돈으로 환산해보는 것이었다. 병자는 침대에 누워 성운星雲도 없는 망각의 잠을 잤다.

환자들의 신뢰를 받는 의학 박사가 들어왔다. 흰 옷차림의 간호원 손이 잠든 그를 깨웠다. 박사는 "지금까지는 오진誤診이었다"고 말하고 창 밖의 햇볕과 녹음綠陰에 암회색 엑스레

이 건판을 들어 보였다. 그는 침침한 자기 내부를 응시하였다. 정신은 어디에도 보이지 않았다. 이상한 구조로 된 세계가 창을 등지고 장미빛 새벽의 부엌 안처럼 컴컴하였다. 그는 쓴웃음을 웃었다. 실은 아무렇지도 않았던 것인가. 그는 박사를 쳐다보고 "그런데 왜 쇠약하고, 우울하기만 합니까" 하고 물었다. "대강은 짐작할 수 있지요. 곧 알게 될 겁니다. 우리는 망국민으로서 이차 세계대전을 치른 지 몇 년도 안 되어 분단된 국내의 비극을 겪었으니까요" 하고 대답하였다. 그는 자기 팔에 주사를 놓는 간호원의 흰 옷소매를 유심히 보았다. 피부는 한 장의 방수포防水布였다. 그는 착각을 의식하면서 고소苦笑하였다. "같은 자들뿐이다. 그저 그런 거지 뭐……" 렌즈는 벽 같은 책장의 활자 대군열大軍列을 계속 읽었다. 내용이 후두부後頭部의 암실에 장치된 영상판에 연신 나타나며 지나간다. 광조光條의 열차 선로가 송장들이 쌓인 산협山峽으로 음향을 지르며 질주하였다. 어느 나라 간첩이 숨어서 "남은 문제는 빛깔과 촉감과 냄새다. 그것을 실현하는 기능이야말로 완성의 날이라" 는 노박사老博士의 말을 엿듣고 있었다. 어떤 때는 늙은 박사 자신이 발명기 앞에서 외면할 지경이었다. 연회빛 양복의 팔이 뱀처럼 박사의 하얀 딸을 휘감고 능금을 먹는 장면이었다. 그러한 실험실 안의 광경이 활자로써 그의 눈에 무자비하게 중영重映하였다. 어떤 때는 지침과 계수 번호를 맞추며, 무한 거리와 삼투력과 밀도에 관한 성능표를 조절하는 그들의 투지를 보여주었다. 그는 후두부의 영판映板에 계속 나타나는 갖가지 무간 지옥無間地獄*에 견딜 수 없었다. 식사 후에도 곧 자동 번역기가 되어 그러한 것들을 옮기지 않으면 안 되었다. 다방에는 음향의 달을 삽입한 피아노 연주 광고가 붙어 있었다. 병실의 라디오에서 보석으로 명멸하는 음곡音曲이 통행 금지 사이렌소리에 휩쓸려 사라졌다. 그제야 그는 실소失笑하지 않았다. 그는 번역하던 손을 멈추었다. 손은 과학 소설을 꽃병 구석으로 내던졌다. 세모진 창이 부서지면서 바깥은 유암幽暗하였다. 그는 누워서 황금빛 피를 저편에서 흘리며, 녹綠빛으로 감상感傷된 달을 쳐다보았다. 오한惡寒이 물결친다. 달은 호수만한 형자形姿였다. 그는 역시 피곤하였다. 피곤은 "살려고 하는 짓인지, 목숨을 줄이는 짓인지" 그것마저 아리숭하였다. 분별할 수 없는 것이 전체였다. 사방의 적막은 사자死者의 행복 같기도 하였다.

그것은 알수록 바보의 입처럼 열렸다. 혈관은 전선電線으로, 살갗은 철로 변해 있었다. 시는 형벌과 비둘기였다. 그는 영향을 끼칠 수 있는 한계 안에서 종언終焉의 상복喪服을 입고 있었다. 머리 속에서 "나를 돌려달라, 나를 돌려달라"는 광야의 반향反響이 일어났다. 고막이 울린다. 휘황한 전등이 꺼졌다. "나[我]라는 너는 어디에 있느냐. 무엇을 돌려달라는 거냐"가 어둡기만 하였다. 범람한 달빛이 실내를 엄습하였다.

달빛은 그의 망연자실을 벽옥빛 비단 필匹로 휘감았다. "병원이 정전停電하다니, 세상은 끝났다"며, 그는 돌아누웠다. "박사는 오진이었다"고 고백하였다. 그럼 무엇을 다시 구명究明한다는 말인가. 말은 고맙지 않았다. 쇠약했는데, 비용 때문에 과로하는데 "번역은 병에 지장이 없다"고 박사는 말하였다. "박사는 나의 돈 나올 구멍이 이 짓밖에 없다는 것까지 계산하였을까." "무슨 보상報償인가." 그는 어둠에 관한 인식을 점점 잃었다. 그는 다시 잠이 들었다.

믿지 못할 일이 있었다. 눈동자가 마술이라면 그럴 성도 한 일이었다. 흰 옷차림의 여자는 천연스레 오렌지를 들고 있었다. 그녀는 그를 정면으로 보고 있었다. 그러나 그녀의 시선은 그를 보고 있지는 않았다. 실은 그녀는 거울을 향하고 그와는 반대로 돌아서 있었다. 그녀는 그에게서 돌아선 채 문갑에 오렌지를 놓더니 우후청雨後晴 운학병雲鶴瓶에 연꽃을 꽂았다. 여자는 연꽃과 용이 비친 거울을 들여다보며 온화한 미소를 품었다. 그녀의 얼굴은 거울 속에서 점점 관음觀音으로 변하였다. 그는 그녀의 등뒤에 서서 정면 거울에 나타난 성聖백의관세음보살白衣觀世音菩薩*을 보았다. 도무지 알 수가 없었다. 흰 옷차림의 그녀만이 관음으로 비쳐 있을 뿐이었다. 그녀의 뒤에 서 있는 그는 거울에 나타나지도 않았다. 그는 "나를 기억하겠습니까" 하고 말을 걸었다. 그녀는 돌아보지도 않고 거울 속에서 여전히 관음의 미소를 하였다. 그는 "당신을 만나려 오랫동안 방황했습니다" 하고 호소하였다. 그녀는 그의 음성을 못 듣는 모양이었다. 그는 그녀에게로 접근하는데 공간이 그의 앞을 완강히 가로막았다. 두 사이는 아무것도 없건만, 보이지 않는 투명질透明質이 손바닥에 싸늘하니 느껴졌다. 그는 상대를 볼 수 있으나 상대는 그가 보이지 않았다. 그러한 유리가 두 사이를 가로막고 있었다. 그는 "난 늘 당신을 생각했습니다" 하고 통하지 않는 공간에 기대어 머리를 숙였다. "난 원래부터 이유가 없어요." 그녀의 목소리는 분명하였다. 그는 기꺼이 머리를 쳐들었다. 거울에는 언제 나타났는지 지난날의 연회빛 양복 청년이 서 있었다. 관세음보살은 없었다. 연회빛 양복 청년을 반가이 영접한 흰 옷차림의 여자는 손을 서로 맞잡고 실내를 나가려 돌아섰다. 그녀는 백의관음이 아니었다. 그녀는 그에게 오렌지를 줬었던 흰 옷차림이었다. 두 남녀는 그의 곁을 지나 문을 열고 나가버렸다. 맹자盲者는 눈을 떴다. 병실은 아무도 없었다. 눈이 마음의 바깥에 내린다. 눈이 천년 종鐘의 침묵에 내린다. 그 눈은 모두를 축복하고 있었다. 정적은 광명으로 결정結晶되어 있었다. 그는 다시 잠이 오지 않았다. 그는 과거를 비치던 거울의 벽 앞에서 생각하였다. 거기에서는 물러가는 흐름이 꽃지고 꽃피는 산을 헤치면서 내일로 향한 골목길을 열고 있었다. 밤이 눈을 감으면서 태양은 솟아올랐다. 작은 새들이 창 앞 금빛 나무가지에서 서로 부른다.

그는 들었다. "난 원래부터 이유가 없어요." 그는 따라 중얼거린다. "난 본래부터 이유가 없어요." 모든 것이 말한다. "나는 본래부터 이유가 없어요." 아침 식사는 끝났다. 그는 들어온 흰 옷차림의 간호원에게 "박사가 수긍할 만한 증세를 말하지 않는다면 오늘 밤이라도 퇴원하겠다"고 솔직히 털어놓았다. 오후에야 박사는 들어와서 "빈혈증입니다. 안정이 절대로 필요하다"고 말하였다. 그는 가치 없는 과학 모험 소설 번역을 중단하기로 결심하였다. 저녁 노을이 물든 창 옆에서 그는 퇴근 직전인 여교사에게 병원 전화로 "미안하지만 내가 하던 번역을 맡아서 할 수 없겠느냐"고 의논하였다. 박사는 이 말을 사무 책상에서 듣자 그를 놀란 표정으로 쳐다보았다. "고료는 선생님께 드리겠어요." 여교사의 대답이 들려왔다. 그는 두 사람만이 통하는 비밀을 구축하고 싶지는 않았다. "그럴 필요는 없소." "좌우간 제가 기꺼이 다음을 맡아서 하겠어요." 전화는 딱딱한 바탕에 빛을 박는 음성이었다. 또는 깊은 곳에서 솟아오르는 광채이기도 하였다. 그는 "고맙다"는 뜻을 말하고 수화기를 놓았다. 그는 "기계에서 탈출하였다"고 속으로 중얼거렸다. 홍시의 부드러움도 뱀의 촉감도 아니었다. 어떤 허무한 실재實在가 수목 같은 모발로서 그의 가슴에 안식의 그늘을 마련해주었다. 그리고 파도도 일지 않는 사나운 바람이 공간을 씻으며 빛을 발하였다. 돈은 버림을 받지 않고, 누군가의 요기療飢가 될 것이다. 그것은 슬픈 가

147

치였다. 그는 "속고 있다는 것 이외에 의미는 없다" 면서 돌아
와 문을 열었다. 병실에는 여대생이 와 있었다. "여의사님한
테서 입원하셨다는 소문을 듣고 바로 왔어요." 그는 여대생
이 사가지고 온 운동 선수의 유니폼처럼 흰빛과 붉은 종선縱
線으로 장식된 외국제 통조림 속의 오렌지를 함께 먹으며
"그새 자미滋味가 좋았느냐"고 물었다. "우린 원하지 않았는
데도 이 땅에 태어났는 걸요." 여대생은 천진스레 웃었다.
"건강은 좀 어떠세요." "박사가 해방시켜주지 않는 것 같아."
"자신은 어떻게 생각하세요." "나도 다른 사람과 마찬가지가
아닐까. 이름은 번호로, 몸은 신분증으로 바뀌졌다는 정도겠
지." "왜 병환이 나셨을까, 하고 오면서 생각했어요." "생각
하기 나름이겠지." "아니예요. 사람은 별것이 아닌데, 별것인
줄로 생각하는 것 같아요." 여대생의 볼은 복숭아꽃빛으로
윤이 났다. "근사한 설법이군." 그는 표정 없이 대답하였다.
"결국 선택은 하나예요. 누구나가 다 하나지요. 아무리 잘나
고 학식 있고 뭐니뭐니 하는 사람이라도 결혼을 않으면 난 멸
시해요." "언젠가 연애는 정치라더니 많이 달라졌는데. 그새
소견이 트였군." "정치는 필요해요. 목적을 위해서는 말이에
요. 그러나 그것만으로는 해결되지 않는 걸요. 참을 순 있어
요. 그러나 견딜 수가 없는 걸요. 우선 표리表裏가 다르다는
것은 집 구조부터가 증명해요. 들어가서 생활하는 데 뜻이 있
어요." 그는 머리를 끄덕이었다. 그러나 그는 부지중에 "본래

부터 이유는 없다"고 미소하였다. 여대생은 자존심을 상하였다. 그는 담담하였다. 그는 화제를 경쾌한 운동 경기로 돌렸다. 그러나 운전기는 고장이었다. 분위기는 종시 흐렸다. 얼마 후, 여대생은 빗방울이 나무잎에서 뚝뚝 떨어지는데도 가 버렸다. '어쨌든' '그렇다면' '무엇이고' '그래서' 사람들은 곧잘 이러한 말을 사용하였다. 그에게 있어 '좋았건' '나빴건' 간에 과거는 운명이었다. 앞날은 미지였다. 그러나 분명한 무엇이 그에게 암시하고 있었다. 흰 옷차림의 여자는 그의 기억에서 퇴색하기 시작하였다. 괴로운 덩어리는 늙을수록 인자한 주름살의 광명을 폈다. 생은 벽의 눈을 폈다. 연꽃이 눈물에서 피었다.

그는 박사와 상의도 않고 전등불이 들어올 무렵 퇴원하였다. 그는 과부가 경영하는 하숙집에 돌아오자 무대를 있는 그대로 조명하였다. 그는 어디서나 가난에 찌든 방 속에서 자기와 마찬가지로 등을 굽히고 있을 사람들이 많다는 것을 생각하였다. 연회빛 양복은 비를 맞으며 튼튼한 빨래줄에 거꾸로 매달려 있었다. 불두화佛頭花는 공간을 수채 구멍 옆에서 차지하고 있었다. 그는 편안히 누워서 학교에 나가기 위한 책을 보았다. 자열字列은 번개불로 뻗었다. 피와 성벽城壁에 관한 기록은 흥미 이상도 이하도 아니었다. 대학에서는 강의실마다 책을 펴들고 인류의 발전을 각기 전문 분야에서 설명하고 있었다. 그러나 이면은 하나의 성욕性慾으로 신축伸縮하였다. 부귀의 권태와 가난한 허영을 메우기 위한 혼란이 평등한 성욕에 의해서 사멸死滅하며 번식하였다. 사람들은 애욕에 몸부림치는 보고報告를 지식이라 총칭하였다. 원시의 육욕적인 음악이 공허에서 방송되었다.

그가 실직하고 물고기 생활을 백사장에서 하던 때였다. 그는 담배도 없이 하숙방에서 수척한 몸으로 누워 있었다. 젊은 안주인은 각각 뜻이 다른 두 눈으로 벽 너머의 그를 노려보았다. 젊은 안주인은 "오늘도 어떻게 안 되우" 하고 무엇이 궁금한지, 옆방에서 노래하는 것이었다. 한쪽은 돈을 독촉하는 눈이었다. 다른 한쪽은 암컷의 눈이었다. 그는 그런 두 눈을 동시에 뜰 수 있는 인간의 재주를, 백주白晝에서 왕왕이 보아 왔었다. "내일이 이십오 일이니, 이번만은 세상 없어도 받는 대로 좀 줘야겠소." 안주인은 벽 너머 옆방에서 짐승처럼 신음하였다. 그럴 때마다 그는 구경꾼마냥 소리 없이 이편 방에서 웃었다. 이십오 일은 사변이 일어났던 날, 무주무육일無酒無肉日, 모두가 목마르게 기다리는 월급날, 그리고 젊은 안주인이 과부가 된 날이기도 하였다. 그는 우스꽝스럽도록 소리 없이 웃었다. 여러 세대의 방세를 뜯어 사는 과부는 그에게 속고 있었다. 실직자인 그는 여전히 출근하였던 것이다. 그는 어디나 갔고 사실 갈 곳은 없었다. 거리의 계산은 유리와 양회洋灰로 인정人情을 막았다. 신기루는 폐허에 조약條約의 철로 건설되어갔다. 그는 점심을 굶고 녹음綠陰 밑의 벤취에

150

앉아, 망연히 바라보았다. 교인들은 파고다 공원에서 주악에 맞추어 노래를 마치자, 하느님의 '사랑'을 교대로 나서서 부르짖었다. 그는 경이驚異가 허영으로 조락凋落하는 기계의 소음을 듣고 떨었다. 그는 교외郊外 솔밭에 지쳐 있다가 연애하는 남·여 때문에 외면을 하고 돌아누웠다. 그는 일몰하는 거리에서 TV에 나타난 명사들의 생활 개선 좌담을 사람들 틈에 들어서서 보았다. 나이트클럽 하복부에 꽂힌 단도에서 흘러내리는 보석의 피가 활자들로 나타났다. 모발을 뚫고 의자 밑으로 늘어진 팔의 빨간 손톱 끝까지 점령한 죽음이 황토빛 돛폭에 덮여 신문 위로 흘러간다. 그는 배고픈 것을 잊고자 정신을 총동원하였다. 그러나 손으로 붙들 나무 한 그루가 공동 변소도 없는 거리에 있을 리 없었다. 수면睡眠은 박하고약처럼 퍼졌다. 미소를 띠고 잠 속에 굳은 그의 얼굴은 추하였다. 문명은 승리에서 빛났다. 그것은 투쟁을 의미한 데 지나지 않았다. 강력한 기旗는 하늘에 비해서 미약하였다. "세상 없어도 이번은 꼭 주시우다." 그러나 전등불을 끄지 않고 잠든 그를 보았더라면 대경노발할 젊은 과부의 고양이 목청은 또 벽 너머에서 일어났다.

그는 눈을 뜨자 성욕性慾을 느꼈다. "나는 건강하다"며 일어섰다. 그는 식사를 마치고 학교로 간다. 그는 달리는 전차 안에서 "과실들이 가로수에 주렁주렁 달렸다면 얼마나 아름다울까" 하고 생각하였다. 그는 대학 석조 건물의 암회빛 측면에서 놀랄 만큼 깎여 나간 하늘의 선조線條를 응시하였다. 미래를 상징하는 심상心象이 파란 깊이 속에서 나타날 법도 하였다. 그는 밑을 옥상에서 굽어보았다. 나무들은 삼각형의 투영을 뚫고 힘차게 솟아 있었다. 그는 "나는 무병無病하다"고 거듭 생각하였다. 그가 그날 강의를 마친 오후였다. 이상한 이성異性이 나타나 시장을 걷고 있었다. 그 여자가 입은 옷은 거두절지去頭切肢한 한 조각 밀가루 푸대로서, 조금 전만 하여도 더블베드 위 못에 걸려, 화문벽花紋壁 창에 십자가의 풍경을 가렸던 옷이었다. 그 옷은 흰 옷차림 여자의 옆얼굴처럼 이제는 증오와 애정도 아닌 퇴색褪色이었다. 그는 그 여자가 걸어 나온 골목 안을 돌아보며 "사형 집행리吏도 신성한 직업임에는 틀림없다"고 이마의 땀을 손으로 씻었다. 그는 외국 대도시의 고유 명사를 붙인 과자점으로 들어갔다. 시계는 오후 7시 삼십 분을 지나는 중이었다. 그가 전화를 학교에서 걸었을 때 나오겠다던 여의사는 와 있지 않았다. 그녀는 신에게 대항하듯, 또 처녀 수태受胎를 수술 중인지 알 수 없었다. 그는 기다리기로 하고 탁자에 놓인 신문을 집어들었다. 광고가 눈에 들어왔다. '시장에 범람하는 약과는 전혀 다릅니다. 절대 위조할 수 없도록 과학적 특수 포장을 한 홀몬제' 누가 앞에 와서 앉는다. 여의사였다. 젖빛 복장을 하고 흑사黑紗 장갑을 낀 여의사는 전에 없이 명랑하였다. "뜻밖이었어요. 언제 퇴원하셨어요." "그래 상의하려고 좀 나와줍소사 한 것

입니다. 어제 병원에서 무단無斷히 나왔습니다.” “이제 괜찮
으세요.” “어떻게 생각합니까. 난 무병하다고 생각하였습니
다.” 여의사는 정색하며 그를 쳐다보았다. “그래요. 이제야
아셨군요. 병은 전부터 없으셨답니다.” “그럼 왜 진작 알려주
지 않았소.” “스스로 깨닫기 전은 곧이 듣질 않는 법이랍니
다.” 여의사는 웃다가 계속 말하였다. “고치기 어려운 병은
자기의 어떤 도덕적 관념으로써 전체를 규정짓는 병상症狀
이랍니다. 육체는 일일이 설명할 수 없을 만큼 적응성이 많답
니다.” 그 말은 충고 같기도 하고, 회색빛 고백 같기도 하였
다. 형광등 불의 그늘진 곳에 앉은 그는 고급 과자로 만든 화
단을 바라보며, 여의사와 함께 난형卵形의 케이크를 들었다.
거지 아이가 여의사의 어깨 너머로 서양 글씨의 횡서橫書한
유리벽 밖에 힘없이 돌아서 있었다. “난 본래부터 이유가 없
어요.” 문득 흰 옷차림의 여자는 어디론지 사라졌다. 그는 그
위치에 서 있는 거지 아이에 대하여 애정을 느꼈다. 불쌍한
아이들은 열을 짓고 유린당한 꽃밭 구릉을 넘어가고 있었다.
그는 여의사와 함께 밖으로 나왔다. 수액樹液 없는 장미꽃과
고유 명사의 네온사인들이 골목길 저녁에 해골을 드러내놓
고 있었다. 거지 아이의 비뚤어진 입술이 코밑 단애斷崖로 허
무와 동화되어 창백하였다. 그는 거지 아이에게 돈을 주었다.
그는 소년에게서 인종忍從과 자정慈情과 고생으로 끝난 한
어머니의 모습을 보았다. 여의사는 의아스레 그러는 그를 보

왔다. 그는 "묻지 맙시오. 따지지 맙시다. 나를 감상적이니 위선이니 자아 도취니 어떻게 생각하든 자유입니다. 과연 나는 무병합니다" 하고 말하였다. 여의사는 머리를 끄덕이고 "그렇다고 생각해요" 하고 미소하였다.

목욕탕, 관청, 형무소, 군부, 국회, 아편굴, 외국 기관, 은행, 불량 소년, 사기배, 매육녀賣肉女 등 도시 내부에서도 태양은 시간을 어기지 않았다. 그는 자기의 손금 위를 걷고 있었다. 그는 이성의 현미경에 빙글빙글 돌아가는 기계를, 꼬무락거리는 자기 자신을 확대시켰다. 거기에 나타난 것이 자기의 기저基底며 초점이며 식료품이며 육신임을 보았다. 그는 있는 그대로를 받아들이며 집중시켰다. 마음은 동하지 않았다. 왜냐하면 완전은 볼 수 없는 신과 볼 수 있는 기계들뿐이었다. 그의 본질은 불완전에 있었다. 고혈枯血빛 벽돌로 치솟은 공간 도로를 따라 상승하는 국정 감사와 하강하는 월급쟁이들은 서로가 바빴다. 그는 "무저항의 기旗는 무슨 빛깔일까" 하고 생각하였다.

지난날, 그는 골목에서 흥정을 하였다. 그것은 유두乳頭라기보다는 화염의 액液인 포도알이었다. 매춘녀는 두 팔을 머리 위로 올리더니, 갑자기 비명을 질렀다. "팔이 무거워서 견딜 수 없어요. 내려지지가 않아요. 과거는 돌이킬 수 없는 걸요." 그는 "마음이 편안하지 않으면 우주를 샅샅이 뒤져도 행복은 없을 것이라"고 생각하였다. 그는 계시된 것처럼 여자의 허리를 안았다. 매춘녀의 팔은 내려와 그의 목을 감았다. 그것은 노한 뱀과 교수대의 밧줄과 강한 흡반吸盤이었다. 주렁주렁 매달린 별들이 일시에 쏟아지기 시작하였다. 그 중의 하나는 그의 안계眼界를 막으면서 폭발하였다. 비린내가 풍긴다. 피는 흐른다. 그는 가사假死 상태에서 만족하였다. 참으로 결과는 죽음인 것이다. 남는 것은 미완성이었다. 미완성은 표리부동처럼 존재만으로써 완성이었다. 그는 대상에 국집局執하지 않았고 행동하였고 쉬지 않았을 따름이다. "울창한 입술에 광명의 미소를 주소서." 저녁 노을은 화구호火口湖의 푸르름에 끓어올랐다. 역사 없는 해가 피[血]와 숲에서 목욕하였다. "비둘기집 모양으로 푸르게 펭키칠 된 판자통 속에서 젊은 여자는 공중 전화를 놓고 그날그날을 보냈답니다. 판자통 속은 춥기 아니면 무더웠지요. 그런데 어느 백주白晝였어요. 전주電柱에 올라가 변압기를 수리하던 기술자가 판자통 위로 추락했어요. 기술자는 전기 의자에서 내려진 거나 다름없었을 거예요. 부서진 판자통과 진흙에 나가떨어진 전화기처럼 그 여자는 한동안 병원에서 상처를 치료받았답니다. 그 여자가 바로 나야요. 짝 잃은 비둘기가 됐지요. 죽은 기술자는 내 남편이었어요. 당신은 오늘밤에 내게 온 세번째 손님이에요. 누가 대문을 요란스레 두드리는군요. 경찰일 거예요. 염려할 것 없어요. 누구나 살아가게 마련이니까요. 난 피곤해요. 좀 점잖게 해주세요." 그의 마음은 날마다 기도하는 자세였다. 그는 자기 외에 기도 드릴 대상을 인정하려 않았다. "내가 없다면 신은 없는 것이다. 그러므로 무엇이건 다 긍정한다"고 묵도默禱하였다. 혈액을 잃은 네온의 장미답게 매춘녀는 밤을 기다릴 것이다. 그 길밖에는 없을 것이다.

그것은 절벽에 반향反響하는 뱀들의 수문水紋이었다. 손은 문을 열었다. 앞은 암석이었다. 희망이 깨어진 병에서 흘러내렸다. 그는 죄악과 공적功績을 동시에 무시하였다. 자유는 자기 마음의 세계에서만 이루어질 수 있었다. 요점은 시비에 있지 않았다. 썩은 땅에서 나오는 싹들은 아름다웠다. 그는 조준도 없이 우는 어린이의 천진한 소리를 들었다. 그가 태어났을 때의 첫소리인지도 모른다. 그것은 '어디서 왔는지' 조차 모르는 그의 본질이었다. 손은 움직이는 물의 형태였다. 또는 훌륭히 결정結晶한 다각적 의욕이었다. 그는 "스스로 해방하라"며 손을 들었다. 자동차는 태양 아래서 그의 옆에 와 정지하였다. 그는 하숙집으로 걸어오는 길에서 샀던 황금빛 오렌지로 요기하였다. 그는 동시에 무슨 수태受胎 같은 감사를 느꼈다. 소모는 녹綠빛 딸라의 계절에 낙엽처럼 흩어졌다. 회상의 길은 그의 뒤에 아득히 뻗어 있었다. 부부들의 생활은 떠올랐다. "너는 누구와 결혼해도 된다. 누구나 서로가 도우며 살고 있다." 그가 혼자 걷는 앞뒤에서 많은 부부들은 어린것들까지 태운 달구지를 끌며 뒤에서 밀며, 액연額椽 속을 가고 있었다. 아무도 슬픔이나 괴로움에 대해서는 말하지 않았다.

"세 여인 중의 누구인가가 나를 찾아올 것이다. 그날은 둘이서 오렌지를 먹기로 하자. 그리고 구혼求婚하자." 그것은 미신도 과학도 아닌 심경心境이었다. 잊지 못했던 흰 옷차림의 여자는 염두에서 사라진 지 오래였다. 버리면 버릴수록 몰랐던 것이 나타나는 듯하였다. 그들은 봄ㆍ여름ㆍ가을ㆍ겨울처럼 여러 가지로 회전하였다. 그러면서도 그들은 변하지 않는 실상을 그들에서 보았다. 그는 전부터 불변에 의해서 동작하던 그대로였다. 몸과 마음은 책상의 한 오렌지였다. 그는 새벽을 향해 "이유는 원래부터 없다"고 발성하였다.

1958

주인 없는 열쇠

그의 옷 그대로가 몸이어서 시가市街를 반쯤 가리고
위치는 풍경을 후회 없는 녹綠빛 죄로 지킨다.
이제는 눈을 감아도 너의 얼굴이 보인다.

수많은 톱니 바퀴가 짐승보다 멋지게 외식外飾한 내부에 돌고
하늘과의 대립은 열매를 맺기까지 길을 연다.
실내의 생화生花는 내일을 내다보며
물과 유리에서 허리를 잘린 채
노을에 숨쉬는데,
주인 없는 열쇠가 여기에 있다.

열쇠는 악곡樂曲으로써 그를 붙든다.
형태 없는 무게가 정물靜物을 밝힌다.
꽃술이 손 · 발을 춤추게 하는 공간에 이울고
얼어터진 물은 해가 솟는다.

그러나 젖가슴은 고마운 노고勞苦요

시종 아무 일도 아니었다.

신도 악마도 될 수 없는 생명들이

어제와 내일 사이를 걸어간다.

시가의 모든 빛깔까지가

스스로 자비한 안에서

사람들의 모습으로 떠오른다.

1958

항상 미지未知에만

흙의 조상彫像은 창가에서
미지에 대하여, 의미를 여러 가지로
나타내고 있었다.
우리가 허공과 충만 사이에 모여 서서
피살된 사람의 말을 듣듯이.

문명은 심각하면서 전관電管의 열쇠 구멍마다 찬란한데
날개는 어디서나 불쌍한 사람들에게로 깃들라.
무덤도 없이 가버린 그들에게
꽃다발을 별들로 엮는다.

슬픔은 가슴을 의지하고
녹음綠陰 속에 열매 맺는 지성을 우러러보며
태고에서 흐르는 이마의 땀과
산들바람은 노래를 만들었다.

그러나 노래는 지난날처럼 사라지고

피묻은 능선의 눈에도 시간만 시작과 끝이 없다,
목숨은 마을마다 포화砲火에 쓰러졌고
해골의 털[毛]들이 사나운 비바람에 춤을 출 뿐.

병과 약을 한꺼번에 쓴 풍경에서
죽음으로부터 깨어난 손[手]은
차별 없이 연꽃들이 핀 한낮과
별들이 동시에 노래하는
양반구兩半球를 하나로 만들었다.
동양의 음악은 자유로운 대화를 위하여
일어난다.

구름을 헤치며 가는 세월은
피가 흐르는 살기殺氣와 휩쓸린다.
밥상 · 욕망 · 신문 · 타산打算으로
이루어진 난해의 길거리에서
생활에 수금囚禁된 사람들은
머리 속 판자 벽에 떠오르는
식구들을 위하여 무릎을 꿇는다.
기도한다.

가슴의 고동은 무서움에 자라난

인가人家들의 속삭임

잎사귀들이 피란 행렬의 길에 표정하던

하늘의 뜻을 보아라.

하늘은 사랑도 미움도 없다.

우리의 아는 것이

전부가 아닌 것으로 나타나 있다.

1958

.

장미와 철조망

그가 X광선을 비치니 철조망이 가슴에 나타난다. 장미꽃이 돌[石]에서 피면 내 몸은 춤을 출까. 동쪽에서 솟는 해는 그림 자가 없다. 가슴 속의 장미는 철의 형극荊棘에 갇히어 피 끓 는다. 떨면서 정신을 더듬는 촉수가 무엇인지 보아라. 보이지 않는 손을 잡으면 그 여자가 있었다. 해바라기가 눈동자에 핀 다. 누가 나를 돌아보며 웃는다. 등불이 창 밖을 지나갈 적마 다 해부도가 벽에 마구 자라 오른다. 마른 나무가지들이 혈맥 으로서 돈다. 어둠이 다시 퍼지면 마음은 철조망 안에서 신음 한다. 중량이 공간으로 뻗은 팔에 엄습한다. 정신 구조가 수 많은 뱀들로 꿈틀거리면서 스스로를 빠져 나간다. 장미는 물 이 필요하였다.

1958

백 호百號
— 축 성대成大 신문 100호

마음의 변화는 무한하며
자연의 신비는 영원하다.
붓들은 비극 없는 개선凱旋으로 나아간다.
백 호에 이른 지난날은
끝없이 시가市街를 향하여 간다.

눈먼 비둘기는 노래한다.
밥과 술과 의상에 관해
내외간이 입다툼한다.
사자死者의 행장行狀과 남긴 말들에서
강은 흐르는데
구멍가게에 붙은
'우주 정복'의 영화 광고이기도 하였다.
능금나무는 육체와 법 사이에 서 있었다.
신문은 어제와 내일 사이로 넘어간다.

누가 나아가며 묵시默示를 받는다.

그대가 없이 오늘은 있을 수 있는가.

그대가 없이 미래는 있을 수 있는가.

하나의 별[星]은 흙이었다.

심혈心血은 폐허 없는 평화를 위하여

지면마다 꽃피고

자자구구字字句句의 행렬은 슬프나

기쁘나 간에 수확을 쌓는다.

해가 동양의 창에서 오르듯

우리네 가족은 스스로의 모습을 지수명경止水明鏡 앞에서

읽는다.

1958

화관花冠

꽃은 경험의 입에서
무너진 성벽 사이로 말한다.
여자는 남자의 손에 뺨을 눕힌다,
불행이 미소를 거울에서
찾기까지.

젊은이들을
우리의 아들·딸로 생각한다면,
서로가 모르는 사이라도
한 시대의 형제들임을
믿는다면,
문제는 좀더 달라졌을 것이다.

먼지가 포도알의 태양에 끼었다.
아기에게 젖을 빨리는
그녀의 뺨은 흉년이었다.
서로가 불쌍히 여기며

자신의 수고를 말하지는 않으나
장독대와 봉선화를 비친
방안의 거울에서 찾을 필요는 없었다.
그들은 자기의 웃음을 상대의 얼굴에서
보기에.

1958

입맞춘 침묵

나무는 눈[眼]을 기쁘게 한다.
가게의 거울 · 사진 · 장갑 등도 말을 않으나
그는 광선과 거리距離에서
색 · 질 · 양에 만卍 자를 편다.
그러하듯 침묵은 문을 열고 말씀을 계시한다.

벗님들에게
각등角燈불 켜진 내부의 소리를 보이듯
꽃이 전원에서 잉태하듯
시인은 물보다 어려운 글자를 옮긴다.

참뜻을 듣기는 식사보다 쉬우나
언어로 표현하기는 아득하다.
누구나 서로 미워하는 것
그 이하의 고통은 없고
누구나 서로 아끼는 것
그 이상의 즐거움은 없다.

침묵은 도시의 골목마다
한밤에 울려 퍼지는 금빛 종소리로
떠오른다.

그는 여러 가지 종류에 섞여
규목나무의 길을 바라본다.
승리는 파괴한 시간과 황혼 사이에
묘석으로 서고
싸움은 거기에 새긴 별[星]들의 노래를
보지 못한다.

전적戰跡이 바다가 끝난 선창에 외친다.
뿌리도 없이 날아간 집들과
화염포사火炎砲射에 세례洗禮된 장난감과
구멍난 장병들이
달빛에 범벅으로 드러났음을.
구름이 오는 곳으로, 그곳으로
한계를 어루만지며
기둥처럼 일어서는
성난 파도의 침묵을 듣는다.

그러나 해안의 과거를 가리며

기차가 내일로 달리는
이편에서 태양과 장다리꽃이 합창하듯
모두는 입맞춤으로 침묵한다.

생각하는 힘도 없는 기계가
어찌하여 피를 빨며
우리의 앞에 군림하는가.
남자는 여자와 함께
더러운 일력日曆이 내다보이는
자리에 나란히 누워
음색音色을 분비汾泌하며
침묵을 주고받는다.

흙은, 손은 다시 또 다시
비를 변주리邊周裏에서 맞으며
목숨의 열매를 맺는다.
문을 연 침묵이
우리를, 시가市街를
자비와 행동으로
끝없이 편다,
어떤 세포가 피어나는
태초보다 이전에······

만卍은 부처님 가슴에 있는 이상異相

1958

심장 있는 인형

생각하지 않을 때

생각하지 않을 때
우리와 맞선 벽에
행복은 번뜩인다.
우산과 재떨이는 너를 보건만
너는 흡수할 뿐, 망원경처럼
자아를 돌아보지 못하기에
나날을 과오로 구축하였다.

시계 바늘은 위에서
거리를 윤회輪廻하는 암색岩色 자동차에,
밤 열매들의 수효로도
비교할 수 없는 사람들의 눈에,
두 팔을 저으며 신호한다.
찾지 말라, 그것은
언제나 우리에게 있는 것이다.

스스로를 못 보는 자기 얼굴은
두 어깨 사이에 솟아 있다.

언제인가 불[火]로써 진공처럼 없어질
세간의 눈에
넘쳐나는 인가人家들,
혈액은 어둠의 바위에 돈다.
불안은 그러하듯 씨앗으로부터
음악의 묘지에도 무성하는 기쁨을 보았다.
그러나, 겹겹으로 싸인 철조망에서
죽음은 맹목을 부릅뜬다,
꽃이 피는 일순이 있듯이.

오발誤發에 이유는 없을지라도
눈물은 달[月]의 공장에서 만든 것인가.
결과는 정지한 시간에 누워
영생하는 것
소망의 기선汽船이 미망未亡한 가슴을 반쯤 넘어
안개 낀 침묵으로 사라져간다.

사람들은 삶을 찾아
미소하는 종언終焉을 잘못 끌어안으나

너는, 세계는
얼굴을 잃을 것이다.
죽음은 허영의 능형稜形에도
불멸하는 것
황금 외에는 아무것도 없다지만
성직聖職이 능금을 저주하듯
내일을 모르며 사는 생명들.

아직도 알아야 할 의미가
등불에 비 내리는 매음굴을 가며
양쪽 어깨 사이에 솟아 있다.
찾지 말라, 얼굴은
어디서나 만나는 것이다.

예수 손가락으로 땅에 쓰시다

학교의 고혈枯血빛 커튼은 기억에 잠기었다. 두 남녀는 열차
를 타고 겨울 산협山峽을 지나건만, 처녀의 사진은 고양이가
움츠린 방에서 여전히 성그리스도의 상과 대면하고 있다. 딸
에게 사내를 빼앗긴 어머니는 어느 비밀 홀에 갔다가 "피아
노에서 솟아오르는 만월滿月을 들었노라"고 법정에서 증언
하였다. 해외에서 사회학 강의를 하는 그 집 주인은 국화가

필 무렵에 서울로 돌아올 예정이다.

사상 없는 의상

불은 사상思想 없는 의상을 입고
현혹의 거리마다
균을 지닌 아이스케이크를 빨며 즐긴다.
그라지오라스는
직장의 어느 자리에 두어도 웃는데
사람들은 병든 기계가 되어 돈다.
생각의 물결인 양
꽃구름을 머금은
연륜은 책상으로 찬장으로 가구로
우리 주변의 대부분을 돕지 않는가.
구름이 비행기를 숨긴다.
피뢰침도 창도 방아쇠도
빨래도 야채도 매연에 젖는다.
어디서 수련睡蓮은 눈을 떴다.
흑인들의 춤은 포도 덩굴
비둘기는 출발 없는 시간의
길을 횡단 중이다.
평화는 빈 새장 안의 우모羽毛에 있었다.

대추나무 있는

대추나무가 서 있는 판자집에서, 자물쇠는 구두 주걱과 열쇠
와 배합配合되어 고리에 걸린 그대로였다. 구름은 여러 가지
괴물로 변한다. 미닫이 안에서, 실직한 책은 죽 그릇을 앞에
놓고 머리를 두 팔로 버티었다. 흙담 너머에서 한 쌍 일 · 월
은 속삭인다. "귀[耳] 없는 잎들의 노래가 들리지 않느냐. 대
추나무는 기다린다. 당신은 듣는 사람이 없는 노래를 보지 못
하는가"고.

무명 전사의 비碑 위에

날지 못하는 새가 무명 전사의 비 위에서 목을 하늘로 뽑고
운다. 십자가十字街는 수인囚人들의 행렬이 지나간다. 외국
사람들의 손으로 맺어진 횡서 조문橫書條文은 넘어갈 적마다
적, 청, 황빛 신호의 일제 사격을 시작하였다. 거리계距離計는
사면 팔방으로 서로 달리고 서로 비키고 서로 쫓기는 발들과
철수鐵獸들을 폭파시키며, 렌즈에 피비린내를 어지러이 중영
重映한다. 분초마다 꺾이는 방황에서 생의 아우성소리와 함
께 층벽層壁은 입을 벌리며, 우리의 앞을 짓밟아 들어온다.
결코 하지 않겠다던 말씀 "하느님, 어찌하사 이다지도 사랑

하시나이까." 청동새는 무명 전사의 비 위에서 어둠에 눈뜨는 과거의 포성을 머금고, 수인들이 지나가는 십자가의 응혈 凝血을 굽어보며, 날지 못하는 중량의 날개를 소리 없는 울음으로 펴기 시작하였다.

빛나는 곡식을

너는 빛나는 곡식을 먹으면서
할 수 없이 이러히 있노라고, 하지 말라.
그것은 어둠이다.

우리는 남들 모르게
필수품의 가격을 이야기한다.

참으로 알 수 없다면
역 안에서 무수히 나가고
들어오는 가지가지 수하물의
일을 마친 뒤
열 손가락이 종일 움직인 데 대한
의문도 끝났을 것이다.

시드는 소년이여

행복이 무엇이라고
단정하지 말라.

날씨는 회색이다.
기계는 하품을
주위에서 하고
육신의 건물이
정신의 눈에
빈약한 전등불을 켠다.

과년한 여직공은
권태의 열을 합숙소에서 받고
진실로 거멓게 목을 숙인다.
"나는 간밤 꿈에 남자의 내의를 입었는데
무슨 징조일까" 생각하고 있다.

시가市街는 일각一刻도 영위한다.
고민을 구경하듯이 동작하라.
미래는 시詩마냥 끝이 없다.

너는
어머니가 오막살이에서 해산하던

밤의 신음을

일상日常 듣고

없는 어머니를 부르며

감사하기 위해서

모르는 것이

그들을 걷게 한다.

1957

관음찬觀音讚 II

관음은 나의 어머니, 내 내부에 계시니
그 자체는 사자死者들의 흙 위에 건립되는 시가를 굽어볼
다음날 수목의 눈동자에도 생명할 것이다.
관음은 모든 마음이기에 어느 실내의 저녁
노을에서나 음향에서나 우상을 보지 못한다.
믿음은 당신이 고뇌로써 꽃피우신 나의 실재에 있다.
육신에 묶인 정신이 피를 만든다.
고동鼓動은 문을 짚은 날개에 금환 침식金環侵蝕으로 반영하고
자유의 석괴石塊는 나갈 수 없는 스스로를 뚫어
검은빛에 젖어 누워 있다. "소금 사세요."
수육獸肉집 앞을 지나가는 여인의 소리,
그것은 하늘의 유혈流血이며 감성의 불길이다.
울고 있을 아기를 잊지 못하는 어머니가 부르는 색조色調.
관세음보살, 이제 당신은 연좌蓮座에 없다.
나는 배고픔에 외치는 음광音光에서 당신을 본다.
선율은 슬픔 없는 눈물이 되어 골목과 창에 번지고
당신의 영락瓔珞들로 드리워져 빛난다.

구슬은 투명하게 정각精刻한 어둠의 실상이었다.

지난날 전화戰火에 타오르면서도 변하지 않던 관음의
미소가 나타난다.

어떤 사고思考도 소용없는 종극을 파벽破壁에서 보듯
착하지도 악하지도 않는 본성이여. 녹음綠陰의 모발이
소沼를 안고, 슬픔의 발끝까지 노래로 애무한다.

염원의 딸기밭은 더러운 하늘을 장식하고
그대의 품으로 귀향하는 무적霧笛이 앞을 열었다.

밤마다 사랑의 기쁨은 괴로움으로 점화한다.

생활의 그림자들이 전등 빛에 휘청거리며 지나간 뒤
술집의 바이오린 소리는 불협화의 기도를 드린다.

관음은 광선을 여러 가지로 뻗어
불망不忘의 병에 변모하는 무한으로서 시현示顯하고 있다.

당신은 죽음의 형성에서도 깨어지지 않는 식기,
동시에 허무가 근접할 수 없는 나의 연꽃을 피워 올렸다.

바깥 십자가를 내다보는 나 이외의 관음은 없다.

포소리는 흙과 전신국 위로 피어 오르던 구름을 인상印象하고
언제나 시간은 황금의 아픈 몸짓을 아르킨다.

나는 자아의 발족점發足點마다 나부끼는 만국기에 대하여
누구를 사랑하고 미워할 수 있는가.

부정否定은 내일의 장독대에 봄비를 유발하며
고아는 얼굴을 비정의 창에서 돌려 음영陰影의 사상을 본다.

석경石鏡 속에 피는 미소가 어떤 대상에서도 의미를 찾지 못
할 때
너는 관음의 마음이 될 것이다.
때묻은 유방의 열매와 가난한 가구家具와 괴로운 밤의 관음,
모두 다 모습은 다르나 어디고 있다.
관음은 그의 본성이요, 나는 찢어진 기구에 넘쳐 흐르는
월향月響을 배경으로 당신의 위치에 안좌安坐하였다.

1957

소인消印

나는 머리 위를 똑바로 쳐다보며, 기묘한 꽃무늬의 천정지天
井紙에 붙은 거미를 비짜루로 후려치려는데, 그 거미가 황금
의 조상품彫像品으로 변하였다. 내 동정同情이 그러한 작용
을 일으킨 것으로 생각하였다. 나는 황금을, 즉 그러한 스스
로의 주저를 후려갈겼다. 뜻밖에 진한 진물이 책상에 떨어진
거미 배에서 내밀었다. 고름 같은 진물이 전기 코일처럼 세밀
히 감겨 있을, 햇빛에는 오색이 영롱해야 할, 그러한 견사絹
絲가 아님을 알고, 나는 배반당한 공허를 느꼈다. 많은 손발
을 가진 거미는 그 모양이 나의 심경心境을 거슬렸다는 이유
만으로 피살되었던 것이다. 어둠을 기다려 피는 달맞이꽃과
는 반대로 황막한 미래를 과거의 창 너머로 내다보던 눈은 그
러한 꿈에서 현실로 깨어났다. 탈주 또는 자살을 막기 위해서
밝히는 철창 바깥의 복도의 성스러운 불이 하숙집 소년을 생
각하게 하였다. 이러한 구속의 마룻바닥이 아니고, 그곳은 두
다리를 뻗고 발[簾] 밖을 볼 수 있는 방안이었다. 장독대 옆의
백일홍들이 제각기 의미를 나타내는 오심午心이었다. 나비들
은 몇 번씩이나 소년의 손을 피하면서 한사코 꽃에서 떠나지

183

않았다. 런닝 셔츠를 입은 소년이 사진기처럼 찰나에 백일홍 위의 대상을 잡았을 때마다, 손은 무자비하게 날개를 뜯기가 일쑤였다. 수많은 동류同類가 학살당한 땅바닥에서 비상飛翔의 자유를 잃고 기는 빈사瀕死를 밟아버리는 소년의 발이 동시에 나의 쾌감이었음을 고백하는 수밖에 없다. 나갈 수 없는 문이 나의 앞에 있다. 꿈에서 죽인 거미가 내열철耐熱鐵의 손발을 문 바깥 복도에 핀 석유 등불로 뻗으며 기어오른다. 나는 살아난 그놈을 기이히 여기듯 그놈도 나에게 까닭을 책임 지우려 한다. 불은 시계視界에서 개성적인 권태로 보일지라도 그것이 규격의 우물에 비쳐질 때 저면底面에서 떠오르는 영상映像처럼 우리는 모든 자신을 주위로부터 발견하는지 모른다. 복도의 불길은 흐느적거린다. 의식은 마음의 바탕을 핏빛으로 흔들어버렸다. 그러나 지수면경止水面鏡 앞에 나타난 여자의 사안死顔은 나의 입장에 대한 나의 태도로서 일어난 힐문이었다. "너의 변명은 위선이다. 우리는 늬가 그 여자를 죽였다고 볼 수밖에 없다." 그것은 여자의 넋도 거미의 부르짖음도 나의 목소리도 나비의 호소도 아니었다. 취조관이 나를 불러냈을 때마다 속삭인 일종의 음악이었다. "그런 착안着眼과 취조는 노력의 허비밖에 없다"는 것을 누누이 말하고 "나도 모르는 범인이 이곳에 있을 리 없지요. 이런 혐의가 해명될 것은 시간 문제지요" 하고 대답하였다. 벽을 등지고 앉은 취조관의 팔목에서 태양과 함께 돌아가는 시침을, 나는 무심히 보았다. 취조관은 "다방면으로 수사했으나 네 말을 믿을 만한 단서가 외부에서 잡히지 않는다"고 측은스레 말하였다. 그럴 때마다 단추에 눌려진 기계처럼 나는 저절로 무거운 입을 열었다. "그 여자를 죽여야만 할 아무 인연이 없었다"는 말을 되풀이하였다. 그 여자가 그날 밤은 녹綠빛 외투를 입고 있었으니 알 수야 없지만 고가高價의 팔찌나 끼지 않았을까. 나는 엉뚱한 생각을 하는 때가 있었다. 추위에도 따뜻할 만큼 혹 진혈眞血빛 반지를 끼지나 않았을까. 귀뿌리 또는 목덜미에 약간의 석회 검정이라도 묻어 있지나 않았던가. 그리고 그 눈은 어떠한 표정과 인상을 주었던가를 도리어 취조관에게 물어보고 싶도록 세상이 희미해지는 때가 있었다. 괴상한 감방에 잡혀들어온 뒤, 취조를 처음으로 받았을 때도 그러하였다. "그때 취했으므로 자세한 기억이 나지 않습니다" 하고 솔직히 대답하였다. "술은 왜 마셨느냐"의 반문을 받자 어이가 없어서 "밤마다 술집은 손님들이 많지요" 하고 이러한 식의 현문 우답賢問愚答을 했으나 실은 신파 무대新派舞臺보다도 싱거운 노릇이었다. 내가 녹綠빛 외투 여자를 난생 처음으로 보기는 미국으로 시찰을 떠난다는 학교 동창의 환송회에 갔다가 돌아오던 길이었다는 사실을 여러 번씩이나 설명하였다. 그럴 때마다 취조관은 내게서 나타나는 표정을 재미보려는지 미리 미소하며 "진정 그런 친구가 있느냐"고 물었다. "그 사람과는 보통학교 때 동창이라"는 대답을 되풀이하였다. 법은 기술을 요하는 모양이었다. 소위 심리적 과학적 신문訊問의 결과는 육법 전서와 통하도록 마련되어 있었다. 의혹과 방위防衛는 고층 건물을 쌓으며, 안으로 오르는 계단이었다. 내리누르는 문제는 공간이었다. 한계까지 쫓기어 다시 피하려 움직이면 순간 스스로 쌓아올린 무수한 창들을 지나 까마득한 절벽 아래에서 기관器官은 꽃다발로 터질 것이다. 자살하느냐 영어圄圉되느냐의 찬란한 절정에서 순종의 기쁨을 찾아야 했다. 이 외에 벗어날 구멍은 없었다. 은막銀幕이라면 죽음으로써 제법 돈을 벌 수가 있을 것이다. 신문은 다소 과장해서 취급할 것이며, 취조관은 부담을 벗겠지만 유감이나마 나는 죽어야 할 원인을 모르니 만큼 아무도 무엇으로도 저항을 녹이지는 못하였다. 정전이 되면 "석유 등불을 밝혀주는 친절과 그들의 월급은 무슨 연관이 있을까" 하고 생각하였다. 물론 '필요' 라고 할 것이다. 수감된 사람으로서 시간을 아는 천재는 없었다. 누구나 흥분하면 추위가 엄습하므로 자아의 의식력意識力을 빙도氷度까지 말살할 줄 아는 본능에의 범죄자였다. 당직 감시원과 정전과 점화가 있을 뿐, 우리에게는 '무궁화' 나 '공작孔雀' 담배라든가 더구나 성냥과 혁대革帶마저 없었다. 역시 아무런 관계가 없었다. 지각知覺이 불행임을 감방에서만 알 수 있었던 것이다. 어느 날, 수금囚禁 중인 강간범이 남색男色하려다가 실패한 때문에 나의 독방으로 옮겨져왔을 때에도 추운 날씨였다.

강간범은 한밤중에 곁에서 자는 소년 절도窃盗에게 도색桃色을 환幻칠하려다가 비명·욕설 바람에 끽소리 한 번 못하고 그의 종교하던 신비마저 무참히 폭로되었던 것이다. 그는 호색한답지 않게 비장한 소리를 함으로써 자신을 위안하려 들었다. 나에게 들려준 말은 상습常習인 듯 그의 생각과는 정반대의 무의미한 것이었다. 그는 "자살은 다른 동물과 다른 사람만의 특권이라"고 하였다. 그리고 "어느 감방이건 간에 뒤보는 구멍에다 머리를 틀어박고 박쥐처럼 매달려, 혀를 빼물고서 자살한 사람의 귀신이 둘 이상 있다는 말을 선배들로부터 들었노라"고 확언確言하였다. 그리고 "누구나 돈만 있으면 석방되듯이 지금쯤은 중국 요리집에서 배갈을 마실 수 있는 놈이더랬는데" 하며, 무슨 실증實證이라도 댈 듯이 웃었다. 내가 냉담할수록 그는 이성異性에의 향수처럼 교활하게 자살을 찬양하였다. 심지어는 설복說服하려 들었다. 전기불이 잠 못 자는 눈앞에서 정상적으로 정전됐을 때였다. 나를 잃었다. 이러한 계기에서 일어난 착상은 기상천외의 장난을 하게끔 하였으므로 웃음을 참느라, 입술을 물다가 무서운 표정으로 변하였다. 어찌될 것인지에 대하여 괴로워하는 일이, 어느 정도로 가치 없는 해독害毒이냐는 반발에서 내 위치의 중심을 찔러보고 싶던 시도야말로 미신 이상의 신비와 매력이었다. 구속감에서 해탈解脫하기 위해 살인이라는 요지경 속 원인을 구명究明하기 위한 실연實演이 아니었다. 그는 의

사처럼 효과를 주목하기 위한 심정이었다. 그 여자의 눈동자로 보이던 람프 불이 꺼지자 어둠의 구원救援을 받았다. 그러나 달려온 경관의 점화點火로 다시 시계視界는 전개하였다. 그림자가 복도를 쓸며 사라진 뒤, 나는 웃음을 참으며 잠든 강간범의 목을 천천히 눌렀다. 혈색 좋은 얼굴이 파랗게 눈을 떴을 때에 나는 다정히 속삭이었다. "소릴 질루. 순간 행복해질 것이오. 당신 소원은 자살이라지요. 앞은 광명의 극락 국토極樂國土요." 기분 나쁘리만큼 미적지근한 목을 과히 괴롭지 않도록 조였다. 강간범은 "제발 살려달라"며 애원하였다. "소원대로 돼보구려" 하였더니 "이젠 날벼락을 맞더라도 다시는 그런 소리 않으리다" 하며 벌벌 떨었다. 어디서인지 창황蒼黃한 냄새가 나기에 눌렀던 손을 놓았다. 자살 개종자自殺改宗者는 대臺에 올라앉아 "사는 게 더럽다"며 물똥을 싸더니 기름땀을 씻었다. 누워 있는 내 곁으로 조심스레 와서는 "당신은 참으로 살인범이구려" 하고 속삭이었다. 나는 "사람을 죽인 기억은 없소" 하고 시무룩해졌다. 그는 "오늘 밤처럼 그러다가는 깜박 사이에 본의 아니래도 사람 잡지요" 하였다. 그럴 것이다. 비가 오거나 번개가 일순 번쩍이거나 천동天動소리가 일어나듯이 뜻 아니한 그 누구의 살인이었을 것이다. 여자의 시체에는 핏빛 반지와 석탄 검정은 없었겠지만 인조 악어피 백과 국제 항공 우편 봉투 외에 시민증도 지문도 아무런 증거품도 없었다는 것이다. 그리고 뜻밖의 상태와 오해로써, 어느 사이에 사람들은 나를 범죄자로 만들어버린 것이다. 그러나 사람들은 이러한 사실을 반성해보려고 들지는 않았다. 나는 "기한飢寒과 불안과 오욕汚辱을 받아야 할 까닭이 어디에 있느냐"며, 자신을 헛되이 결박할 만큼 어리석지는 않았다. 태양을 볼 수 없는 곳에 전락한 경위를 생각하다가는 자살이라도 하고야 말았을 것이다. 석연치 못한 수인囚人을, 자기 자신을 흥미 있는 소설 읽듯이 대하는 것이 연명책延命策이라고 생각하였다. 앙상한 길거리의 불들이 그날 밤도 안구眼球들을 빛내며 있었다. 밤은 압력과 축적蓄積으로 이루어진 바다의 부피였다. 부피는 가슴에 전개展開함으로써 모든 것을 삼켰다. 행인行人들은 그 속에서 건물들 사이로 환상마냥 헤엄치고 있었다. 술은 꿈보다 높은 덕성德性을 보여주었다. 도시 사람들은 밤 하늘에 유의하지 않는다. 하늘의 별들과 구름은 형화螢火들이 날으는 야채밭의 인상을 주는지 어쩐지 알 수 없었다. 유동하는 불들과 고착한 눈들이 전후·좌우의 검은 바탕에서 명주明珠의 광망光芒을 발하였다. 나는 아름다운 분노의 상징을 그리면서 걸었다. 경찰이 나를 비웃는 것과 마찬가지로 그때에 나는 화려하고 유치한 환송회에서 나왔었던 만큼 후회하였다. 나만을 차별하고 모욕한 그들의 교양 없는 연애 환송회였다. 나는 거지처럼 고급 양주와 특별 요리를 입에 쑤셔넣으며, 춤을 추는 그들을 경의敬意로써 멸시하였다. 그때를 회상하고 거울을 본다면 언제나 얼굴이 붉어질 만큼 한갖 객기客氣에 지나지 않았던 것도 사실이다. 미국으로 시찰 가게 된 보통학교 시절의 동창은 분명히 나를 모르는 체하였다. 그는 '나의 인형人形'에 비한다면 인생도 예술도 없는 여자에게 시선과 미소를 보내느라고 바빴다. 그러나 나의 멸시가 그 광경을 지워버리지는 못하였다. 분노의 화염은 취하여 거리를 걷는 바람에 백조라도 떠다닐 성한 푸른 빛으로 넘실거리었다. 나는 오래간만이니, 절[寺] 밑 채석장 근처에 거주하는 '나의 인형'을 예방禮訪하고 애무愛撫하리라 결심하였다. 그러나 통행 금지 시간이 가까워서 별로 사람도 없는 정류소까지 왔을 때는 '나의 인형'에 대한 생각마저 잠깐 잊었다. 취한 나에게 레일은 이상스레 단두도斷頭刀의 냉기를 품고 있었다. 나는 취조관에게 그날의 심리 현상을 다음과 같이 진술하였다. "평소의 강박 관념이 그런 작용을 일으킨 것이라고 봅니다. 말하자면 내가 백화점 같은 데를 들렀다가 오는 도중에 혹 무슨 사고로 불구자가 되지나 않을까. 우리는 갑자기 불안해지는 때가 있습니다. 식사를 하다가도 오늘 출근길에 한 발 차로 탔던 초만원 버스가 뒤집어지면서, 사람들을 죽일지 모른다는 예감이 들 때가 있으니까요." 이러한 대답에 실망한 취조관은 "그럼 너의 살의殺意로써 그렇게 보여진 건 아니란 말이지" 하였다. 취조관이 나를 정신병자처럼 보기 시작한 것은 그때부터였다. 언제인가 강간범에게 "그런 평소의 강박 관념이 감방에 이러고 있는 내 자신으로 실현되었다"고 하였더니 "육감六感은 무시할 수 없도록 신비하다는 말씀이군. 그러나 그건 꿈 같은 이야기지요" 하며 호색한은 웃었다. "물론 꿈이지요. 우리는 꿈을 단정하거나 통계로 규정지을 수는 없으니까요. 내가 중절모에게 붙들려오기 전날 밤, 그러니까 사건이 생겼던 날 밤처럼 공연히 무서움증이 든 일은 없었어요. 옛날은 유성流星과 새로 태어날 무덤을 결부시켰지만 이유는 알 수 없으나, 심신心神과 현실과는 묘한 연결이 있지요. 보지는 못하나 조만간에 깨닫게 되니까요." 전차가 그날이사 사실 그 궤도를 따라 십자가十字街 모퉁이에서 침묵의 빌딩으로, 거창巨創한 괴물처럼 나타났다. 자동차의 헤드라이트가 나를 차단하면서 지나갔다. 전차 승구電車乘口로 느릿느릿 올라타는 뒷모습들이 뼈 없는 자색紫色 유령幽靈으로서 용암溶暗하였다. 나는 취한 다리에 힘을 주고 전차에 올라탔다. 등뒤에서 승구乘口는 닫히고, 네모진 차창에는 암회색暗灰色 건물 앞과 어둠 속 가로수가 무슨 고통에 꿈틀거리던 자세 그대로 굳어버린 죄수처럼 나타나 있었다. 그러면서도 곧 전차가 떠나려니 안심하였다. 육중한 괴물이 확실히 움직였다고 기억한다. 나는 곁 사람의 등에 코를 박고 겨우 중심을 가누었다. 바로 그때였다. 누구인가가 바깥에서 초조히 차 문을 두드렸다. 굽어보니 곱슬머리 사이로 하얀 가리마가 나 있었다. 가죽 장갑과 녹綠빛 외투 소매만으로도 여자인 것을 분별할 수 있었다. 그 여자는 나에게 한 사실로서 나타났을 따름이다. "내가 서 있던 그 위치와, 그 시간과, 그 여자가 삼위일체三位一體가 되어 이런 신문訊問으로 구성될 줄이야 몰랐습니다. 변명할 것마저 없으니까요. 그때 술이 모든 것을 무지개로 미화했으니까요. 그 여자를 죽인 진범이 이러고 있는 나를 보면 세상은 묘하다며 얼마나 감탄할까요." "그럼, 너 아닌 진범은 누구일까." "나는 모르기에 부탁합니다." 취조관은 능숙한 웃음을 품고 나를 곁눈질로 보며 만년필을 놓았다. 그는 곤란하고 궁금한 듯 검은 장부帳簿 뚜껑을 손톱으로 똑똑 똑똑 박자拍子친다. 나는 기쁘게 타오르는 난로에서 시선을 떼며 "담배 한 대를 청하면 법이 허락하지 않겠지요" 하고 물었다. 웬일인지 취조관은 나에게 궐련[卷煙] 한 대를 내밀었으나 가죽 매보다도 정면으로 보이는 권총 구멍보다도 무서웠다. "총구멍 같군요. 이야말로 우리는 자유군요" 하고 말하려다가 그만두었다. 그가 나를 정신병자로 취급하는 것도 귀찮지만 상대를 곤란하게 할 아무 흥미도 없었다. 누구나 우러러볼 뿐 별을 움켜잡지는 못할 것이다. 복도의 등불을 종횡縱橫으로 막은 문이 더구나 법이라는 미명美名 아래 나의 가능성을 박탈하고 있다. 그 무엇도 사실에 깃들인 살과 뼈와 피의 진상을 밝혀주지는 않았다. 나는 아무 공덕功德이 없으나 자인自認할 만한 죄악을, 더구나 살인을 저질렀다고는 생각하지 않는다. 수면은 해방이었다. 거기에는 힐문도 변명도 반항도 이유도

없는 무아의 영역이 있었다. 잠들지 못하는 것은 내일의 희망
에 피로한 만큼 가치 없는 용심用心을 하도록 어리석기 때문
이었다. 악마가 보이지 않는 천국으로 이야기를 돌려야겠다.
물론 나중에 안 일이지만 그때에 신경질적인 운전수가 무슨
선심에서 다시 전차를 멈추고 바깥 녹綠빛 외투 여자에게 문
을 열어줬는지, 그것은 신이라야 알 수 있다면 사람은 오히려
재미나는 것이다. 원인은 흔히 보는 사소한 광경에서 시작하
였다. 세균이 체내를 농화膿化하고 권투 선수가 여자에게 굴
복당하는 것도 경우에 따라 일정하지는 않다. 나는 녹빛 외투
여자가 전차에 올라타던 동안도 생각나지 않는다. 그때에 나
는 머리 속에서, 미국으로 시찰 가게 된 친구와 얼굴을 정면
으로 떼어놓고 웃던 그 박제剝製의 여자를 비웃었는지 또는
시선이 사형수처럼 늘어진 가로수를 붙들고 기도했는지 기
억할 수가 없다. 기억할 수 있는 것은 전차를 멈추게 하고 올
라탄 녹빛 외투 여자와 정차까지 하고 태워준 운전수 사이의
입다툼이 국제 회의에서도 보지 못할 표정으로까지 진전進
展하였다는 것이다. 옥신각신하는 이유는 간단한 것으로써
전차표 한 장 때문이었다. 기계는 고장이 아닌 경우라도 사람
의 감정에 따라 소위 정확한 사명마저 잃는 것을 보여주었다.
사람들이 신을 매장한 것과 마찬가지로 사람의 위력이 실망
한 것을 본 것만 같아서 야릇한 흥미를 느꼈다. 고리타분한
제복의 운전수는 멸시와 증오로써 유한有閑해보이는 녹빛

외투 여자에게 "당장 표를 내든지 아니면 빨리 내리라"고 강조하였다. 그 장면은 신과 사람에 관한 생각을 한층 짙은 색채로 증명하였다. 그러므로 직업의 노예로서 시달린 중년 남자의 신경질적 발작과 까닭 없이 유한해보이는 녹빛 외투 여자의 입다툼은 물론 나와는 아무 관계가 없었다. 녹빛 외투 여자도 당당한 자신自信으로서, 약간의 기품과 저음으로 대전對戰하였다. "이것이 최종차最終車가 아니라고 믿을 수 없는 한 못 내리겠다"며 "잔돈이 없다"는 것과 "통행 금지와 여성 사이는 많은 불편이 있다"고 하였다. 녹빛 외투 여자가 운전수에게 내민 종이 조각이야말로 빳빳이 말라버린 피투성이었다. 그것은 나의 착각이었다. 손가락에는 승차료의 근 백 배나 되는 고혈枯血빛 천 환圜 지폐가 가벼이 들려 있었다. 녹빛 외투 여자는 운전수의 콧배기에다 핏빛을 냉담히 들이댔다. 운전수는 여자를 찔렀다. "잔말 말고 표 없건 내려요. 여기가 돈 자랑하는 덴 줄 아나. 택시 타고 가지" 하며 끝내 "거슬러드릴 잔돈이 없다"고는 하지 않았다. 사소한 문제는 병상에 멀쩡한 기계를 눕혔고 차 안의 사람들에게까지 영향하였다. 서로 일리一理 없는 바가 아니라든가, 어느 정도 있을 수 있는 감정이라든가 애교라든가는 고사하고 전차가 냉장고처럼 움직이지 않으니 손님들 중에서 "그냥 가자"는 둥 "속히 내리라"는 둥 엇갈린 의견이 일어났다. 취기는 기분 좋게 몸을 덥혀주므로 모든 것이 환상처럼 나타나지만 '나의 인형'이 어떤 놈팽이와 붙어 자기 전에 가기 위하여 자연 시간과 거리距離를 재지 않을 수 없었다. 나는 나 자신을 위해서 마침 가지고 있던 전차표 한 장을 운전수에게 내줬다. 누구나 체험하는 선심善心에 스스로 얼굴을 붉히며, 중간에서 내민 표 한 장으로 양쪽의 문제는 끝났다. 전차는 분풀이처럼 질주하였다. 그러나 그러한 행위가 하룻밤 사이에 다음과 같은 결과로 변할 줄은 몰랐다. 취조관은 "다른 사람들은 가만히 있었다는데, 알지도 못하는 여자를 위해 왜 대신 표를 줬느냐 말이다" 하고 호령조였다. "조사하기 쉽도록 말하지요. 그때에 준 표는 학교 교사로 있는 친구가 언젠가 함께 돌아오며, 나에게 뜯어준 것에서 쓰고 남은 한 장 통근표通勤票였지요. 그런데 운전수도 일반표가 아니니 이런 여자 손님은 안 된다고 트집을 잡지는 않더군요. 정확히 말하자면 '나의 인형'에게 속히 가기 위한 동기였지요. 구체적으로 자문해본댔자 동정同情도 호감도 아닌 담배를 한 대 피워 무는 것과 같은 기분이었을지 모릅니다" 하고 대답하였다. 어디인지 파리 눈꼽만큼 기품과 교양이 들어보이는, 즉 코밑에 수염을 약간 가꾼 수사관이 나를 신문한 것은 다시 며칠 뒤였다. 그는 "진상을 구명究明하려는 우리를 도와달라. 전차에서 내리기까지 무슨 생각을 했던가 솔직히 말하라" 하였다. 그들이 훌륭한 방법이라고 믿는 유도 신문이야말로 무슨 약품으로도 치료하기 어려운 장난이며, 과오일 수 있다는 점을 모르는 바 아니나 비교적 사실대로 대답할 수 있었다. "그 녹빛 외투는 내가 표를 대신 줬건만 한 번 돌아봤을 뿐이지요. 그건 목례도 아니고, 이 기특한 놈이, 아니 무례한 놈이 누구일까 하는 표정이었어요. 오만했지요. 녹빛 외투를 박덕薄德한 미인으로 생각했기 때문에 아무 흥미도 느끼지 못했습니다. 나의 인형에서 풍기는 예술성에 비하면 외국제 생산품 같은 인상을 받았으므로 거품처럼 꺼져버릴 룩스 비누 정도이기에 매력을 느낄 수 없었어요. 그런 생각이란 혼자 속으로 할지라도 실례이기 때문에 곧 '나의 인형'의 강한 향기를 생각했습니다."

그러나 쥐수염은 세밀한 진술을 중지시키지 않았거니와 듣고 있지도 않았다. 무슨 물고기 새끼라도 낚여 오르기를 기다리면서 낚시대만 잡은 격이었다. 내 내부의 흐름은 시장과 판자집과 고물상과 술집과 관상 사주가들을 비치는 청계천에 지나지 않았는데, 그 숙맥菽麥은 나에게서 용을 잡을 작정이었다. 무언無言과 동작 없는 죄인들이 큰 건물을 죽음의 집으로 만들었다. 아니 그것은 죽어가는 육신을 스스로 응시하는 침묵이었다. 강간범은 눈과 입까지 다물고 꼼짝을 않고 있었다. 제 말마따나 피곤 때문에 맥이 빠져 달아났다면 행복한 놈일 것이다. 그러나 살아 있는 사실이 비참하게 보였다. 육체에 살아나는 정신을 처리하지 못하여, 비웃는 심정으로써 감방문 너머 회색 벽을 내다보아도 진흙 수렁에 잠긴 권태를 벗어날 수는 없었다. 방법을 찾는 지혜로써 내다보아야 대위

對位한 석유등이 원대로 망각을 주지는 않았다. 또 고약한 증세가 일어나는 모양이었다. 전구는 불빛 속으로 용해하면서 한 사안死顔을 집결시켰다. 그러한 현상이 이 백주에도 되풀이된다면 탈이었다. 나는 회상의 흐름 속으로 뛰어드는 도리밖에 없었다. 지나간 흐름 속으로 거슬러 올라가면 나는 그날밤과 접근하는 것이다. 나는 전차 안에서 바로 곁에 있는 그 어디인지 인간성을 말살한 데서 기품 있게 누린내를 풍기는 녹빛 외투 여자에게 추호의 관심을 갖지 않았다. 운전수에 대해서 아무런 감정이 없었던 것과 마찬가지였다. 전차 앞창으로 가도가도 두 줄을 긋는 궤도에는 '나의 인형'이 원시적본능의 율동으로써 용하게 치어 죽지 않고 나타나 내 얼굴을 비친 유리에서 한 송이 꽃으로 빙글빙글 춤을 추었다. 나는 많은 손님을 상대하여 먹고 사는 '나의 인형'을 버리지 못하며, 왜 사랑하는지 알 수 없다. '나의 인형'은 나에게 수속이라든가 의무라든가 책임을 요하는 일이 없었다. '나의 인형'이 도달한 자유를 마법이라고 생각하였다. 화사한 손가락에는 언제나 새빨간 손톱이 독하게도 천하지 않았다. 아름다웠다. 그녀는 가끔 나를 멸시하며 변화 많은 모습으로 설교하였다. "내겐 과거가 없어요. 고마워요. 미래는 알 수 없게 되어 있어요. 그래서 난 언제나 새로워요, 지금 이렇게." 이렇게 말하며 달라붙어 안기고 또는 옷을 홀홀 벗으며, 마음대로 동작하였다. "울면서 그런 소리하는 걸 나는 들을 때가 있겠지"

하고 대꾸한 후로 두고두고 후회했었다. 어느덧 그녀는 '나의 인형'이 되어버렸던 것이다. 그녀는 나를 구속하지 않는 스스로의 자유를 확립하고 있었기 때문이다. 그러므로 '나의 인형'에게는 진실이니 사고思考라는 것은 있을 수 없었다. 직관이며 유희며 진리였다. 생리生理에 웃음을 일으키는 흐름이었다. 삼엄한 생산 공장에서 지저귀는 작은 새들의 노래였다. 그리고 부슬비 내리는 묘지에서 생기를 발하는 꽃들의 매력이었다. 처절한 달밤에는 가난을 잊고 잠든 사랑이었다. 눈보라 휘몰아치는 전쟁에서 탈주병처럼 산곡山谷 외딴채 여자 집의 등불로 가는 유정有情이었다. 꿈은 한 방의 총소리로 여지없이 깨어졌다. 감방에서도 시간과 근심을 잠시나마 잊게 한 가능이 종언終焉을 고하였다. 정신이 현실에 미치는 영향이란 허공의 마음에 수많은 보석들이 휘황한 밤을 경험한 사람이라면 누구나 수긍할 것이다. 암회색 구름과 태양을 찢는 사격 연습이 피 한 방울 흘리는 법 없이 시작하였다. 총탄에 쓰러지는 목숨이 없으면 연습이나 과오일 뿐, 범죄랄 수 없다고 할 것이다. 옳은 말이다. 그러기에 필요한 사격은 수치가 아니라고 한다. 총소리는 감방 안 사람들에 대한 심리작전으로도 은연중 유효하다는 데에 권위를 자부하며 있을 것이다. 그러나 상식은 재미있었다. 나는 그 과학적 자세와 용맹한 솜씨마저 구경할 자격이 없었다. 맹목의 청각은 회상을 다시 불러일으키려 하나 되지 않았다. 죄가 벌로써 보상된다는 말은 신의 철칙을 양심도 없이 빌린 종교가의 향기로운 입버릇이었다. 사람의 힘은 무죄도 지옥으로써 대우된다는 것을 성취하였다. 죽음의 확대는 그러한 미연 방지책에서까지 기인하도록 면밀히 진전되어 있었다. 타오르는 제방이 내일의 녹綠빛을 연상하게 하듯 항거할 필요는 없었다. 무엇에도 열중하지 않는 한 포로되지 않는 힘이 있을 것이다. 밟힐수록 자라나는 보리[麥]처럼 어느 세상에서나 아무나 단순한 섭리攝理를 빼앗을 수는 없었다. 비밀과 증거도 태워버리는 화덕은 주전자 속에서 끓는 수돗물소리를 노래로 불러일으켰다. 도시는 자연의 한 요소만 없어도 살지 못할 땅 위에서 힘을 자랑하나 내용은 상실되어 있었다. 그것은 애급埃及의 미이라나 또는 화석보다 허무하도록 느끼는 무덤이 아닌 감방 속 자세였다. 나는 찬란히 포장된 고민의 정체正體를 인내력으로 해명하려 했다. 결국은 약하기 때문에 정확한지도 몰랐다. 수금囚禁된 나는 지난날의 응고한 광경을 완상翫賞할 수밖에 없었다. 시도와 도피와 대항과 비겁 등 그러한 제분製糞 공장의 기상氣象에 스스로 배겨낼 수가 없었다. 그래서 과거는 문을 열고 들어갔다. 나는 암흑을 헤치며 달리는 전차 안에서 무사히 취하여 있었다. 녹빛 외투 여자는 승객들이라는 어휘에 매몰된 뒤였다.

그 여자가 어디에 있는지를 몰랐다. 나는 '나의 인형'을 지향하고 있었다. 아무리 취하여도 이튿날 눈을 뜨면 목적지에 와 있었다는 신조를 체험에서 언듯 그날 밤은 확실하였다. 승강구의 문이 열리자 나는 용하게 한 씨앗으로서 어둠으로 떨어져 내렸다. 아스팔트는 천사의 날개를 펴서 나를 가벼이 받들어주었다. 돈암동 행으로 갈아타야 할 십자로가 틀림없다는 데서 다시 만족하였다. 반짝반짝 빛나도록 결정시킨 혹한酷寒이 취기를 깨우지는 못하였다. 새벽이면 절[寺]간 종소리가 들리는 채석장 근방인 '나의 인형'에의 향수만 짙게 하였다. 그러나 나의 뒷덜미를 잡아당기는 목소리가 있었다. 동굴에서 또아리를 풀고 전등불 밑으로 나온 것은, 언제 전차에서 내렸는지 녹빛 비단 암컷 뱀이었다. "아까는 실례했군요." 나의 오만하던 여자는 앞까지 오자 썩은 능금 냄새를 풍기며 말하였다. 나는 별로 할말이 없었으므로 "여기서 내려야 합니까" 하고 대꾸하였다. "집이 필동이랍니다. 바쁘지 않으면 차나 한 잔 들까요." 녹빛 외투 여자는 내 대답을 듣기도 전에 앞서 간다. 여자는 천한 자기 밑천을 감추기 위해서 저러한 인조 악어 가죽 백을 가지고 다니는 것이나 아닌지 그러기에 내 의사도 알아보지 않고, 길 옆 다방으로 가거니 생각하였다. 그러나 녹빛 비단 암컷 뱀에는 독이 없다고 생각하였다. 나는 취조관에게 말하였다. "그런 여자에 대한 불쾌감이 무슨 흥미를 일으킨 것은 아니었지요. 친구 환송회에서부터 사람 대접을 못 받은 나는 그런 모욕에 사치奢侈를 느꼈을 것입니다. 그 여자의 거만을 가엾어하는 동정과 즐거움을 동시에 느꼈으니까요. 그러니 따끈하게 거절할 만한 상대도 못 되었어요. 그저 차잔을 들었을 뿐이지요." 취조관은 "어떻든 묘하다"고 하였다. "그렇습니다. 복잡하지요. 어디서나 누구나 서로들 접촉하니까요. 내가 취조를 당하는 것도 실로 묘한 일입니다" 하고 대답하였다. 취조관은 "그 다음을 계속하라" 하였다. 내가 취조관에게 한 말은 다음의 기억에 의해서였다. 녹빛 외투 여자는 고용인을 대하는 인자仁慈로서 나에게 "댁이 어디세요" 하고 물었다. 나는 멋쩍은 생각이 들어서 '돈암동' 이란 말을 취중醉症 비슷이 의아하다는 듯이 대답하였다. 다방 불빛에 드러난 여자의 선심은 화단에라도 서 있을 그러한 여신상과의 좋은 대조가 될 성싶었다. 녹빛 외투 여자의 예의는 나를 께름칙하게 하였다. 녹빛 외투 여자는 자랑스레 "댁의 주소 좀 알려줄 수 있을까요. 사람을 좀 보낼까 하는데…… 신세를 졌으면 으레 인사쯤 있어야 하니까요. 비록 전차표 한 장이지만" 하고 종알거렸다. 나는 회화적戱畵的인 혼란을 느꼈다. 무료를 잘 견뎌내는 일은 귀족의 훈련이지만 그러나 나로 하여금 몰락과 체념의 가치만도 못한 모방을 꿰뚫어 보게 하였다는 것은 그 여자 자신의 무자비였다. 그러나 그 여자에 칠하여진 도금을 언어의 손톱으로 조금이나마 벗겨볼 저의는 없었다. 녹빛 외투 여자의 가장假裝처럼 나도 댁宅이란 것이 없다는 비밀을, 하숙집 주소를 알려주기는 싫었다. 녹빛 외투 여자는 나의 속을 뽑고야 말듯이 국제 항공 우편 봉투를 인조 악어 가죽 백에서 내놓으며 쓰라고 하였다. 나는 아량과 피신책으로서 서슴지 않고 그 봉투에다 직장인 동시에 기실 유명무실한 동양 무역 주식 회사의 소재처와 나의 이름을 써주었다. 너 나 없이 협잡꾼들은 호주머니에 단돈 백 환이 없어도 단벌 영국제 양복을 대수롭지 않다는 듯이 다룰 수 있다는 것은 누구나 아는 바이다. 동양 무역 주식 회사 전체가 사기배라고 고백한대도 놀랄 필요조차 없을 것이다. 물론 녹빛 비단 암컷 뱀에게 이러한 내색을 보일 필요는 없었다. 그러나 내용의 가식과 뜻 아니한 수금囚禁이 동시에 우연의 차 한 잔으로써 형성되리라고는 생각마저 못한 일이었다. 이유도 없이 유한有閑한 녹빛 암컷 뱀은 국제 항공 우편 봉투에 적힌 글씨를 보더니 금세 나를 멸시하는 눈초리로 변하였다. 나는 기대했던 효과를, 즉 냉각화한 반응을 보았으므로, 그것은 벌써 내부의 비바람을 증명한 것이기에 재미있었다. 나는 취한 때문인지 꿰뚫어 보았기 때문인지 "너도 나 같은 인간이로구나" 생각하고, 녹빛 외투 여인을 외면하였다. 내 정면에는 다방 속의 구성을 미화하고자 저편과의 사이에 끼워진 유리 벽 너머로 이역의 물고기들이 놀고 있었다. 시선은 공간과 배치와 투명체 사이에서 작용을 일으켰다. 솟은 유리에는 세 처녀의 알몸이 무심히 보아서는 알아보기 어렵도록 세선細線으로 내각內刻되어 있었다. 물고기들은 미끈한 여섯 개의 다리 사이로 유유히 오르내렸다. 녹빛 외투의 옆얼굴은 시각의 투명체와 수량水量에 나타난 세 처녀의 나상裸像과 물고기들의 음악과 나의 불빛으로 이루어진 신기루에 기억처럼 또렷이 반영하였다. 그리고 얼굴은 점점 충만하면서 눈을 끔벅이었다. 돌연 물고기들은 의자에 앉은 손님들을 배경하고 급히 왕래 선회 승강昇降하였다. 유리 벽의 세 나체는 중복하여 녹빛 외투를 벗겼다. 여자는 관 속의 화장한 얼굴이었다. 유리 벽은 어류와 나상을 십이지十二支로 정각精刻한 유리관이었다. 녹빛 수의에 싸인 여자는 원시 종교의 우상보다 신성하게 보였다. 그러나 나는 시선의 초점 때문에 그 세계에서 사안死顔을 덮고 지워버리지는 못했다. 취한 눈을 흡뜨고 여자를 들여다보는 얼굴이 실은 내 얼굴을 노려보았다. 반사反射가 서로 합치合致하였을 뿐이다. 죽은 여자는 눈을 뜨더니 나를 정면으로 돌아보았다. 그리고 "갑시다" 하는 그 여자의 음성이 나의 등뒤에서 일어섰다. 나는 웃으며 일어났다. 녹빛 외투 여자는 몸의 부분 같은 인조 악어 가죽 백에서 그 말라붙은 핏빛 천 환짜리 지폐를 내어 또 유연悠然히 레지에게 내밀고 있었다. 태도가 참으로 오만한 고양이었다. 녹빛 외투 여자는 길거리로 나오자 나에게 머리만 까딱 하였다. 미끈한 다리는 전차 선로를 건너 필동 쪽으로 사라져갔다. 나는 녹빛 암컷 뱀에서 풀려 나온 신화의 안도를 느꼈다. 벌써 전차는 없었다. 합승차를 탔다. 더운 차를 마셔서 그러한가. 운전대의 라디오 음악은 내 몸의 취기와 더불어 합류하며 발산하였다. 남은 일은 '나의 인형'에게로. 그뿐이었다. 나는 취조관에게 "나는 죄인이 아니라"고 속삭이었다. 그러나 취조관은 측정기처럼 무표정한 얼굴로 아무 대답이 없었다. 무료숙식을 제공하는 감방에서 언제까지 있어야 하는가. 날마다 듣기만 하는 무거운 자물쇠소리로 뒤통수를 얻어맞듯 주질러 앉았다. 내가 '나의 인형'과 함께 잠들었던 때처럼 강간범은 꿈속에서 다른 계집을 끼고 있는지 꼼짝을 않았다. 그는 문득 눈을 뜨더니 "뭘 그렇게 심각허니 생각하오" 하고 나에게 물었다. 나는 녹빛 외투 여자와 헤어진 그 이튿날의 회상에 잠겨 있었다. 강간범은 "무료는 고문보다 심한 것이므로 범죄의 동기가 된다"고 하였다. 그리고 "인생은 지리하다" 하였다. 그는 자웅雌雄의 한 쌍 눈동자를 중심으로 사양斜陽에 반짝이는 미소의 거미줄을 펴면서 속삭이는 것이었다. "죽음은 삶의 운명이지요. 구경究竟 우주도 그 이치의 손아귀에서 벗어날 수 없다는 것을 깨닫고 보면 다른 것은 문제가 되지 않아요. 형씨나 나나 제아무리 걱정해야 이곳에서 작성하는 조서가 변경될 리는 만무니까 맡겨버리고 기다리는 동안의 향락이 필요합니다. 심각한 표정은 몸에도 해로우니 삼가합시다." 누구나 할 수 있는 말을 목사처럼 설법하는 것이 가엾고, 그럴 수 있는 것이 밉살스럽도록 부러워서 나의 얼굴은 배우의 미소를 만들어 보였다. 형사에게 끌려 긴 복도를 지나 이곳에 구속됐던 이래의 일들을 다 잊고자 하였다. 언제인가 취조관은 "네가 진범이 아니라면 곧 진상이 수사한 결과 판결될 것이라" 하였다. "얼마나 걸릴까요" 라는 물음에 대하여 "의외로 빨리 구명究明될 것이라"고 대답하였던 것이다. 그러나 시간은 내게 있어 그 이전부터 정지였다. 나는 정지되었다는 생각마저 잊어야 했다. 강간범은 생생한 광채를 눈동자에 띄우며, 역시 지난날에 취醉하고자 동시에 나를 위안하려 들었다. 그는 "친구의 첩을 겁탈하려 덤벼들었을 때 여자는 가위를 집어들더니 나를 죽이려 견주었다"고 하였다. "그런데 그 가위를 빼앗길 위기에 임박하자, 여자는 저고리 사이로 솟아오르는 제 젖통에 가위를 돌려대며 자살하려 하였다"고 소리 없이 웃어 보였다. 그리고 "여자란 손잡이의 실수만으로 절벽이나 물 속에 뛰어드는 자동차가 아니라 그 다음은 유순한 비둘기라" 하였다. 나는 안면이 변태적인 파렴치한에 대한 불쾌감으로 굳었다. 여자들은 도시에 어지러이 꽃피어 있었다. 돈의 새로운 평가는 강간이란 말을 세상에서 추방한 지 오래였다. 그러기에 강간범의 체험담은 '나의 인형'과 같은 여인에게는 모독이었다. 내 표정을 재빨리 눈치챈 강간범은 소리도 없이 들여다보는 경관의 출현에 의해서 다행히 침묵하였다. 감방의 침묵은 얼마나 계속할 것인가. 이러한 경우일수록 그들이 오해하지 않도록 태도를 분명히 해야만 했다. 그런데 어떻게 된 셈인지 아무런 소식이 없었다. 추위와 더러움과 굶주림과 불안은 점점 심해가건만 취조

관은 나를 불러내지도 더 이상 문초하지도 않았다. 날이 갈수
록 두뇌에서는 여러 가지 억측만이 요귀妖鬼 떼 모양으로 날
뛰었다. 나타난 당번은 나의 물음에 대하여 흘겨볼 뿐이었다.
언제나 궁리해야 소용없다는 자답自答만이 있었다. 나는 "횡
액橫厄에 걸렸으나 사필귀정일 테니 좋은 경험과 수양을 한
다" 고도 생각하였다. 구속당한 것이 억울하지만 너그러운 미
소로써 보답할 아량부터 준비하려 하였다. 그러나 극단은 정
신에 있어서도 이른바 대립에 불과하였다. 양극에서 벗어날
수 있는 것은 '나의 인형' 을 생각하는 길밖에 없었다. 회상만
이 장미빛 날개를 철창과 벽과 천정 밖으로 비상飛翔시킬 수
있었다. 암흑은 광점光點이 산재한 비단 폭이었다. 그러한 비
단을 휘감으며 달리던 합승차의 바깥 풍경이 다시 섰다. 손님
둘이 내렸다. 하숙집으로 가려면 나도 내려야 한다는 것을 의
식하면서도 움직이지 않았다. 다시 달리기 시작한 합승차 오
른쪽 차창 밖으로 빙긋이 지나가는 저편 돈암교를 내다보면
서, 관 속 같은 나의 하숙방을 생각하자, 입술은 성자聖者의
미소로 일그러졌다. 종점에 내렸을 때였다. 감미로운 쾌감이
힘차게 나의 내부에서 율동하였다. 그것은 현란한 음파였다.
'나의 인형' 의 육신으로 끌려가는 나의 걸음을 재촉하였다.
언제나 다름없이 절 밑 채석장 근처의 개방된 비밀의 문으로
몰입할 수 있는 원동력이 되었다. 손님이 있는 밤이면 '나의
인형' 은 다른 방에 나를 감춰두고 돌려보내지 않았다. 놈팽

이를 잠들여놓고 와서 내 곁에 드러눕는 '나의 인형' 의 아량
은 비할 바 없었다. '나의 인형' 은 비가 오거나 눈바람이 휘
몰아치거나 같은 악곡이 장치된 장난감이었다. "내겐 과거가
없어요. 미래는 행복하게끔 알 수 없어요. 그래서 난 언제나
새로워요. 지금 이렇게." 어느 조물주가 이렇게 읊조리는 여
자를 빚어냈을까 나는 의아스럽기도 하였다. 우리 나라에 온
태국, 필리핀, 미국, 영국, 이디오피아, 프랑스, 십육 개 나라
UN군 등 모든 인종이 예방禮訪하고 간 실내의 몸과 동작은
무한 가능을 내포한 인류와 사랑의 전당이었다. 시종侍從도
수위守衛도 흑인도 석고 흉상 하나 없는 사랑의 양철집은 여
왕과 나만이 있었다. 여왕의 신과 같은 주문呪文에는 계시와
설법과 창조가 있었다. 나의 무극無極에 하늘과 땅을 조판肇
判하기까지는 녹빛 외투 여자가 간헐적으로 생각났다. 사조
思潮를 굽어보는 지대地帶에 과학, 법률, 경제, 일반 예술 등
문화가 전개하였다. 그러나 나의 여왕은 "벗어버려요. 위선
과 허영으로 만든 습관을 다 벗어버려요. 어리석은 짓을 버려
야 참된 품안에 들어올 수 있어요" 하고 속삭이었다. '나의
인형' 이 되풀이할 적마다 나는 복종하는 감격을 새로이 하였
다. 문제의 전차표라든가 강박 환상이라든가 사형수라든가
초면인 녹빛 외투 여자라든가 시간 안으로 들어가는 전차라
든가 환송회의 천박한 향내라든가 그 외에도 내가 세상에 태
어난 뒤의 아집과 기억을 죄 벗어버렸다. 서로가 대상에서 거

리와 시간도 없는 기쁨이 이루어졌다. 이해는 자아를 서로 자각하는 데 이르렀다. 맞붙은 하늘과 땅이었다. 결합은 무한에 회전하는 지구의 중심으로서 백일홍을 꽃피웠다. 백일홍은 날아온 나비를 잡아서 밟아버리는 소년을 보았다. 무심한 천진에서 나타난 비극의 가치가 동시에 생성과 투쟁의 뜻을 보여주었다. 말하자면 신神은 운전수와 녹빛 외투 여자를 흠잡을 수 없을 만큼 그들은 다 완전한 인간이었다. '나의 인형'은 새로운 언어를 구사하였다. "죽고 싶도록 기뻐요." 나는 웃었다. 중합重合한 영영映影의 힘이었다. 백주의 꿈이 있었다. 나무가지들 사이에는 혹한에 얼지 않는 해미海味의 정열과 호심湖心을 노래하는 백조들이 놀고 있었다. 몸은 '나의 인형'인 여인과 함께 내명內明한 꿈속을 헤엄쳤다. 나는 복도에 켜진 석유등 불을 바라보며, 그때의 수면睡眠을 기다리고 있었다. 벽 너머의 일몰은 날개를 편 지가 오래였다. 취조관은 나에 대하여 아무런 소식도 문초도 없었다. 나는 필사적으로 그 불사의不思議에 매달리려 하였다. 석방은 벌써 나의 힘에 있지 않았던 것이다. 나는 그들에게 잊혀진 물건일까. 눈을 뜨자 창호지를 구별할 만큼 태양은 밖에 군림하고 있었다. 고드름에서 한적히 떨어지는 낙수소리가 들렸다. 각색 인종이 다녀간 휴식소인 더블베드에 누워 있는 나 자신을 발견하였다. '나의 인형'은 버선을 신는 동안도 조상彫像처럼 몸을 굽히며, 훌륭한 매력과 염오厭惡를 동시에 발휘하였다. 지뇌智腦가 도달한 불행의 상징인, 즉 창조물은 웃으며 말하였다. "벌써 눈을 떴군요. 가엾은 일이에요." 나는 그러한 단도직입에 놀라지 않았다. 나는 지난날 공부하다가 집어친 불어 문법을 두서너 가지 생각함으로써 무표정한 태도를 취하였다. 그리고 나는 마술사처럼 천천히 일어났다. 그날도 내가 이제 수금되어 있듯이 지금은 끝났던 것이다. 그것은 다름 없는 밤의 과거였던 것이다. 성현들의 훈계는 우리에게 때에 따라 공감할 수 있는 제목이었던 것이다. 화려한 회한일 수는 없었다. 나는 "돈을 빌릴 수 있을까" 하고 '나의 인형'에게 청하였다. 여인은 변색하지 않았다. "얼마면 되느냐"고 하였다. 전날 밤 전차 안과 다방에서 본 핏빛을 연상하며 "천 환"이라고 발음하였다. 하숙집에 들를 것 없이 바로 회사에 나가기 위하여 필요하다는 것을 설명하지는 않았다. '나의 인형'은 내가 비쳐 있는 경대에서 전날 밤 불빛에 본 천 환 지화紙貨 한 장을 우연의 합치처럼 내놓았다. 나는 "역시 말라붙은 핏빛이라"고 하였다. '나의 인형'은 "피곤한 모양이군요. 신경이 쇠약하면 예의마저 잃게 된다"면서 경대 속의 나를 쳐다보았다. "환상이지" 하고 중얼거렸더니 "그건 가치가 없어요" 하고 부정하였다. 나는 웃으며 "말하자면 녹빛 외투를 입은 그런 여자가 가상假想된다"고 하였다. 그러나 '나의 인형'은 "필요하면 더 가져가세요" 하고 밝게 웃을 따름이었다. "어쩌면 오늘 그런 가상의 녹빛 외투를 입은 여자와 실지로 만나게 될지 모른다"고 하였더니 '나의 인형'은 "난 누구에게나 강요하지 않아요" 하고 역시 웃었다. 이 여인에게는 모든 것이 간단하였다. 남들에게서 양공주란 욕을 먹고 꼴도 이쁜데 안됐다는 동정을 받으나, '나의 인형'은 구두 닦는 소년이거나 불량배에게나 그들의 소개紹介에 맡겨버리듯 움직이었다. 자기 자신이 어떻게 되어가는가를 타인 보듯이 구경하였다. 관객에게는 슬픔도 감옥도 환희도 연애도 역정도 죄수도 모험도 재미있었다. 나의 여왕이 등장하는 뒷골목은 소년들이 파는 사진 속의 언제나 그 여자 자신이었던 것이다. 그러기에 '나의 인형'은 취하면 "아이 재미있어요"를 연발하였다. "난 조물주를 비판할 수 있는 그의 유일한 친구라" 하였다. "내 눈물을 본 일이 있으세요. 과실果實이 지상에 있는 한 보지 못할 것이에요" 하고 노래하였다. 화가 난댔자 "난 거절하지 않아요. 무슨 일이 있어도 당신을 찾아가지는 않을 거예요" 하고 곧잘 웃었다. 나는 오래간만에 수사실로 불려갔다. 취조관의 이면裏面이 취조관의 등뒤 유리창에 비쳐 있음을 정원의 나무들과 함께 동시에 바라보며, '나의 인형'이 와 있지 않음을 역시 이상히 여기지 않았다. '나의 인형'은 왔는데 나와 면회를 시키지 않는 장면이 생각지도 않던 생각이 잠시 명멸하였다. 반가운 소식은 기다리고 있지 않았다. 취조관의 말은 간단하였다. "양갈보는 죽은 여자를 전혀 모르더라. 사건의 단서가 너 이외에 나타나지 않는다." 나는 대답하지 않았다. "우리가 아는 것은 네가 자백하지 않는데 있다"는 것이었다. "나는 그걸 모릅니다. 진범이 아니니까요." 취조관은 "좋아, 그럴 거야" 하고 말하였다. 나는 내 얼굴을 더듬어보면 수척한 정도를 짐작할 수 있었다. 암회빛 실내가 부드럽게 보일 만큼 난로불은 훈훈하였다. '나의 인형'은 타오르는 불 속에서 불사신으로 누워 있었다. 나는 "역시 의사의 검시가 잘못된 것이 아닐까요. 그 여자는 자살한 것이 아닐까요" 하고 되풀이하였다. 취조관은 "그렇게 생각할 근거가 있느냐"고 나를 조소嘲笑하였다. "없지요. 그러나 사람은 신이 아니니까요" 하고 대답하였다. 취조관은 역시 나를 흘겨볼 따름이었다. 감방 문이 바둑판으로 보이기 시작하였다. 나는 녹빛 외투 여자가 거주한다는 필동 골목을 서울의 거리를 남한 지도를 생각하며, 형사들은 수사망을 어느 정도로 압축하고 있을까 공상하였다. 바로 눈앞에 가로놓인 복도가 건물 출구로 통하듯이 진상은 그것과 마찬가지로 왜 밝혀지지 않는지 알 수 없었다. 시청과 한국은행 중간에 있는 빌딩 삼 층은 동양 무역 주식 회사 사무실로서 조선 호텔 안의 창아蒼雅한 고전古典이 바라보이는 현대적 외모를 갖추었으나 실은 외부 내빈外富內貧의 시대적 총아라 할 수밖에 없었다. 사원들은 말없이 그래야만 먹고 살 수 있음을 깨달은 신앙 단체였다. 나는 이대로 외계와 그러한 직장과도 결별하는 것인가, 또는 아닌가. 날씨는 쌀쌀하였다. 나는 하숙집에 들르지 않고 회사 근처 설렁탕 집에서 아침 식사를 '나의 인형'에서 받은 핏빛 천 환으로 할 예정이었다. 형사는 내가 나타나기를 눈이 빠지게 기다렸던 모양이다. 나는 나도 모르는 사이에 동양 무역 주식 회사 입구에서 형사에게 체포되었던 것이다. 중절모를 숙여 쓴 사나이는 구멍에서 풍기는 찬바람이었다. 중절모가 "이걸 아시오" 하고 외투 주머니 속에서 내보인 것은 국제 항공 우편 봉투에 적혀 있는 나의 직장과 성명이었다. 나는 녹빛 외투 여자가 사례하려고 내게로 보낸 사람이거니 생각하였다. 나는 '나의 인형'에게 "어쩌면 오늘 녹빛 외투 여자와 만날지 모른다"고 한 농담이 벌써 적중한 데 대해서 좀 께름하였다. 왜냐하면 중절모는 초감광超感光을 내장한 렌즈였다. 중절모는 나를 포착捕捉하였다는 자신인지 호감이 가지 않는 웃음을 뿜었다. 생각하면 그러한 그들이 어째서 진짜 살인자를 잡지 않는지 답답할 지경이다. 의사의 눈도 중절모처럼 "녹빛 외투 여자는 자살이 아니라"고 단정할 수 있을 만큼 정확하였던 것인지 궁금하다. 지나가는 택시가 그의 손짓으로 선회하여 우리 앞에 미끄러지듯 정차하였다. 그는 나에게 턱짓으로 먼저 타라고 지시를 하였다. 택시의 코끝이 밀어젖히는 거리의 두 갈래 보도步道에는 제각기 목표를 향한 사람들이 왕래하였다. 속력은 그들을 왜곡하였다. "녹빛 외투 여자의 남편이거나 정부情夫가 오해하고 나를 철권鐵拳 지대로 연행하는 것이나 아닌가" 슬며시 불안하였다. "어딜 가는 겁니까" 하고 물었다. "곧 알게 되지요." 그는 대답을 피하고 운전수에게 방향 지시만 수시로 하였다. "댁은 누구시지요. 우리 서로 인사합시다." "가서 합세다. 곧 당도할 테니까요." 중절모는 나의 물음을 거듭 거절하였다. 나는 녹빛 외투 여자의 정체를 수수께끼로 생각하였다. 십자가十字街의 적신호가 무슨 징조처럼 느껴지도록 중절모의 경직한 표정과 교통 순경의 동작을 내다보는 서로의 침묵과 녹아내리는 흙탕물을 밟고 가는 발들까지가 막연한 영광의 도래와 절망의 계기 같은 이중 심리를 일으켰다. 눈앞이 급각도로 방향을 바꾸면서 문 안으로 들어간 차가 오르막을 기어오른다. 암회빛 막은 내리며 기관의 신음이 공중에서 울려왔다. 신경질적인 나무가지들이 기류에 비잉비잉 도는 구름을 찌르자 차는 수목 사이를 좌우로 지나 붉은 건물과 정면 충돌을 피하듯 현관에서 조그만 갑충처럼 섰다. 그곳은 생사를 취급하는 세기世紀 병원이었다. 그러나 "이곳이 나와 무슨 관계가 있는 것일까" 하고 생각하였다. 중절모는 "앞으로 곧장 들어가라" 하였다. 그것은 군대의 호령에 가까웠다. 나는 뜻밖에 위압되어 미지의 내부로 들어섰다. 마법에 걸리지 않았다면 그처럼 순종 이외의 판단력까지 잃지는 않았을 것이다. 양편으로 뻗은 복도에서 두 사나이가 내 뒤를 따르며부터 중절모는 앞장서서 안내하였다. 나는 공백의 충만으로 민감해버린 실험 도구나 계수기에 불과하였다. 세 사람의 시종을 거느

린 위품位品으로서 그러나 오가는 간호원들이나 직원들보다
도 자유 없는 자기 자신을 느끼면서, 늘어 있는 병실들 사이
로 이리 휘고 저리 틀며 끌려갔다. 그들이 걸음을 멈춘 곳은
시체실 앞이었다. 일제히 나를 환영하는 교향악이 소리도 없
이 일어나면서 문은 열렸다. 명부冥府의 사자使者인 중절모
는 나에게 또 턱짓으로 들어가라 명령하였다. 나타난 장면은
방부제 냄새가 뿜는 전류의 지옥이었다. 의식은 응고하여, 칼
날의 톱니바퀴와 수많은 쇠사슬 사이로 떨어지면서 절규하
였다. 앞은 사막보다 적막한 실내였다. 창살과 천정과 발가숭
이 네 벽과 문과 마룻바닥의 획과 선조線條들이 방사放射하
였다. 백포白布는 지평점의 침대에서 언덕을 이루고 있었다.
현기증은 중절모의 문닫는 소리에 멈추었다. 벗어날 수 없는
수금囚禁은 의미되었던 것이다. 형무소도 성당도 없었고 "저
것이 무엇인가. 누구인가" 가 남아 있었다. 다른 손이 백포를
걷자 하룻밤은 지나갔다. 녹빛 외투 여자는 얌전한 시체로 변
하여 있었다. 물고기는 다방에서 세 처녀의 몸으로 오르내렸
다. 앞은 유리 벽에 반영된 그 사안死顔이었다. 우연이라기에
는 엄숙하였다. 현실이라기에는 난해한 일이었다. 송장 앞의
내 등뒤에서 "너는 살인자다" 하고 수화기를 통하듯 나만이
들을 수 있는 범인의 소리가 일어났다. 그 소리는 중절모의
음색과 흡사하였다. 물체는 냉기에 변질되지 않고 있었다. 얼
룩진 분粉 틈으로 드러난 황갈빛 이마에는 눈썹 검정이 생명

을 비웃듯 묻었고, 입언저리로 번진 루우즈는 목숨이 흘러 남은 듯 신의 장난 같았다. 녹빛 외투는 영혼을 잃은 기체機體의 폭로였다. 녹빛 외투의 여자가 하룻밤 사이에 어디서 왜 죽었는지 그 내막을 알 수는 없었다. 중절모가 상인이 물건을 보여주듯 무례하리만큼 소중히 나시裸屍의 배부背部까지 젖히면서 자세히 보여주었다. 나는 그 뜻을 짐작할 수 있었다. 벗어날 수 없는 무엇이 나를 점점 냉각시켰다. 그들은 도망할 수 없도록 감방에 나를 넣고 증명하려 들었다. 취조관은 "너는 시체가 오늘 새벽에 발각될 걸 미리 알았을 것이다. 임검臨檢한 결과 유물과 증거품은 인조 악어 가죽 백과 국제 항공 우편 봉투뿐이었다. 의사는 상처는 시체에 없었으나 타살임을 증명하였다. 어젯밤은 어디서 숨어 잤느냐"고 하였다. "내가 살인했다면 국제 항공 우편 봉투를 그냥 뒀을 리 있습니까" 하고 반문하였다. "우리는 그런 식의 반문으로 모면하려고 일부러 증거품을 없애지 않았다는 사전 계획을 잘 안다"는 것이 대답이었다. "그 여자는 어디서 죽었나요" 하고 묻지 않을 수 없었다. 그러나 취조관는 "그건 네가 나보다 더 잘 알 것이라"며 대답하지 않았다. 그러한 대답에 촉발되어 불꽃은 눈에서 난무하였다. 타오르는 불길에 임박한 위기와 경종의 난타를 들었다. 이미 살인 용의자로서 지목당한 것을 알았으나 "나는 사람을 죽인 일이 없다"는 결백만으로 희망을 불러일으켰던 것이다. 누가 죽였다면 범인은 따로 있기 때문이다. 취조관이 위협하듯 큰 소리가 나도록 문을 닫았던 때도 나는 두려워하지 않았고 액연額椽 속의 태극기를 되도록 무심히 쳐다보았다. 법의 위력과 국민으로서의 신뢰를 동시에 느낄 수가 있었던 것이다. 내가 무죄인 한 이러한 사건쯤은 간단하게 처리될 범위 안에 있다고 믿었다. 수없이 취조를 받았건만 역시 석방되지는 않았다. 무슨 물품처럼 망각당한 것일까. 그러나 그들은 잊지 않았다. 올 것은 오고야 말았다. 취조관은 "그 여자의 주소와 신분은 완전 불명인 만큼 오열五列인지 모른다"고 하였다. 나는 그 말에 아연하였다. 그러나 그는 "네가 불온 사상이 아닌 것은 증명되었다"고 하였다. 아무 말도 들을 필요가 없었다. 나는 기력을 잃고 있었다. 침묵은 상식 이하를 필요로 하지도 않았으며, 취조관을 그 이상 인정하려고도 않았다. "필동은 다 조사했으나 그런 여자가 거처한 일이 없으려니와 그날 밤에 없어진 사람은 없다"는 것과 "전차 운전수와 다방 레지와 늬가 좋아한다는 양갈보의 말은 네 말과 맞다"는 것과 "권위 있는 박사가 검진한 그 시체의 원인은 네 마음속에 있다"는 것과 "너를 고발할 수 있는 것은 천당으로 가버린 그 여자만도 아니라"는 것과 "너는 여자를 살해하고 나서 양갈보에게 갔기 때문에 양갈보는 이 사건과 관계가 없다"며 지리한 설명과 까닭 모를 권유가 끝없이 나를 들볶았다. "아직도 여자의 죽은 곳을 왜 알려주지 않느냐"고 애원하였다. "수사가 끝났으니 말해주지. 속이려는 사람에게 양심의 반응이 있을지 모르겠다"며 취조관은 "시체는 그날 새벽 돈암교 근처 개천에 있었다"고 하였다. 그곳은 "네 하숙집에서 가까운 곳이라"고 똑똑히 지적하였다. "그럴 리가 있을까요" 하고 신음하였다. "수사 진행 중이어서 비밀이 필요했지만 너는 끝까지 나의 성의를 무시했다"고 하였다. 나는 찬땀이 몸에서 흘렀다. 나는 겨울 날씨 치고는 환한 일광으로, 회색 벽에 괴물처럼 착 달라붙어 우리를 엿듣고 있는 취조관의 검은 그림자를 보며, 저것이 녹빛 외투 여자의 원혼이거나 또는 진범자거나 또는 앞날의 철창 속 내 모습이 아닐까 하고 생각하였다. 병자처럼 겨우 무관심한 데 도달할 수가 있었다. 그러지 않고는 숨을 쉴 수 없었다. 취조관의 이론과 설법을 고스란히 들을 수 있는 청각의 소유자일 수가 있었다. "그날 밤, 너는 여자가 필동에 산다는 걸 들었으며, 그쪽으로 가는 걸 봤노라고 하지 않았는가. 그런데 그 여자 시체는 다음날 새벽에 반대 방향인 돈암교 근처 개천에서 발견되었으니 웬일인가." "나는 범인이 아니므로 알 수 없습니다"고 중얼거렸다. 취조관은 대뜸 "내가 너를 고문할 수 있다는 것도 알아야 한다"며 분노하더니 호의를 무시당한 것처럼 위협하였다. 나는 바깥 풍경을 내포한 유리창에 비쳐진 취조관의 뒤통수가 의식용儀式用 도구로 또는 화초를 꽂은 골동骨董 항아리로 착각되기도 하다가 철창 속에 들어앉은 취조관을 공상하기에 이르도록 종시 침묵하였다. 마침내 취조관은 "너는 내일 이곳을 떠나 다른 곳으로 넘어간다"고 고했다. "다른 곳이라니 어딥니까." "가보면 알 거야." 나는 석방되기 위하여, 어리석을 만큼 의미 없는 심뇌心惱를 한 셈이었다. 긴 자학이었다는 것을 깨달은 바에야 참말이 거짓말로 취급되어버린 사실에 놀랄 것도 없었다. 앞으로는 외계와 이별하게 되었다. 내일이면 그들이 검은 자동차에 나를 태우고 미지의 장소로 갈 것이다. 여기서는 어떻든 일단락이 난 모양이었다. 그것은 눈동자가 잠들기 직전의 성군星群이었다. 내가 늦가을에 본 하숙집 백일홍들의 어느 날이었다. 그와 같이 문제는 감방에서 해결나지 않은 그대로 끝났던 것이다. 나는 녹빛 외투 여자가 세상에서 마지막 응시하였을 얼굴을 알 수 없다. 뜬 채로 응고하여버린 여자의 눈만이 진범을 알고 있을 뿐이다. 그들은 진범을 잡지 못하였다. 취조관의 마지막 말은 "내가 너 이외의 용의자를 둔다면 다른 사람에 대한 과오일 것이라"고 단정하였다. 나는 신문에서나 또는 라디오에서 그 말을 듣는 것처럼 나를 그러한 심정으로 유지하였다. 어디서인지 범인의 통쾌한 웃음소리가 들려왔다. 물론, 나만이 들을 수 있는 음향이었다. 주위에는 취조관 이외 아무도 없었다. 나도 소리 없는 미소의 연꽃을 피웠다. 나는 '외재外在'였다. 정확히 듣고 볼 수 있을 만큼 '불감不感'이었다. 무엇에고 '감사' 드릴 바가 없었다. 취조실을 나온 뒤로 명백한 '침묵'이었다. 강간범이 개처럼 움츠리고 잠든 감방에서 한밤중의 꿈은 '무차별'로 나타났다. 동양 무역 주식 회사란 문자가 차례차례로 집합한 그들 위에 걸려 있었다. 녹빛 외투 여자는 부활하였다. 그녀는 웃음의 가면을 쓴 범인과 손을 서로 맞잡고 춤을 추었다. 나는 "그들은 둘이 아니라"고 속삭이었다. 운전수는 반수신半獸神처럼 고장난 전차電車를 열심히 연구하고 있었다. 바다가 한편으로 보이는 그늘에 여자의 고무신들이 하숙집 소년에 의해서 어떤 것은 꽃잎으로, 신라 곡옥曲玉으로, 나비로, 반달로, 거미로 흩어져 있었다. 그러나 소년은 수목 뒤에 숨었는지 보이지 않았다. 흩어진 것들은 '착각'이 아니었다. 한 여인의 나체가 문득 불 속에서 실내로 들어왔다. "나는 당신만을 사랑해요." '나의 인형'은 한 번도 말한 일이 없는 소리를 비로소 하였다. "내가 바로 너다" 하고 대답하자 눈물이 웬일인지 흘러내렸다. 녹빛 외투 여자와 운전수와 '나의 인형'과 살인범이 종렬縱列로 직립하여, 보기에는 한 몸 같으나 각각 얼굴을 좌우로 내놓고 '동同' '이異'를 일시에 구성하였다. 취조관의 지휘를 받고 경관과 의사와 중절모와 간호부와 택시 운전수와 다방 레지들이 겹겹으로 둘러앉아 나에 대한 '찬송'을 연주하고 있었다. '고오', '스톱'의 삼색 신호등이 비치자 그들은 나를 축복하는 천사로 화하였다. 나는 '본질'이었다. 동시에 모든 '인자因子'였다. 나는 그들과의 '전체'였다. '세계'였다. 그들은 동시에 인간 심령 현상론처럼 꺼져버렸다. 날이 새자, 감방 바깥 복도의 석유등 불은 나의 출발을 고하듯 꺼졌다. 강간범은, 끌려 나가는 나에게 손을 흔들었다. 하나는 남고 하나는 떠나건만 우리는 '동형同形'이었다. 나는 비로소 모든 애정을 죽인 살인자가 되어 강간범에게 미소를 주었다. 나는 녹빛 외투 여자가 현실로 죽기 전에 이미 녹빛 외투 여자를 마음으로 죽였는지 모른다. 흰 눈이 바라던 외계에 내리고 있었다. 사람들은 객관적으로 볼 때 횡도橫道, 곡도曲道할 것 없이 거리를 걷는다거나 차를 몰며 왕래하는 데 불과하지만 누구나 각기 정면을 향하고 가듯이 자동차를 탄 나는 흰 눈이 쏟아지는 무한 대로에 호위되어 주검에 쫓기며 질주하였다. 변호사를 댈 만한 돈도 없으려니와 벌써 적용에 의해서 자격이 상실되었는지 모른다. 사실 이상의 변명은 예심 판사 앞에서 할 수 없을 것이다. 앞날은 어디까지나 미지수였다. 이제는 존재와 공간의 일치에서 평화로운 호흡을 찾을 수밖에 없다. 철창 속에서 확대될 세월의 영역이 나를 기다린다면 어떻게 할 수 있다는 말인가. 나에게 필요한 생명은 '무필요無必要'였다. 그러면 나는 내포할 뿐, 무엇도 나를 어쩌지 못할 것이다. 나는 녹빛 외투 여자가 무엇인지 모른다. 영원히 모른다. 우연의 역할을 그녀와 마찬가지로 한다 하여, 욕하거나 동정할 수는 없다. "수인囚人은 그날그날을 노동으로 소일하며, 철창 너머 구름과 벗하며, 붉은 벽돌 담을 등지고 서 있는 수목과 대화하며, 밤이면 등불과 별들을 기다리며, 저 눈바람에서 음악을 듣는다면 내 지상의 안정은 아무나 빼앗지 못할 것이라"고 생각하였다.

<u>1957</u>

중심의 접맥接脈

한 번 이별하면 봄이 되어도 종시終始 못 만날 것이다. 그러나 철근은 공간의 힘으로 유지되고, 사람들은 그 밑으로 끊임없이 지나다니고, 시선은 탁자에 누운 복숭아와 서로 만나고, 그림자와 미지의 정신은 병원과 역驛에서도 제각기 대하였다. "그의 세계는 침묵 속 어느 곳에 있는가." 그것은 책 속의 말씀들이 각기 지닌 불에 있었다. 수육獸肉에 굶주린 부엌 식도는 푸른 대상과 접근하며, 필사적으로 손가락을 밀어낸다. 한계에서 추락하지 않고 균형을 잡은 황금의 일보일보가 계속한다. 친구는 월급도 제대로 나오지 않는 유류油類의 일터에서 부지런하다. '사死' 까지를 내포한 적막이 식구를 근심하는 세기世紀를 이루고 있었다.

밤차 안의 한 손님은 지나가는 바깥 불빛으로 끊임없이 울창한 의욕이 되어 저만치 서 있는 여자의 젖가슴에 날개 치건만 그러나 모두가 원시原始의 원심圓心처럼 앉은 그대로였다. 도리어 하루의 과로가 상 위 간장과 고추장과 그리고 수제비 한 그릇을 신화로 알려주었다.

그는 "평화가 사형私刑되어 군상群像이 모인 이곳은 성전聖

殿을 이룰 수 있으리라"고 믿었다. 그는 가끔 거울 속으로 '거지가 힘 앞에서 슬픈 광명으로 미소하는 얼굴을' 보았다. 그는 "미의 발견에 맹목盲目임을 굶은 탓이라"고 하지 않았다. 이제는 이유를 지나 이별까지 경과하였던 것이다. 산 채로 죽은 사람이 눈을 떴던 것이다.

침묵의 불길이 흐린 하늘에서 수심水深을 안고 첨탑의 종을 두드린다. 시간은 포도송이처럼 주렁주렁 달린 음향의 육체로 눈길을 돌린다. 영혼은 어디에도 없는 것, 별[星]만한 일적一滴이 '미'와의 거리距離를 막은 손에 떨어진다. 구심력은 확대되어 어느덧 삼립森立한 무기를 보여주고 있었다. 모두다 외면外面은 신사와 숙녀이다. 치중輜重 같은 과오가 야생의 꽃 한 송이도 없이 무지하도록 착한 내부를 달린다. 이러한 사람들이 인구를 증가시키고 있었다. 이런 사람들이 인구를 줄이고 있었다. "우리의 교제는 유치했소." "그래요. 무방無妨하게 되어가는군요." "우리는 제각기 바쁘오." "서로가 기회를 놓치지 않아서 다행이에요." 이별하자는 합의는 도시의 예복이었다. 편리한 사람들은 무엇보다 두 손 가진 이족수二足獸를 무서워하였다.

발들이 포도鋪道 위에 뻗은 가로수의 혈맥을 밟고 간다. 과거가 그의 앞에 현재로 나타난다. 고故 이중섭李仲燮 화백은 "우리 예술가는 굶게 마련되었지" 하고 말한다. 친구들은 고인故人의 단식斷食한 입을 집게로 마구 벌리고 우유를 들이 붓는다. 그러나 고인이 양담배곽 속 은종이에 이루어놓은 세계는 가축의 발광도 단식도 아사餓死도 아니었다. 그것은 꽃의 소년과 고향의 꿈과 태양의 노래와 동물의 웃음으로 가득하였다. "난 그림을 안 그리는 게 아니라 못 그리지. 주위에서 능력을 잃었네." 그려야 할 손으로 태워버리는 자기 작품들이 의지로 변함을 무심히 본다. 친구들은 불의 영영映影을 바라보며 휴식 때만 간혹 느끼던 허탈로 고인을 이해하고 있었다. 그날 고인의 친구들 속에 끼였던 그는 가로街路를 가며 "고인은 절망한 것이 아니다. 거절당한 것이라"고 중얼거렸다.

목소리는 불빛을 등지고 서서 "하숙 가세요" 한다. 학생복을 입은 소년의 목소리가 사람들의 덜미를 연타連打하고 가게집의 화려한 인형 위에 떨어진다. 그것은 본연의 향수에 사로잡혔을 때 빛[光]의 빛[色]이었다. 그는 남루한 방에 누워 서양통조림 껍질로 된 재떨이를 곁에 놓고 심심해서 옛 성인聖人처럼 인자해진다. 잠 안 오는 밤들을 생각한다. 그의 노래는 열리[開]지 않는 책 속에 있었다. "나는 태어나기 전에 무엇이었을까. 죽은 뒤에는 무엇일까." 그럴 때마다 그가 혼자 누워 있는 방이 전폭全幅적으로 대답하였다.

미래는 생활의 절정에서 무아無我에의 투신을 유발誘發하였다. 목숨의 광망光芒을 뿜으며 꺼져가는 유성流星이 비[雨]로 내린다. 자연의 손은 후회마저 개입할 수 없는 곳, 현실의 줄을 붙들고 공간에 늘어진다. 부동不動은 죽음이었다. 정신은 허공에 형적形跡 없이 문紋을 긋는 육신의 연속점에서 줄기를 뻗으며 잎을 펴며, 태양과 금란琴蘭꽃이 되어 가난한 아자亞字 창에 향내를 불어넣는다. 이와 마찬가지로 그를 들여다보는 탑이 만창卍窓 밖에서 전쟁 중에 또는 언제인가는 기억에서 사라질 것이다. 여름날 의사는 손님이 없어 발[簾] 그늘에서 낮잠을 잔다. 어머니 없는 비극들이 성좌星座에서 자란다. 어떤 대상과도 조화로 파악하려는 화염이 수액樹液의 자세를 이룬다. 그것은 무無에서 탄생한 존재의 광명으로 나타난다. 불을 뚫고 솟은 물은 거부하지 않음으로써 비둘기의 채문彩紋을 깃들이었다. 범죄의 외로운 손도 옹달샘을 마시는 균형이 집중한다. 손은 피묻은 마음을 위로하였다. 물은 무심한 실상이었다.

인조 동물들이 도시의 눈[眼]에 얼어붙은 현실을 벌벌 긴다. 이러한 풍경을 재미있어하는 웃음은 창窓의 반사였다. 독신자들은 호떡집에서 서성거린다. 여대생은 군고구마를 사가지고 집으로 들어간다. 눈은 밤의 관棺에 내리는 여백이었다. 한난계寒暖計는 가정으로부터 국가의 단위로 변모하였다. 개인의 영양營養은 세계에서 분비汾泌하였다. 자아의 도기陶器는 행복한 섬유纖維가 아니었다. 촛불은 이성異性이 상대를 독차지하듯 수壽·복문福紋을 비치었다. 댄스걸이 기초와 조직의 거미줄에서 나비로 종언終焉하던 날이었다. 그는 기계와 정신이 등을 맞부비대면서 서로 반대 방향으로 회전하는 연소燃燒에 휩쓸려들었다. 중유重油와 저기압은 땀과 혈액으로 빗발치며 입을 벌린다. 불길처럼 아름다웠다. 유혹과 백안시白眼視와 미태媚態는 생산품의 꽃밭에 일어난다. 태양이 인파人波 위에서 떠돌아다닌다. 강요의 삭풍朔風과 방종의 파도가 상극相克하는 지옥에서 목숨은 부침浮沈하며 죽어가고 다시 살아난다.

한 사나이가 달빛의 해저海底에 감각처럼 나타난 폐허에서 발뿌리의 제비꽃을 굽어보며 중얼거린다. "사나운 짐승을 잊을 정도로 사람이게 하십시오. 최소한도의 한 달 생활비를 버는 천재도 못 될 바에야, 천치의 평화를 주십시오. 누가 비웃을지라도 본연의 소리가 나에게서 빛을 펴도록 하여주십시오. 찾을수록 멀어지는 것을 알았습니다. 변함 없는 동작임을 알게 하여주십시오."

기계의 그림자는 기름으로 더럽혀진 탄흔의 벽에서 침묵하고 있었다. 소리뿐, 사람은 보이지 않는다. "가족들이 십자가에서 벗어날 수 있게끔 힘을 다했습니다. 그 보답으로 죄인이 된 것을 감사합니다. 기계를 만드는 손은 인자하였습니다. 나도 당신처럼 고장난 하루를 일합니다. 누가 와서 따건 과실果實은 거부하지 않았습니다."

지난날 어떤 사람이 피란지避亂地에서 보내준 편지에는 이런 말이 있었다. "사랑할 대상이 없으면 시들어버리나 보다. 신은 사람을 사랑한다지만, 사람은 신보다는 직접 사람을 사랑할 수 있지." 무無에서 창조되지 아니한 유방乳房은 종묘宗廟의 청동 화로에 고인 물에도 없었다. 공간에 끼워진 만월이 너를 발로發露하고 있었다. 우주가 이루어지기 전의 소식이 감금된 혈관 속에서 순환한다.

아직도 변하지 아니한 것은 하늘과 바다였다. 그 일색一色의 두 사이에 저항의 돛을 편다. 해변은 해골로 이루어지고 파괴된 기구機構에서 동경하던 화초는 회상의 저편에 무성하였다. 무지개가 종언終焉을 장식한 곳이다. 배[船]는 시야視野를 응결시켰다. 철은 유리의 살결에 휘감긴다. 물의 점화點火는 부채를 편다. 교착이 꿈을 부른다. 낙엽과 화염 사이에서 의지가 되어버린 바위는, 사람 눈은 빛이 되어 비등沸騰한다. 기름은 한겨울에 과육果肉을 잉태하였다.

선혈鮮血이 호박琥珀빛 여드름에 스민 소년은 내부를 들여다본다. 애정은 하늘의 자기磁器에 담은 석류로 실재하고 있었다. 소년이 팔아 넘긴 구호물품을 사서 발목까지 드리워 입은 소녀가 바람 부는 매표소 앞에서 서성거린다. 언제인가 너는 그 소녀와 만날 것이다. 그날 "잎들이 누구 몸에서 떨어진 다음에 저 목숨은 태어났을까" 하고 생각하였다.

이와 마찬가지로 비극은 지상의 새벽을 불러일으켰다. 어둠은 이해의 씨앗을 꽃피운 것이다. 할머니가 구멍가게에 감금되어 지키는 사탕들은 어린아이들의 천국이었다. 고독에 들어가면 다른 사람을 위로하는 스스로의 광망光芒이 될 것이다.

누구인가가 창 밖에서 전등불에 드러난 방을 들여다본다. 그
것은 빈방에 대한 의식이었다. 의식은 한 존재도 모든 실상이
었다. 동양의 칠야漆夜를 달리는 급행 열차의 기적소리가 시
간과 형태를, 속력과 관계를, 문제와 죽음을, 그리고 연기에
염병染病된 사회를 빈 방에 불러일으켰다. 그러나 방바닥에
는 잡지 표지의 여자가 웃고 있을 뿐이었다. 남자는 직장에서
돌아오지 않았다.

수목樹木은 메말랐지만 목숨은 죽지 않고 어디서나 구성되
어 있었다. 그는 어디에 있거나 어디쯤 돌아오며 있을 것이
다. 누구나 고독하지 않으면 비애와 분노의 풍경에서 평화를
얻지 못할 것이다. 한 번 이별하면 봄이 되어도 종시 못 만날
것이다. 그러나 사람과 사람은 어디서고 대화를 서로 나누며
있었다.

1957

송사送詞

그대의 앞날은 멀다. 파도보다 험한 인생이 있다.
두 손은 뜻대로 안 되어 순수한 마음을 괴롭히다가도
이마를 짚고, 이 석조 건물을 생각하는 때가 있을 것이다.
그대는 학문의 젖을 떠나 은혜를 그리워할 때
없었던 성실에 접근할 것이다.

우리는 서로 믿는다, 미래의 어느 날일 것이다.
그대는 우거진 추억을 찾아 이곳에 오겠지.
그대는 벽을 늙은 손으로 쓰다듬으며
스스로의 눈에 완숙完熟한 이슬을 머금을 것이다.

이곳을 떠날지라도 평범한 영광에 이르기까지
그대는 어느 책상의 홈 하나라든가
은행잎들과 또는 강의에 귀기울이던 벗님들과
지난날들을 두고두고 미소할 때가 있을 것이다.
그리고 싸늘한 등불 밑에서 힘을 얻을 것이다.

형설螢雪의 공功을 축하하는 꽃다발은 시들지라도

하늘에 사라진 종소리는 잊어지지 않을 것이다,

음향은 오랜 세월을 두고 그대 정신으로 돌아오리니.

1957

무상無想의 모태母胎

요강은 더럽다기보다 여자의 엉덩이를 의미하는 의상과 곡선
처럼 문득 상 위 과실果實도 그를 아늑히 보고 있었다. 섭리의
후광은 신도 믿지 않는 손에서 원圓을 이루기 시작하였다.

정욕의 나무가지는 태양이 얼어붙은 풍경에다 천태만화千態
萬化를 나타낸다. 누구나 홍소哄笑를 이상하다고는 생각하지
않았다.

소녀가 촛불을 밝히고 길거리에서 파는 물품 중에는 물빛 실
버텍스•도 있었다. 그의 계획은 소녀를 향락享樂하기까지 주
일週日마다 뒤따라가 성당에서 공손히 무릎을 꿇었다. 그러
한 정복에의 행위는 상가와 잡무를 떠나 하늘과 대질對質하
는 절정을 목표하고, 한때 산으로 오르는 의욕과 다름없었다.
그러나 소녀는 틈만 나면 붉고 푸르게 펭키칠한 음식점에서
또는 창 없는 판자집에서 남자들과 교접交接하면서도 그에
게만 허락하지 않았다. 하지만 미구未久에 그들은 오욕汚辱
을 주며 받았다. 머리맡의 의복과 물 그릇은 희미하니 빛났다.
그는 그제야 처녀가 누구의 씨앗을 잉태하고 있음을 알았다.
분노나 실망이나 질투는 마음의 광장 어디에도 그늘지지 않

왔다. 염증厭症이 나지 않는다는 이유만으로써, 살아 있는 인형과의 접촉은 계속하였다. 무작정한 행동은 도시의 혼란에서 어느 정도 벗어날 수 있는 여가가 되었다. 언제나 마찬가지로 누구에게도 죄는 없고 어디에도 평화는 없었다.

소녀를 마음대로 다루면서부터였다. 그는 가슴에다 다시 십자를 긋지는 않았다. 매음녀는 그를 마귀라고 하지 않았다. 그는 소녀를 천사로 믿지 않았다. 그러면서도 사람들과 휩쓸려 동굴의 고층 하부高層下部 속으로 잡색 유리화雜色琉璃畵에 말려들어 사라지는 매음녀를 좋아하기는 그밖에 없었다.

동화의 흰 눈이 초점을 잃은 명동 거리에 내린다. 눈발은 생존에 대하여 눈[眼]을 목욕시킨다. 얼음 속의 피 일적一滴은 노예의 불을 밝혔다.

소녀는 "내리는 눈이 지난날로 돌아가라, 지난날로 돌아가라면서 나에게 속삭인다"고 하였다. 그는 뱀과 능금이 창조되기 이전의 소리를 들었다. 그는 "지상에 최초로 태어났던 인간의 본성에서 출발하자"고 속삭이었다.

지난날, 소녀는 그의 권유에 대해서 매상액을 말하고, 외면한 일이 있었다. 그녀는 그의 애무에 대해서 수지收支를 맞춰야 한다며 머리를 흔들었다.

그러나 입술에서 새어 나온 음성은 "배 속에서 핏덩이가 자란다"는 고백이었다. 우연히도 반은 신문과 광고와 성명서가 붙은 벽이었고, 반은 책집의 TIME 잡지를 배경한 그의 얼굴에 미소가 떠오르자 소녀는 놀라는 모양이었다.

그는 "내부를 가린 의상이 훌륭하게 임무를 다하였다"며 칭찬하였다. 그는 그녀에게 "범죄자는 누군지 알 수 없으나 축복받아야 한다"고 대답하였다.

그는 여자가 성聖마리아 같은 딸이 아니라 아들을 밴 것이라고 믿었다. 이러한 직감을 어떻게 설명할 수 있을까. 서로가 신자信者와 불신자의 사이로서, 처녀도 그의 직감만은 인정하였다. 그녀는 아비 없는 아들의 보육保育, 진학, 취직, 결혼 등에 관한 미래를 전망하였다. 매춘녀의 표정은 아들의 뱃[舟]길을 짐작한 듯 홀연 험악해지면서, 성스러운 모성애에 빛나고 있었다.

그러나 아비 없는 목숨이 앞으로 온 세상의 아버지로 성장하면 그 사랑은 십자가十字架 아닌 총탄에 소멸할지 모른다고, 그는 생각했을 때 전율하였다.

그들은 이 문제에 대하여, 그 이상 말하지 않음으로써 꽃피고 녹음 우거진 뒤에도 여전히 교제를 지속하였다.

그들은 달처럼 부풀어오르는 배[腹]를 서로 잊고 잠시 기뻐하다가도 어떤 예감과 침묵을 거듭하였다. 달은 하나의 난형卵型이었던 것이다. 아무도 결과를 막을 수는 없었다. 한 번 배[腹] 속에 떠오른 달은 황금면黃金面에 계속 상처의 금을 그으며 숲을 뚫으며, 달아나는 그들의 차를 건전히 따라왔던 것이다.

폭격에 부서진 공지空地에서나 공장 굴뚝 너머로 관청과 또는 언덕 위 병원이며 성당이며 시체실을 통과하여, 고궁의 기와등으로 충돌도 정지도 없이 어떠한 장벽도 권력도 방어도 물리치고, 학교 옆구리에서 달은 다시 튕겨져 나왔다.

과거가 종착지를 열었을 때였다. 장미는 솟지 않았을망정 벌써 소녀의 표시는 분명하였다. 증기관의 사복체蛇腹體 사이로 석고石膏 보살을 비치는 전등이 그에게는 월광月光으로 변하였다. 그것은 동시에 전처럼 변하지 않고 있었다.

이 처녀, 그 이외의 남자에게도 사랑을 받은 잉부孕婦, 뭇 사나이의 매음녀는 구름에 싸인 달을 더듬으며, 신에게 기도를 게을리하지 않았다.

다리 밑에서 거지와 땅꾼도 쌍쌍이 끼고 누워 달빛으로 반짝이는 썩은 흐름을 보다가 신이 되어 목숨을 창조하고 있었다. 시기時機는 참회로도 피할 수 없는 데서 막을 열었다. 달의 핵심은 사람으로 형상되는 한 마리 어류에 지나지 않았다.

소녀는 산월産月이 가까워지자 명맥을 이어가던 장사마저 폐지하였다.

소녀가 그의 수입으로 쌀을 살 때 곡물점은 가을 안개 속의 논밭이 되고 매음녀는 새장 안의 새처럼 한 강조强調에 지나지 않았다. 손이 시름없이 만지는 한 알의 쌀에도 땀은 결정結晶되어 있었다.

그때부터 체념하는 순종이 점점 고착하였다. 서로의 침묵은 때에 따라 승화하는 수도 있었다.

말은 삼가할수록 아름답지만 그러나 어느 날 매춘녀는 셋방에서 상품을 정돈하다가 말고 조그만 십자가의 예수를 우러러보며 "당신이 믿도록 신의 성총聖寵을 빈다"고 말하였다. 그러나 그의 무언에서 소녀는 기대와 감동도 얻지 못하였다. 마음에 신神까지도 포함한 자체의 발로가 성상聖像 아래 묵묵히 누워 있었던 것이다.

바다빛 하늘이 갑자기 흐려지면서 찬비가 내리던 날이었다. 처녀는 병원에서 아비도 없는 현실을 해산하였다.

오랫동안 매음녀를 괴롭히던 불안과 의무의 조짐 결과는 또 하나의 전개였다. 그가 전에 직감하였던 바와 마찬가지로 그것은 신이 아니고 난산 또는 사산으로 더럽혀졌을 침상에서 태어난 목숨은 마구간의 아기처럼 천진하였다.

언제인가 소녀는 풍로에 죽을 끓이다가 뚜껑을 덮더니 "난 장차 어떻게 될까요" 하고 근심하였다. 그는 "앞날은 알 수 없지만 뭐건 지나놓고 보면 별것이 아니라"고 솔직히 대답하였다. 소녀는 그의 명확성에 대하여 실망한 아름다움을 나타내었다.

아기의 눈은 자연스러워서 별인 양 중심을 스스로 이루었기에, 누구나 사랑하고 싶도록 차별이 없었다.

그러나 이 조그만 목숨은 먼 뒷날, 법의 철조망에 얽매여 부모를 원망하며, 자신의 과오를 자랑할지도 모른다. 아기는 성장하여, 이득에 승세乘勢한 여러 가지 사조思潮와 폭풍에 깃발처럼 찢기고 매연에 병들어 어느 골목의 한줌 흙이 될지도 모른다. 그 위로 로마 군의 행진과 또 새 무기들이 폭발할지도 모른다.

여자는 퇴원한 날, 누구에게 대해선지 속삭이었다. "자애하소서. 원수를 용서로 갚아주소서." 그리고 돌아보더니 "모두가 아비 없는 아이에 대해서 문을 닫겠지요" 하였다. 신에게는 책임이 없느니 만큼 그는 담배를 피워 물며 "내가 갓난아기에게 아버지 노릇을 하겠노라"고 하기 싫은 거짓말을 하였다. 지난날 매음녀는 값싼 음식점에서도 창 없는 판자집 속에서도 십자를 그으며, 신앙과 법열法悅의 두 날개로 위안을 하늘에서 구하였건만 이제는 그의 대답을 믿지 않을 만큼 지상에 있어서 총명하였다.

밤은 사랑과 미움의 국경을 지워버렸다. 종소리가 누구에게나 들리었다.

허무는 맹자盲者의 피리소리와 기중기들의 몸짓과 무기들의 침묵과 차륜車輪들의 분망奔忙으로 구성되어 있었다.

그는 산모를 혼란의 소沼에 핀 연꽃으로서 바라보았다. 처녀인 동시에 매음부며 아기 어머니인 동시 소녀인 일인 사역一人四役의 여자가 모든 것을 받아들이면서, 무엇에도 물들지 않는 명경明鏡이 될 수 있을까. 그는 불가능한 기대 외에 아무 생각도 할 수 없었다.

내부의 소리는 "누구나 악마도 신도 아닌 자아를 투시할 것이다. 스스로 자비한 손이 될 때 자신의 수의囚衣를 벗을 수 있는 법이 있다면 세상은 좀더 달라졌을 것이라"고 속삭이었다. 그는 목조 수레에 철제를 싣고 팔 힘으로 끌고 가는 동포를 본 일이 있었다. 생동生動은 시작도 끝도 없이 맹출萌出한 화염의 명멸이었다. 여자는 자지 않고 "하느님 저를 구하소서" 하면서 돌아누웠다.

그것은 신앙이 아니라 흙의 호소였다. 그러나 순수는 죄의 씨앗에서 나타났다.

하늘이 생각하는 육상肉像에 획져 호흡하기 시작하였다. 그는 아무런 작정도 없이 무료하기에 소녀에게 다소의 지화紙貨를 쥐어주고, 무구無垢한 아기에게 입을 맞추고, 길거리로 무난히 빠져 나왔다. 성당의 시계는 탄흔彈痕의 음영을 가을 가로수 사이로 교직交織한 광명에 죽어 있었다.

정면에서 오는 여자가 실버텍스 같은 장갑과 양말로 장식한 채 자랑하듯이 지나간다. 그는 전사자들이 길거리 곳곳에 쓰러졌었던 지난날을 회상하였다. 사실은 언제까지 소녀의 거처에 다닐지 앞으로 지나보지 않고는 알 수 없었다. 그는 잡무雜務가 기다리는 상가商街로 향하였다. 모두는 자기 생각에 포로되지 않았을 때 불사조로 나타났던 것이다.

1956

237

관조觀照

주인 없는 무기는 어디에 있는가. 사자死者들은 안식이 있으나, 도시에서도 어디에서도 비애는 메마른 산을 파고드는 강에까지 스며든다. 철교 근처에서 군고구마 군밤을 파는 소년이
"난 아버지도 둘, 어머니도 둘이야."
하고 철없이 말하자, 추위에 반항하듯 한 노동자가 껄껄 웃었으므로 순진한 소년이 무안했을 때 그러나 이러한 시간은 어디에나 있다. 이러한 표정은 어디에도 있다.
파괴한 의미와 건설되는 내용에서도 추방되어 다방에 앉아 신문을 읽는 사람, 또는 식후食後의 고관高官들, 모든 살인, 정치, 화재, 강도, 사고, 부정不正에 관한 건件, 검은 가지의 열매들이 제한된 백자병白磁瓶에서 조화된 것을 바라보며, 하루의 경과와 지식에서 허탈을 지워버리지 못하는 손이 휴식하고 있다.
약간만 남을 모해謀害했더라도 그 수입으로 낙타 외투의 신사가 될 수 있을 뻔하였다. 일용품의 시세와 능력에서도 문제는 탄생한다. 동작과 세월에서도 운명은 이루어진다. 은행銀行의 화강암 석주石柱들 사이에서 만삭滿朔한 처녀 거지가

밤을 새우는, 그러한 궁참窮慘으로 물러서기조차 지난至難한, 이럴 수도 저럴 수도 없는 현실에서, 고독에서 언제나 너의 몸가짐이 단정할 수 있다면 향기롭고 고귀한 것, 그러나 너는 우울하다. 그러나 그것은 신의 눈! 너의 주름살은 역내驛內로 달려오는 기관차 앞에 엉클어지는 철로를 내다보듯 추醜하고 심각하다. 그러나 그것은 너는 존재 가치에 변함이 없다.

손님과 주인으로부터 동시에 모욕과 질책을 당한 월급 만 오천 환짜리 점원의 미소 속에 솟는 눈물이 보인다. 그것은 암중暗重한 지심地心에서 결정結晶한 보석보다 아름답다. 너는 지절거리는 한 마리의 참새를 대하여도 귀여워하던 그 심정마저 배반당하고, 감동하는 전선電線을 내장內臟한 철벽처럼 침묵이 흐른다. 우리는 비로소 동포거나 황색이거나 백색이거나 홍색이거나 흑색 민족이거나 불행의 눈물을 웃음으로 장식하는 사람을 찬탄하는 것이다.

그러므로 겨울이 온 경위와 불이 전등에 켜지는 순간과 동기, 알 수 없는 것은 그리운 것, 죽음의 정원은 고통과 향락도 없이 이루어진다. 초만원 뻐스 안에서는 남·여의 몸이 서로 닿는 위로를 이룬다.

"하느님, 저는 싫지 않을 뿐이여요.

그러나 결코 음란한 여자는 아니예요."

이것이 그들의 신앙, 이것이 오늘날의 기도! 머리에 빗질을 할 때나 혹은 직장에서나, 길을 횡단하면서도 성당 종소리와 함께 이러한 의미로서 생명한다.

이리하여 고급 차들이 눈 내리는 거리를 지나가고, 주위에서 사람들의 음성을 듣는 동안도 무한無限은 연속한다. 접촉하는 반목·목적과의 분리! 처리할 수 없는 것이 전개한다. 이 것만이 솔직하다. 그것만이 우리를 교훈한다.

그들은, 우리는, 너는, 나는, 그대는 어디로 가는가. 오늘도 고층 빌딩은 신경과 의욕, 동요하는 얼굴이 두 개 세 개 다섯 개 일곱 개로 분화한다. 겨우 하나로 정지한 왕관표의 매력과 금문자金文字의 교태를 붙인 식당 유리 문의 영형映形 앞에서 실업자는 돌아서며 기쁘다고 않는다. 괴롭다고 않는다. 우리가 신뢰할 수 있는 것은 다만 이것뿐.

우리는 살아 있는 기적을 믿기에 분별을 버린다. 그러면 모순도 안정의 숨결, 비로소 생자生者와 사자死者가 서로 부르는 소리를 들을 수 있는 것이다. 들어가지 못하는 발들, 벗어날 수 있는 것은 사랑하는 서로의 마음, 그 눈물이 어리어 '신도 만들지 못할 완충 지대'는 밤이면 나의 별들이 찬란하리라고 상상하는 때가 간혹 있다.

1956

육체의 명상

어디에서나 실내를 장식하는 간음姦淫의 보금자리와 문 밖에서는 범죄가 망령亡靈처럼 출몰함으로써 일맥 상통하는 간격의 벽을 따라 어지러이 뻗은 미로의 도시에는 무심에서 피는 장미꽃 한 송이도 없다. 보름밤이면 해면 가득히 꾸겨지는 파도의 반사에 점재點在하는 생각 깊은 선박의 검은 형태들! 숨쉬는 달, 그 본연의 빛에 비치어져, 제각기 의미를 표상하는 비인간적 질량이 유정有情을 전개한다. 사람은 사랑을 위하여 눈물을 흘리나, 그 슬픔마저 나타나지 않는, 또한 자아를 볼 수 없는 암흑에서, 비로소 아무리 미소微少한 것이라도 무용한 것은 없다는 것을 깨닫는다. 스스로의 죄과에 수금囚禁되어 옥탑을 쳐다보며, 그러고도 고민하지 않는 사람을, 나는 그러한 사람을 생각한다. 시간이 문제를 판결할지라도, 세파에 낡은 나의 사진과 내가 대면하여 말씀이 끊어진 곳에서 내가 존속한다. 암담한 거리와 고독한 등불 아래서 국수니 빈대떡이니 잔蓋술과 그 외에도 가지가지 식기들을 바라보는 무언의 관념! 나의 사색은 해답을 내리지 않는 과정으로 이루어진다. 죄악도 점점 이유가 갖추어진 곳에서 수의囚衣

를 입고, 육안은 아무것도 보이지 않으나 나는 자아의 상실로 써 분명히 알게 되었다. 바다의 유방乳房과 하늘의 가슴이 포 옹한 심정의 공간에서 여러 인종이 탄 기선汽船이 오고 있음 을, 영원과 맞선 자태 앞에 생명하는 폭풍우가 일어나고, 갈 매기와 구름은 날고 있음을! 죽음도 건물도 비애도 인간도 모순도 없는 암흑 속에서, 깜깜한 가슴을 기다려 마음의 광명 이 나타난다. 아무런 결과도 없이 눈을 뜨면 고민하는 거리 [街]는 나의 사랑이며, 나의 명상은 언제나 휴식이었다.

1955

잃어버린 자세姿勢

싸움의 거리에서 전차소리는 우리가 만나기 이전의 속삭임으로 지나간다. 기도는 눈을 감는다.

사랑하던 사람들의 총구가 우리의 가슴을 찾고 있다. 꽃 같은 피가 가슴에서 냉엄히 흘러내린다.

이번은 꿈으로 이루어진 식당에서 만날 때까지 그러나 아무도 서로 만날 수 없을 것이다. 너는 나에게 있어 육체 없는 생각의 모습이며, 살아 있는 나의 몸 그대로가 행복의 무덤이다.

찢어진 미닫이를 열고, 보슬비를 내다보는 침묵! 인정人情은 셋방 같은 것, 본다는 것은 한 생각이 또렷이 떠오르는 것, 수건도 괴로워하고 있다.

정밀한 무기는 눈물을 흘리지 않는다. 눈물은 밥을 먹는 더러운 손을 적시고 있다.

슬픔도 괴로움도 기쁨도 없는 빛으로 조물주의 내부를 들여다본다. 거기 낙인된 내 얼굴의 반영에 의식하는 분열이 금을 그었다.

보라, 티 없는 하늘은 님의 모습이다. 한 점의 일日·월月은 자비한 백호상白毫相이다. 전우들이 썩는 잔허殘墟에서 푸른 잎들이 제각기 자세를 이루고 나와의 이별을 손짓한다. 어디에선지 어디에서나 자문自問의 혹형酷刑에 막다른 살인수는 어둡게 닫혀진 입술로 부처님의 무언을 듣고 있다.

생각하여 보라, 나의 말과 나의 경험은 그리고 나의 소행은 좁은 공간에 벽으로 끼워져 의복은 걸리고, 밤이면 죽었다가 날이 새면 포열砲列이 불을 뿜고, 그러면서 이상하다는 생각도 없듯 그대로 초토焦土며 진실이며 죽음이며 피투성이다. 무無에서 태어난 유有로써 무를 느끼는 힘이다. 인생은 그러한 것 또한 이러한 것인가.

싸움으로 파괴된 곳에서 지난날 오랫동안 사용하였던 재떨이, 부채, 거울 같은 것들이 다시 상점에서 대답할 수 없는 나를 부른다면 나는 그때 모든 것을 잊은 영역에 있을지도 모른다.

여기 산[生]다는 일에도 싫증이 난 나의 의자가 비어 있다. 적막한 파편과 보이지 않는 신음을 들으며 얼음 같은 분노로써 슬퍼하라.

만나지 못한 너의 마음과 나의 자세가 이 의자 위에 편안히 앉기를 바란다.

1955

그네의 미소

그네는 회상할 여유조차 없기 때문에 객혈喀血하였던 입술로 웃을 수 있었던 것이다. 그네는 내일을 믿을 수 없기에 금지 구역에서 초면 남자의 어깨 너머로 별을 쳐다보며, 행복도 속삭일 수 있었던 것이다. 판단력은 정신을 반사적 집중으로 총살하였을 것이다. 시비是非는 그네를 살아 있는 화석으로 만들어버렸을 것이다. 손님이 청하면 성장盛裝하고 무너져가는 주택들 옆을 돌아 나와 고급 차를 요리집으로 달리며, 모든 생각을 버렸기에 살 수 있었던 것이다. 그네는 어느덧 세균들이 짙푸르게 자라난 폐장肺臟을 파먹으며 번식하는 데 대하여, 어찌할 도리가 없었으므로 탄식하지 않고 약을 먹을 수 있었던 것이다. 일찍이 그네는 지난날 희망에 빛났던 머리를 짚고, 오랜 세월을 생각하지 않았던가! 그러나 폐허를 볼 때마다 오로지 살려다가 학살당한 남편과 이 모양으로 살아남은 자기의 원죄原罪가 과연 무엇인지 알 수 없었기에 침묵할 수 있었던 것이다. 이래서는 안 된다. 좀더 궁리해야 한다. 다음은 어떻게 되겠지에 이르러 남하南下하던 도중, 그네의 어린것은 동사凍死하여 순수한 백설白雪의 수의壽衣를 입고,

참혹한 피난민의 행렬에서 벗어날 수 있었던 것이다. 그네는 잔해의 서울로 돌아온 뒤에 푸른 잎 하나 볼 수 없는 생활에서 될 대로 되겠지에 이르러 용이하게 문을 나올 수 있었던 것이다. 세탁소로 옷을 찾으러 가다가 어머니의 묘지에는 벌레들이 울 것이라고 까닭도 없이 생각나기에 그러한 자신마저 조소하며, 핸드백을 열고 화장을 고칠 수 있었던 것이다. 밤이면 전등불 아래서 그네를 마음대로 주무르고도 천대하지만 그네는 갖은 굴욕을 당하고도 그들의 불행을 안 때문에 반항하지 않고 참을 수 있었던 것이다. 그러나 유리 속 물건을 들여다보듯 생리를 아는 의사도 그네의 육신을 어떻게 할 수 없었던 것처럼 그네도 지식이라는 것에서 별로 가치를 발견할 수 없었던 것이다. 언제인가 그네는 외인外人들이 산에서 총으로 비둘기, 노루, 꿩, 토끼를 잡는 데 끌려갔다가 비린내 나는 포옹을 치르고 온 뒤로 만국기들처럼 아름다운 여러 가지 꽃들과 과실果實들이 가게에서 팔릴 날을 기다리며 감금된 것을 보고도 다만 자애로운 미소를 품을 수 있었던 것이다. 그네는 언제나 과학을 저주하지 않기에 소유를 거의 지불支拂한 답례로써 쫓겨나기 전에 입원실에서 물러나올 줄 아는 체면을 유지할 수 있었던 것이다. 가난한 동내洞內 사람들은 그네를 천벌받은 줄로 알고, 무심한 어린것들까지가 벽 너머 골목에서 유쾌히 조롱하건만 그네는 울지 않고 수면睡眠에 들며, 추억과 현실을 결별할 수 있었던 것이다. 이리하여

모든 것을 거절하여버린 그네 얼굴의 고운 미소는 다시 변하
지 않고 사라졌던 것이다.

1955

슬픈 계절

미소하는 나뭇잎들로 점점이 가리워진 탄흔彈痕들의 벽 밑에서 없어진 걸인은 밤이면 유성遊星을 보고 궁금해하던 죽어서 가는 곳을 비로소 알았다는 것이다. 부서진 밥상이 그에게 사용되기를 바라고 있다면 얼마나 뜻 없는 일이뇨. 석조石造가 지난날 포연砲煙에 싸여 무너지고, 철근이 튀어나오고, 송장이 깔렸던 바로 이 격전장에는 원한이 발굴되듯, 사치품들은 어디서고 허영의 빛을 쏘면서 있다. 시즙屍汁이 스민 오물과 타버린 가구는 누구에게나 복된 자연의 정신으로 자라난 연록빛 야채를 보며, 작별을 만목滿目에 고한 천정과 내부 없는 파벽破壁과 부끄러움도 없이 도로만 남은 집터의 노출과 고약한 냄새를 풍기는 지하실에도 자비의 시절은 이루어질 수 없는 것일까 하고 쓸데없이 공상만 되풀이한다. 그러나 매음賣淫 전에 코오티이 분을 바르던 아름답고 무력한 손들이 잠들기 전은 고통을 잊지 못하고 있을 따름이다. 꽃이 분盆에도 피는 이념과 목숨이 매물賣物로 모순하는 뒷골목에서 도둑은 지화紙貨를 도둑맞고, 자기 모양으로 표정 없는 주위의 얼굴들에 놀랐으나, 구멍가게에서 코도 귀도 입도 눈도 없는 계란이 타원형의 사상을 내포하고 있음을 그는 알지 못한다. 주류, 과실, 육류, 분말, 즙류, 이루 다 열거할 수 없는 가지가지 음식 이름을 쓴 외국 문자와 다채롭게 장식된 통조림과 그 껍질로 만들어진 지붕들 밑에서 꺼져가는 생활의 불들이 겨우 가난한 심장의 피를 유지하고 있다. 태어나면서 망국민이었던 우리가 한 그릇의 밥을 위하여 저지른 과오와 추잡한 거리에서 없어지지 않고자 기아飢餓를 참는 착한 본능마저 없었더라면 다시 무엇이나마 믿을 수 있는가. 잔해殘骸의 거리는 원색의 꿈과 지난날의 풍설風雪 속에서도 이러한 우리의 대답을 듣고자 오랜 시간을 여러 가지로 보여주었다. 그러나 물품들이 생산 없는 도시에 운반되는 기적소리를 들으면서, 푸르른 생명이 충일充溢하는 가로수 속으로 이해利害를 위하여 수축修築된 철창까지가 사람을 무시하는 눈을 부릅뜨고 있다.

1955

위치

1

꽃보다 강렬하게 유혹하건만 창가에 뻗어 오른 나무만큼도
아름답지 못한 여자들이 짙은 화장을 하고 지나다니는 거와
저만치 비정의 우상을 내가 실내에서 내다본다. 내부는 사막
을 무한에 펴고 있건만 나의 자세는 참혹하게 파괴된 가각街
角을 사이에 두고 볼 수 있는 시계視界 안에서, 저 우상으로
꺼멓게 변하여 서 있는 것이다. 어떠한 힘이 이러한 나에게
움직일 수 있는 작용을 수소탄水素彈처럼 폭발시켰기에 소란
한 로오타리가 굽어보이는 돌 계단 위에서 무지한 단정을 내
리며 현혹할 만큼 신을 파는 사람 곁으로 나를 올라가게 한
것일까. 그리고 어느 사이에 나까지가 이처럼 종교가로서 상
업화하였는지 알 수 없다. 나는 언제나 생각도 못한 진리와
나처럼 가치 없는 우상 밑으로 성장盛裝하고 지나다니는 여
자의 타락을 결부시켜 본의 아닌 영혼을 팔아먹으며, 나무와
화초가 들여다보는 실내를 그리워하고 있다. 그러한 실내에
있는 자기를 도리어 눈먼 우상으로부터 발견하는 동시, 저 창
바깥 대위점對位點에 서 있는 나의 자세는 망연히 폐허에 넘

쳐흐르는 종소리의 울음을 듣는 것이다.

2

경음악과 함께 퍼져 오르는 담배 연기는 손님들의 기다림, 용
건, 결과, 예상, 휴식, 이러한 혼란에다 햇볕과 그늘을 여러 각
도로 제시하였다. 코오피를 팔고 마시는 화려한 우울이 손익
損益으로써 다방의 역할을 하고 있다. 해소海嘯에 자라나기
를 천년도 거듭한 합각蛤殼의 용적容積에, 담겨진 포도, 레몽,
능금이 고금古今을 연결하는 초점이라면 내가 앉아 있는 의
자 전면에 걸려 있는 거울에서는 내 배후의 광경이 착잡한 심
리心理처럼 변화를 무언無言의 동작으로 전개하고 있다. 나
의 불순한 계획도 모르고 약속한 시간에 들어선 친구는 나도
못 보는 나의 뒷모양을 보고 가까이 오는데, 나는 정면 거울
속에서 친구의 표정을 날카롭게 눈치보고 안심한 것이 일시
에 이 모순된 성질을 결정지었다. 이러한 내심內心과 태도의
배치背馳는 마치 의상으로 미화된 나신裸身을 연상할 수 있
는 본능의 힘과 같다. 안다는 것이 이해의 범위라면 영靈 · 육
肉의 작용이란 얼마만한 가치를 발하는 것인가. 우리는 스커
어트 밑으로 미끈한 여자의 다리를 보던 눈을 옮겨, 청룡靑龍
을 상감象嵌한 자병磁瓶에 염명焰明하는 꽃을 꽂았으면 하
고, 의식의 흐름을 돌릴 수도 있는 것이다. 이에 상반하는 중
심까지도 포함한 무아無我야말로 또한 일체가 된다. 이때 먼

신화의 여주인공인 석고상이 다방 바깥을, 폐허에 건설되는 노력과 금력金力을 응시하고 있다. 그것은 비너스가 그러히 본 것이 아니고, 내가 비너스를 보고 그러한 생각을 하는 동시, 어떻게 하면 친구의 재물을 사기詐欺할 수 있을까 궁리한 데 지나지 않았다. 여신의 측면에 솟아오른 이국 식물의 푸른 잎으로 우연히 조화된 아름다움과 친구와 나와 폐허의 신축新築이 서로 대상對象되어, 다방 분위기를 결구結構하고 있음에, 자조自嘲할 만큼 이 사실을 경탄하였다. 벽돌을 공간에 쌓아올리고 얼기설기 둘러 있는 널판대기 위로 현중眩症도 없이 오르내리며 일하는 인부들과 창窓들은 나날이 변모하는 거리에서 현실을 내포하고 상통하는 의사意思 진행의 축도縮圖로 나타나 있지 않은가. 나는 기여其餘의 벽에 포위되어 위선으로써 바깥 일을 상의하였던 것이다. 거울은 조그만 영역에 모든 것을 흡수한 채, 처열凄烈한 일광日光의 사입斜入으로 백열화白熱化되어 손님도 담배 연기도 합각蛤殼, 코오피, 포도葡萄도 소진하고 있다. 이리하여 빛 속에는 실태도 내용도 용해되어 빛 이외의 것은 없다. 무난히 친구를 속이고 이해利害도 끝났으나 오히려 허탈을 느끼며 빛의 위치를 본다. 나는 광명 속에서 어느덧 나를 점점 잃고 있었다.

3

지금은 시詩의 없어지려는 시기, 시인이여 너에게는 독자가

252

없다. 감상의 미는 여백마저 없애버리는 사치에 지나지 않으며, 엄격한 생각으로 허영을 버릴 때, 시는 한 사람의 독자를 얻는다. 시인은 생활까지 버리고 연만連轡과 달과 바다와 꽃과 성신星辰을 환상하며, 부풀어오르는 향수와 존귀한 설움을 의장擬裝할 만큼 특수하지 않다. 그는 책상 위 외국제 빈 담배곽 하나를 두고도 버려야 할지 보관해야 할지 기준이 서기까지는 오히려 무관심으로 유지할 따름이다. 이리하여 밤이면 그는 몸에 스미는 추위와 화로 앞에서 시를 자기와 대조하며 만지고 읽는다. 시는 벽에 붙은 한 폭의 색채도 비둘기 모여드는 종소리도 춤도 노래도 아니다. 시에는 모든 것이 있을 수 있고, 시 이외의 아무것도 될 수 없는 무엇이 있다. 그것은 언제나 점토와 정신을 맥락脈絡하는 혈액과 지각知覺이었다. 그러므로 시구詩句는 호흡에서 흘러나오며, 주전자라든가 지붕 위를 날으는 여객기에서도 정확한 감성과 막연한 심상心像과 표현을 기다려 한 사람의 시인이 되는 것이다. 그는 약간의 여가가 있어도 고독하지 않으며, 떨어진 외투와 식기와 요강과 구두까지 늘어놓인 구석방에서 견디기 어려운 모습으로 스스로의 소리에 귀를 기울인다. 그와 공감자共感者가 있으리라고는 몽상夢想도 할 수 없기 때문에, 거기에서 허위를 만날지라도 죄인을 볼 수 없다. 거리에서 사람을 서로 볼 수 있듯이, 언제나 법 없는 백지의 자유 앞에 사는 보람을 느끼는 동시, 그 난감한 극한의 중압 밑에서 공손한 모습으로

생명을 감수할 줄 아는 것이다. 이리하여 부귀와 훼예毁譽로
도 빼앗을 수 없는 위치에 용납이 있으나, 타협은 없다. 시인
은 시련과 성심誠心에 이르러 붓을 놓는 동시, 비로소 한 사
람의 독자가 되는 것이다.

4

누구나 인간인 이상 선악을 물어서는 안 된다. 물질의 결핍은
정신의 실현성實顯性에까지 영향하였다. 아악雅樂은 우리의
가슴 안에서 선율이 피 되어 순환하며 평화한 마음을 우리의
고향으로 이루어주었다. 전등이 극장 속 천정에 다시 켜지고,
휴전休戰한 거리로 몰려나오자, 행동은 정신의 표현이 아니
고 육신의 노예로서, 쉴 사이 없이 변화하는 의식마저 헤아릴
길이 없다. 원시림原始林에서 사나운 짐승과 싸우던 조상을
비웃기 전에, 앞뒤 좌우에서 질주하고 뛰어나오고 회전하는
외국제 기계와 우리의 존재가 비킬 줄 아는 것을 긍정한다.
유리꽃을 검은 가슴에 붙인 여자도 기다림의 모습이다. 무대
같은 도심 지대에서 신호의 조명을 받고도 까닭 모르게 정묘
한 사고事故의 꽃이 피어나, 역살轢殺된 시체를 보고 전율하
였으나, 시비是非를 버린 채 괴로움을 스스로 객관시客觀視
하는 또 하나의 내가 병들지 않고 있다. 우리는 파괴된 인가
人家들을 밟고 가는 스스로의 그림자에서 탈출하려 방향마
저 탄식하여서는 안 된다. 태양은 누구의 것도 아니며, 사물

로 차별된 지상일지라도 사람을 사랑하려는 염원이 모든 풍
경에 서 있는 우리의 위치인 것이다.

1955

소리

참다운 소리를 찾아
귀를 기울이면
들리지 않는 곳이
보인다.

하늘이 보이는 유리창에
그가 떠오른다.
그는 어지러이 속삭이는
구름이었다.

밤을 기다려
등불 밑에서 글을 쓰며
미숙한 생각은 갈증에
못 견디어 하품을 씹는다.

비가 온다
나의 방을 들여다보면서.

아무것도 보이지 않는
깜깜한 유리창 너머로
열매들이 익는
노래가 들린다.

1954

그대의 마음

나는 눈물이 되어
노래하는 흐름이노라.

그대가 웃으면, 나는 거울이 되어
산호빛 입술을 곱게 비치고

그대가 어두움 안에서 생각할 때
내 눈물은 금빛 별이었다.

창 너머로 피는 장미가
나의 정열인지 알지 못하리

그대가 눈물을 사랑으로 짓는 날
나는 그대의 마음이노라.

1954

과정

사람들은 상반相反한 극점極點의 교류에서 만개한 꽃 사이를 거닐며, 가슴은 꽃 그대로의 기쁨이 된다. 이러한 때는 황폐한 도시와 무력한 생활을 진달래꽃 사이로 바라보면서, 그들은 자위自慰를 위한 반발을 의식하는 것이다. 어떤 장벽에도 생명의 충족을 구하는 힘이란 참다운 일이어서 내가 아는 사람과 미술을 공부하는 여자의 교제도 그러하였다. 간혹 그는 직장의 장長에게 거짓말을 꾸며대고 하루의 여가를 만들어, 그녀와 함께 꽃 그늘에서 더러운 항가巷街로부터 울려오는 종소리를 들으며, 고독의 기반에 세워진 그들의 애정을, 마치 연로한 거장이 열중하였던 자기 작품을 대하듯, 서로의 마음을 애환에 가득 찬 눈으로 찾았다. 누구나 요즈음 사람들의 지각知覺을 짐작할 수 있을 것이다. 친구들은 그들을 어색하도록 놀려주고, 그들의 쑥스러워함을 축복하는 동시, 자기 자신부터가 세사世事에 시달려 유시호有時乎 잊고 있던 가정을 생각하였다. 그러나 창 밖의 가로수가 퍼렇게 진이 오름을 따라 그들의 사이는 격리되기 시작하였다. 날마다 좁은 사무실에서 박봉薄俸을 여실히 알려주는 책상 위의 엄청난 잡무雜

務와 무더위에 시달리던 그는 보았다. 포도舖道 건너 벽만 남은 고층 건물을 수리하는 노동자의 움직임과 또는 기계의 소음과 햇빛과 기름진 녹엽綠葉의 반사에서도 여자의 모습은 나날이 사라졌다. 그는 맡은 일에 수금囚禁되어 그녀와 만나는 기회도 쉽지 않았고, 자신을 무시한 노력에도 불구하고, 홀몸의 생계마저 어려워서, 사랑한다는 일은 미래를 위해서 현재에는 가능하지 않았다. 심지어 잉크 병도 대화도, 자동차가 지나다니는 냄새도, 전화도 문서 조각도, 이러한 일상의 모든 것이 그녀와 행복을 바라는 그의 정열을 여러 가지로 중첩 차단하였던 것이다. 무더운 날, 그의 몸에서 격발激發하는 젊은 꿈이 날마다 노예로 일하는 의자에서 답답하고 우중충하고 지저분하고 더러운 실내의 천정에까지 줄기를 함부로 뻗어 자유로이 무성했던 의욕의 잎마저 갑자기 빛을 잃었으나 그러면서도 꼬리를 물고 돋아나는 가지가지 생각은 병약한 그녀가 정혼精魂을 기울여도 뜻대로 되지 않는다며 싸우고 있는 '호림湖林'의 액연額椽으로까지 그의 우울을 장식하였다. 마침내 그는 결혼은 불행을 약속하는 유혹이라고 단정하였다. 이러한 육체적인 휴식 결핍과 정신적인 부담이 오래 계속될 수는 없는 일이어서, 가을도 이르기 전에 보람은 딱딱한 콩크리트 바닥으로 조락凋落하였다. 그는 여자가 그림을 그리는 셋방에 가지 않았다. 이리하여 그의 변심은 그들을 아는 친구들 사이에도 알려졌다. 여자의 편지를 받고 태워버리는 불길 앞에서, 그는 냉정하였다. 내가 이러한 소문을 듣고 언제인가 그를 만나 그 까닭을 물었더니, 그는 대답하였다. 우리는 본능을 거절해야 할 때에 이르렀지. 가난하고 황폐한 거리를 방황하는 군중에서 낱낱이 나 자신을 발견하였네. 나는 그 말을 듣자 사람이 솔직히 말할 수 있는 언어란 무엇일까 하고 머리를 모로 기울이었다. 앙상한 가로수 저편에 아직 수리가 끝나지 못한 건물 위에 하늘이 심해색深海色으로 짙어갈수록 그는 허망한 종말을 기다리었다. 어느 화백이 그에게 그녀의 작품은 국전에 입선하였노라고 발표 전에 기쁜 소식을 알려주었다. 그는 검은 거리의 윤곽 위, 잎 하나 없는 프라타나스 나무가지에 걸려 있는 저녁 태양이 잘 익은 능금으로 보이었다. 곁에서 화백은 웃으며 결혼을 권하였다. 그는 기억과 결별하려고 도리어 전시장에 간 날, 고궁古宮의 금잔디밭에서 오랫만에 그녀를 만났다. 그는 입선을 축하하였다. 그러나 꺼칠한 그녀는 사람을 모욕하지 말라며 가버렸다. 얼마 뒤 그는 장내에 그녀의 작품이 없음을 비로소 알았다. 친구의 오전誤傳을 그대로 믿고 그에게 알려주었던 그 화백이 내 방에 와서 이 사실을 설명하였다. 그것은 누구나 수긍할수 있는 오해며, 이러한 사소한 계기가 꽃필 수 있는 발로發露의 과정이라는 것을, 하지만 그들이 당면한 의문이 얼마나 중대한 문제인가를 생각하고, 하루에 두 번도 맞지 않는 벽종시계壁鐘時計를 보며, 시간의 무한성을 느끼었다. 진실로 그러할 것이다. 환희는 대상과 혈맥血脈의 상통으로 실현에 이르기까지 자유 분방한 가지들은 항상 착오로 자라난다. 그리고 눈바람에 찌든 생활이 신록新綠으로서 협력과 조화로 종합하는 것을 본다. 그때에 우리는 경이와 또한 지난날의 여러 가지 경험을 회고하며, 깊이 내오內奧를 향하여 인생을 거듭 생각하지나 않을까.

1954

동양東洋의 뜰

이불을 끌어올리니, 파초芭蕉가 춥지 않을까
애수愛愁로워 잠이 안 온다.

달이 밝아, 창에는 나무 그림자 또렷한데
종이 한 장에 가리워졌건만
짙푸른 정열의 잎과 금빛으로
익은 모과[木瓜]가 보이는 듯하다.

내일은 아껴둔 석류를 딸까 하니
풍상風霜에 터진 가슴 속 홍보옥紅寶玉
그러한 마음으로 원願마저 순수하다.

쌀쌀한 밤이 깊어도 잊을 수 없구나
어디서 국화는 고절孤節을 자랑하지 않나 보다.

1954

벗은 노예奴隷

술집에서 나온 벗들은 무엇인지 중얼거리며 앞서 간다. 쓸쓸한 그들이 긴 그림자를 보기 싫게 비꼬며 평소와 다르게 한창 웃고 있다.

벌써 문을 닫은 가게도 있나 하면 아직 손님을 노리는 진열창의 물품들과 색채들이 취기에 선명히 스며드는 것이 우스워서 그는 까닭 없이 웃었다.

일 분 전이었는지 또는 며칠 전이었는지 혹은 어느 상점이었는지 흐릿하나 원색 광고에서 여자의 반나신을 본 기억이 나서 그는 미소하는데, 더럽고 싸늘한 하숙집 방이 이중으로 떠올랐다. 그는 망연히 걸음을 멈추었다. 돌아갈 흥미를 잃었을 때 유혹은 가슴에서 꽃잎을 스스로 폈다.

취한 벗들은 그가 뒤처진 것도 모르고 검은 덩어리로 어둠으로 사라졌다. 그의 길 건너 지점에 있는 가로등 불 밑에서 친구들의 뒷모양이 다시 떠오른다. 잘 가라. 질투를 받는 것은 행복한 일이다. 도화사道化師인 그대들에게 박수를 보낸다. 또한 그대들의 아내를 존경한다. 잘 가라, 가정으로! 집으로 돌아가는 친구들과 방향을 바꾸어 좁은 골목으로 비틀비틀

들어가면서 중얼거린 말이 가죽과 금박으로 장정裝幀된 책
장에서 향기를 풍기고 있어야 할 무슨 시구詩句처럼 생각되
어 흐뭇하였다. 누구나 취하면 장주莊周와 호접胡蝶*의 불사
의不思議를 느낄 것이다. 밤을 기다렸다가 육체의 시장이 열
리는 올빼미들의 뒷골목은 활발하였다.

환도還都한 지 몇 달 안 되나 소문으로만 들었던 뒷골목을 찾
은 것은 성욕性欲에 지배, 유의留意, 탈선하려는 짓도 아니고
막연하고 무작정한 행위였다.

잘 보이지는 않으나 희미한 음성만으로도 나이와 위치와 옷
차림과 임무를 짐작할 수 있는 여러 여자와 남자가 이곳, 저
곳에서 그에게 흥정을 걸었다. 처음부터 미추美醜를 분별하
려는 것은 아니었다. 상대가 여자면 그만인 만큼 보드라운 손
에 부축되어 갔다. 그것은 가정 안이었다. 어두움은 사라지고
교차 굴절한 광선이 대청 주위를 무지개빛으로 기괴하게 휘
저어서 현란하였다. 몽롱한 윤곽과 자태가 뿌옇게 산개散開
하면서 들려오는 잡음과 목소리는 냄새가 났다.

그는 올 곳까지 왔구나 생각하였다.

그의 입에서 일 번이라는 번호가 씸지 뽑듯 나왔다. 끌려갔건
따라 들어갔건 간에 방안은 아름다운 물 속이었다. 여자의 긴
수초水草가 일렁거린다. 얼굴은 푸르렀다. 전등불에 젖은 여
자는 전설을 지닌 인어人魚였다. 싸늘한 피부가 쓰러진다. 맹
렬한 식욕의 날개는 단숨에 모든 영역을 지나 큰 입술로 빨려

들어갔다. 그것은 웃음을 모르는 물건에 지나지 않았다. 그는 더 취하여버렸다. 그것은 현실과 환상과 백주의 꿈과 달빛의 의식을 동시에 일으켰던 것이다. 그의 격동에 대하여 여자의 눈언저리는 염오厭惡에 떨었다.

지하에 장구長久한 세월 동안 매몰당하여 사지四肢가 부서진 보살에서 우아한 자비를 느낄 수 있다면 그는 자기 얼굴 아래서 신음하는 얼굴에 대한 연민이 학대의 기쁨으로 불타올랐다. 화염 속에서 여자는 굴욕으로 살았다. 생성의 욕구는 부란腐爛한 지 오래였다. 매춘녀의 연옥은 그의 몸으로 변하였다. 그의 병든 과수원은 매춘녀의 정신으로 변하였다. 자학은 저주에서 벗어나는 하나의 계단이었다. 검은 태양은 친절한 죽음으로 들어오는 그들을 홍염紅焰으로 영접하였다. 나타나는 공간과 거리距離에서 진동하는 비행은 자기 표정을 스스로 외면하였다. 그는 여자 얼굴에서 지침이 구극究極에 박두하는 그의 자기 모습을 보고 있었다.

여자는 분열한 정신 상태를 매독균으로 발사하며, 그에게 항거하였다. 여자는 다리를 허위적거리더니 그를 주먹으로 난타하며 발버둥쳤다. 그는 악마보다 교묘히 여자의 팔다리를 결박하고 여자에게서 나타나는 자기 자신을 보았다. 여자는 불을 눈에 켜고 뱀이 되어 결박에서 벗어나 머리를 쳐들었다. 그녀의 검누른 몸이 굼틀거릴 때마다, 그도 굼틀거리며 비늘은 기름을 튀겼다. 뱀의 새빨간 혀가 날름거릴수록 그의 혀도

길게 나왔다. 서로가 쇠사슬로 꼬여 서로를 묶으려 들었다. 그는 취기가 더하는지 반대로 깨기 시작하는지 알 수 없었다. 꽃 같은 화장품이 늘어 있고, 수면水面처럼 맑은 경대 안에서 좁은 방안의 양두사兩頭蛇는 일심이신一心異身이 아닌 이심 일신異心一身으로 나타났다. 누가 이 괴상한 생명을 본대도 서로 싸우며 동신同身을 괴롭히는 자멸의 형벌이 어디서 기인하였는지 모를 것이다. 긴 몸이 축 늘어지고, 애증의 독아毒牙가 섬광을 일으키며 서로의 대가리를 물어뜯자, 피는 거울에 튀고 물결은 방안을 핏빛으로 바꾸었다. 그는 눈앞이 캄캄해지면서 정신을 잃었다.

시간이 어느 정도 지났는지 알 수 없었다. 몸은 조여들며 입술과 혓바닥이 타들어갔다. 그는 몸부림치며 구원救援을 불렀다. 누가 흔들기에 눈도 뜰 사이 없이 물을 받아 마시었다. 감로수였다. 조그만 창은 새벽빛이었다. LIFE 잡지를 뜯어 바른 벽이 아스무레 나타나고, 한기가 들어서 놀랐다.

벽 너머 바깥에서 어린것이 엄마를 부른다. 우는 소리가 들리었다. 빈상貧相으로 생긴 여자는 그가 벽인 줄만 알았던 문을 열었다. 길바닥에서 넝마를 입은 어린것이 벌벌 떨며 들어와 눈치를 살금살금 보았다.

여자의 마른 몸뚱아리와 더러운 이부자리가 역해서 그는 옷을 주워 입고 도망치듯 밖으로 나왔다.

"또 오서요."

여자의 목소리가 그의 뒷덜미를 밀어냈는지도 모른다.

그는 남산을 눈앞에 보며, 대관절 어젯밤은 어떻게 된 것일까 하고 생각하였다. 그는 폐허에 서서 지난밤 일을 회상하였다. 꿈이던가 생시던가 분별조차 할 수 없었다. 잡초 사이를 파괴된 집터들로 내려오면서도 지난밤 일이 알 듯 모를 듯 대중할 수 없었다. 아침 안개는 점점 자욱하였다. 천주당天主堂의 첨탑이 싸늘한 공기 속에 환상처럼 서 있었다. 폭격으로 반쯤 벽만 남은 건물에 주홍빛 태양이 매달려 있었다. 모두가 쓸쓸한 허탈에 지나지 않았다.

우울한 하숙집으로 갈 생각도 하지 않았다. 그는 해장국집을 찾아간다.

그러나 기억은 그가 아는 것과는 판이하였다.

1954

초적草笛

여인의 가슴에 슬픔을 주어서는 안 된다. 피곤한 몸 옆에 피와 태양과 오랜 인내의 표시인 과실나무를 자라나게 하고, 권태로운 사색 앞에 한 마리의 사슴을 선사하라. 병이 감염된 의사는 정원에 있는 그러한 회복기를 생각하고 들어오지 말기를 바란다. 겨우 눈을 뜨면 희미한 단백색蛋白色 윤곽이 점점 응결하며 나타나는 얼굴—혈온血溫이 곱군, 참 기쁜 소생蘇生이…… 손을 잡고 굳어버린 손에 비가 내린다. 그의 무덤 앞에서는 누구도 슬퍼하지 말아야 한다. 피와 태양과 오랜 인내의 과실나무를 무성하게 하고, 날마다 가축을 부르는 초적草笛을 들리게 하라.

1954

심상心像

스스로를 규정하지 않고 실체에 나타나는 하늘의 자유
이 괴로움을 그러한 진실로 씻어다오.
신이 아닌 자아에 기도하는 가슴 속 종소리
벽은 벽으로 연連하여 파괴 위에 핀 정신은
아름다운 별들이 운행하는 섭리의 유방乳房이다.

현실을 박탈하는 화력火力에 타오르며 흐르는 동양의 고혈膏
血이
침략의 잘못과 절망을 시정是正하는 광명이라는 것을
그러나 이러한 자각은 잿더미가 된 땅에서 일어나고 있다.
본질을 순수한 자비로 구극究極하라
그것은 무형한 사랑으로 주연周緣을 충만한 생명의 화판花瓣
이다.

1954

서재

나의 온혈溫血이 한 점 하얀 고병古甁에 번지는 정적이다. 그
열린 뇌수腦髓를 바라보면 무엇인지 분명히 들리는 듯한 연
꽃이 솟아 피었다. 존재와 관념이 하나로 녹아들다.

1954

오늘

1

무너진 경제에 피어난 허영의 남녀들, 착종錯綜한 고민이 구축되다. 가로수 아래 서서 지난날의 윤곽을 연상하면 폐도廢都의 배경에 다투어 나타나는 욕망들이다. 그러나 그것은 한낱 요기療飢도 될 수 없는 꿈이었다. 다방 안 사람들의 대화는 계산기처럼 냉혹한 이손利損으로 오르내리고, 천혜天惠의 다알리아가 화병에서 시드는 계절이다. 금붕어는 감금당하였을지라도 그것을 보는 사람의 눈에 효과를 주는 그 너머 큰 간판 글씨들이 절규하고, 해면海面을 건너온 물품들인 쇼윈도우가 고혹蠱惑의 웃음을 짓는 거리를 초만원 전차가 돌아나간 뒤, 모든 정신에 별도 달도 전등도 없는 밤이 내리다. 누구인지 취하여 파괴된 공간의 층계를 내려가는 구두 발자국 소리, 어두움이 어디론지 굴러 떨어지는 긴 비명을 이윽고 지워버린다.

2

관세음보살. 나는 누구에도 아닌 말을 중얼거리면서 점점 없어지다가 우리가 생활하는 오늘날 거리의 내부로 휩쓸린다.

나는 산란한 시장에서 자책 없는 간상奸商군, 허위의 가면을 쓰고 식료품을 구하여 돌아온다. 어떻게 하면 너를 사랑할 수 있나뇨, 나의 미운 사람아. 아내도 굶지 않기 위하여, 수치羞恥 없이 몇 장의 지폐를 받고, 언제나 발가숭이가 되는 인육人肉, 제 그림자 앞에서 움직이지 못하는 고독에 산[生]다. 생존한다는 것까지가 죄악이 되어버린 오늘날, 그 누구와도 상위점相違點이 없는 나와 너는 뭇 사람들이 누웠다 가버린 쓰레기통 같은 방에서 은근히 음식을 권하며 동정同情으로 결합한다. 서로의 합장은 절망에다 법 이전의 마음을 꽃피워 너와 내가 부조리도 긍정 않고 미소하면 문 너머 오욕의 거리도 모든 것을 위하여, 일체가 그대로 관세음보살.

3

이 사형수를 보십시오. 온몸을 태워버릴 듯 염염炎焰하는 빛깔의 옷은 얼마나 아름답습니까. 나의 과거를 묻지 마십시오. 나는 잘 익은 과실이며, 당신들에게 있어 마음의 양식임을 잊어서는 안 됩니다. 눈물을 보십시오. 이것은 나를 위한 것이 아니라, 그대들의 수확을 위한 이슬입니다. 미소를 보십시오. 내가 지상에서 오늘날을 홀로 성취한 것이 아니라는 증거입니다. 누가 손가락질하며 나를 꾸짖습니까. 나에게는 당신도 아름답게 익은 사형수로 보입니다.

1953

산재散在

1

나아갈 수 없는 일보一步, 물러설 수 없는 일순一瞬! 이 석경
石鏡에는 퍼렇게 녹슨 철선이 엉클어져, 그 너머 부서진 벽돌
들의 참혹한 시가市街를 배경하고, 표정도 없는 나의 얼굴이
비쳐지다. 이익으로 축복된 조화造花들이 여기저기 흩어져
있는 옛 부엌터를 지나 무너진 장독대로 돌아나가면 강제와
복종에 의하여 어느 동심童心에서 잃어진 인형 위에 평화의
태양은 녹음과 황앵黃鶯의 노래를 나타내고 있었다. 죽음은
어리석은 자의 빛나는 신앙! 성聖은 지난날 무회들도 이해하
던 취미였다. 나의 중심은 폐허에서 존재에의 가능인 현존이
전부! 나도 모르는 그 누구의 탄환인가, 또는 유탄인지! 파열
하는 석경 앞에서 나는 피할 것을 의식적으로 단념하다. 조각
들이 난 나의 전부는 조각마다 명멸하며, 무수한 각도에서 대
소 원근大小遠近! 무수한 생각의 위치로 산재하여, 거울 조각
들은 눈을 반짝이며, 모든 의문의 시선을 나에게 집중하다.
초목 사이에 쓰러진 광경의 착잡錯雜, 정신적 율격律格의 이
상理想도 타버린 파옥破屋들 위로 구름이 깊은 하늘 아래서

굶주린 창서蒼鼠들이 공포를 잊고 구석마다 널려 있는 시체를 씹고 있다. 과연 너는 생사의 어디에 있는 것인가. 아아 나는 아무데도 없는 것인가, 너와 같이……

2

외계外界와의 벽이 떨어져 나간 나의 뒤에서 석경石鏡이 없어진 내 정면의 양식樣式에 강렬한 일광日光으로 또 하나의 투영이 내 그림자에 합치하다. "여봅시오. 사회社會가 여기서 아직도 멉니까." 어두운 적막에 파문을 일으킨 음성은 틀림없이 내가 미소와 근로와 풍년에서 서로 사랑했던 너에 대한 추억의 소생이건만 그러나 너는 아니었으며, 동물보다도 추악한 맹목의 노파가 나무가지를 민감히 짚고, 눈물이 글성글성하여 서 있었다. "어디로 가십니까." 나의 물음을 듣자 "아들을 찾는다오" 하고 노파는 처절한 가두街頭가 돌연 다시 살아난 듯 밝게 웃더니 "꿈에도 모두가 철조망이드군요" 하고 염불처럼 중얼거린다. 그러나 나의 대답이 없자 노파는 산재한 와륵瓦礫 사이를 묘하게 비켜가며, 염열炎熱한 대기 속에 타버리듯, 아득한 저 멀리 조그만 흑점이 되어 그 자신의 희망처럼 사라지다. 나는 반사적으로 잃었던 자기를 의식하기 시작하다. 헤아릴 수 없는 심연! 나의 거울 조각들 안으로 더 침몰할 수는 없었다. 정확히 사물을 말할 수 있음은 자아에 충실하는 일이라는 것을 느꼈던 것이다. 나는 견해를 잃

275

은 기계가 되어 스스로 비바람에 돋는 독을 참을 수 없어 또 다시 부정과 긍정을 되풀이하다. 하루면 천만 번도 더 되풀이하는 나의 희망과 절망 사이에서 이 변함 없는 음영陰影이 움직이고 있다.

1953

빛을 뿜는 심장

내가 안고 있는 정신이 태양이라면 젊은 얼굴도 흙 묻은 사기 조각도 점포들의 진열장 속 여러 가지 빛깔도 무엇이라고 나의 품에서 차별 없이 나타나는 이 충만은 어디고 애증이 없다. 그러기에 구형矩形의 창 너머 바쁜 시민들이 지나다니는 반쯤 열린 유리에 외로운 황혼이 고요히 스며도 물체와 공간과 동작은 혼연히 결구結構되어 모두가 나의 명확한 사상을 노출하고 있는 것이다. 어지러운 하루 하루가 내 본능의 균형으로 아슬아슬 유지되어 사라지고, 닫혀진 방안에 어두움이 드리워지면 이미 엄연성儼然性을 각刻하는 순간과 무구無垢로 형화型化한 나의 심장은 끊임없이 고동하며 황홀하다. 그저 살아 있다는 것만이 사실인 아내와 어린것들의 때 절인 동질同質과 중량을 느끼며, 여전히 나의 자혈慈血은 광망光芒을 투사하는 것이다. 가장 틀림없는 괘종 시계는 텅 빈 관청에서도, 퍼렇게 병든 매음부에게도, 집산集散하는 정거장에서도, 고민하는 죄수에게도, 꿈꾸는 고아에게도, 병영에서도, 술집에서도, 병원에서도, 포도鋪道마다, 골목마다, 언제나 빛나게 내가 품고 있는 정신의 출발과 도착을 동시에 알려주는 영시零時를 치고 있다.

1953

충실充實

— 석굴암石窟庵에서

이 성중聖衆들은 나에게 그들을 표현할 수 있는 언어를 주지
않는다. 불가사의를 발현한 석조石造에는 신비를 분석할 수
있는 가능이 없다. 그것은 어떤 의도라기보다도 내포적인 본
성의 상징이었다. 그러기에 사람들은 대불大佛을 직시 못하
고, 자기 관념과 공통된 일면만으로 판단을 내린다. 예컨대
관음觀音도 나의 생각 여하에 따라 끝없는 마음에 의하여 헤
아릴 수 없는 변화를 비원悲願 자비 냉엄 온화로 나타냈던 것
이다. 돌 그대로가 비단과 영락瓔珞으로 흔들리는 이 고대의
예술을 사랑함은 우리의 현존에 대한 사고 방식을 위하여, 오
히려 정신의 위치를 밝히는 데 의의가 있다. 나의 위 · 아래와
앞뒤 · 좌우에 완전한 침묵으로써 응답하는 작품들이 하나의
우주를 전개하였던 것이다. 무수한 신자信者들과 그들의 이
교도들이 다양한 음색으로 심금을 울리고 가버린 이 절점節
點에서 우리는 어느 쪽에도 가담하여서는 안 된다. 왜냐하면
이것은 내 자신이 불세계佛世界를 이루고 있을 뿐, 한 인간이
그들에게 예속되어 있지 않기 때문이다. 이 확신과 정진精進
과 근본에서 솟는 역량이 화강암에 스며 퍼지는 작용과 결

과! 벌써 귀를 기울일 필요는 없다. 먼저 거대한 석괴石塊에 명료히 나타난 심상心像을 끌로 천착穿鑿하는 음향이 들리기 시작하였던 것이다. 눈앞의 불佛 보살菩薩 천인天人 호법 신장護法神將들은 다시 석공石工의 심안心眼을 통하여, 나의 육안肉眼에 나타나기 시작한다. 어느덧 나는 신라의 장인匠人이 되고, 이 대각大覺과 권구眷口들이 되어 잔월殘月처럼 아득한 그 옛날과 냉습冷濕한 석상石像과 현대의 암흑에 속속들이 물들어 모든 것을 자실自失하여버린 한 사람이 일시에 부드럽고 따뜻한 호흡을 정주靜奏하고 있음을 깨닫는다. 그러나 지난날 승僧들은 헛되이 각색 법복法服을 수受하고 범패梵唄와 요령과 목탁으로 청각도 없는 석상들 앞에서 얼마나 그들 자신을 자극하였는지 모른다. 휘황한 촛불이 오히려 신비스러운 밤, 황금 왕관이 그리고 단장한 미색美色들은 의식도 없는 이 성중聖衆들에게 안심하듯 아무도 모르는 자아의 복잡한 욕망을 어리석게 하소하였을 것이다. 그리고 그들은 얼마나 유의의有意義하게 때 묻고 먼지 앉은 대작大作에게 풍기는 예술가의 정신에 동화하였을까. 사람이 어느 세상에서도 하기 쉬운 말은 생활이란 괴롭다는 것이다. 지금 내 자신과 같이 붕괴하지 않고 엄존하여 있는 굴窟의 내부는 우리들의 경탄과 함께 석공의 생애를 생각하게 할 것이다. 어떠한 인생이 이와 같이 가공의 설정設定에다 질서 · 연결 · 균형 · 수식 · 묘리妙理 · 포용 · 풍만을 조성할 수 있었던 것일

280

까. 신라의 사람들이 무엇엔가 홀린 것처럼 극단적이었다는 것을 추론할 수 있음은 한 완성이란 그만큼 완전하지 못하다는 뜻이다. 그들의 현란한 문화는 천관天官과 죄수들만 사는 지상이 적라赤裸한 인간을 자유로이 성장하게 못하였다는 반증에 지나지 않는다. 절망의 산정山頂은 희망의 구극究極이며, 모든 자체自體에 있어 기쁨과 슬픔의 의미를 걷어버린다. 벌써 자연성을 스스로 깨달은 사람에게는 어떠한 환경도 중대할 수 없을 만큼 강한 힘을 스스로 얻는다. 참으로 이러한 그가 계절에 세심하지 않았던들 이처럼 정신의 부동을 시현示顯하지는 못하였을 것이다. 석공은 누구와도 다름없는 스스로의 생명에 착안하여 무한을 함축한 본질을 표현하려 하였을 뿐이다. 과연 석장石匠이 끌과 쇠망치를 놓던 날, 그는 자기 작품에 감동하였는지 않았는지 알 수 없지만 오늘도 연만連巒 너머 창해蒼海에서 아름다운 일광日光이 향훈도 정화수도 공양도 왕도 승僧도 귀족도 비빈妃嬪들도 없는 어둡고 적막한 굴 안을 비칠 때 나는 보화개寶花蓋 아래에서 진지한 인내의 구도求道와 중생의 비탄 속에 불사不死하는 사랑과 연판蓮瓣 위에 안좌安座한 생명의 고동을 관찰하고 있다. 사람은 언제부터 인간성을 스스로 잃었던 것인가. 우리는 원래부터 가지고 있던 것을 어찌한 까닭으로 잊어버렸기에 이제야 천년과 일순의 대면 앞에서 점명點明한 것인가. 그것은 한 사람이 또 하나의 순수한 생명을 접하여 상실하였던 본성을 지각한 것이다. 석질石質에는 우리의 실체가 부각되어 있다. 나는 자기 피의 순환을 이들에게서 발견한다. 이 성중聖衆들은 그들의 실상을 표현하고 있을 뿐 해석하고 있지 않다. 그러나 보드라운 손을 잡으면 동경憧憬을 배신하는 싸늘한 석상, 이는 세월에 시들지 않는 모습들이다. 어떠한 시대일지라도 우리의 문제는 단순하다. 그것은 생명에 적합하려는 현실에의 탐구일 것이다.

1953

깨독나무

떨어진 깨독꽃들은 물에서 탄생한 듯 아름다운데, 바위들의 침묵은 스스로의 모양같이 엄하고 영원하다. 주위의 나무들은 제게서 떨어진 꽃들을 굽어보며 깨독들을 점점 익히고 있다. 나무들이 소소沼를 굽어보듯이 나는 기름을 분비하는 파란 열매들을 쳐다본다. 시원한 그늘처럼 생각의 농담濃淡과 명암明暗의 산소山沼로 정서가 풀리듯, 성장盛裝한 아롱나비가 물 위 깨독꽃들에 앉을 듯 이리저리 날아다닌다. 산속 자세가 균형진 고요에서 꾀꼬리의 평화한 음색이 일어난다. 나도 법칙과 차별과 습성을 버리고 깨독 기름을 바르고 싶다. 산들바람에 힘 있고 유위有爲한 나무가지들이 제 모습을 흔들면 하얀 꽃들이 흩어진 수면水面도 옛 고향을 생각하는 피리 가락으로 팔랑거리면서, 서로 대답하는 녹음의 영형映形에서 나는 어머님을 분명히 본다. 나무들은 꽃 사이로 잎 사이로 하늘의 조각 밑으로 구름 밑으로 고기와 가재들이 노니는 물을 굽어보며 그리고 제 얼굴을 비추어 보며 만족하고 있다. 여러 가지 변화가 생동하는 순수한 산소山沼에서 나의 꽃은 나무를 우러러보며 지난날의 어머님과 대화하는 명상이 있다.

1953   **283**

과목果木

소망은 잎들을 무슨 근심으로 다 날려버리고 고전古篆에 익
었나뇨. 너는 하나 남은 주인朱印을 가슴에 안고, 눈바람에
서 있는가. 또는 침묵한 산곡山谷을 한 장 하늘 너머로 넘기
며 절[拜]하는가.

1953

녹엽綠葉

잊으면 얼마만한 안정인가. 마루에 앉은 대로 보는 동안, 잎사귀와 잎사귀에서 호흡이 일어난다. 녹소綠素의 불꽃은 점점 사라진다.

잎사귀는 스스로를 지우며 광명을 편다. 눈[眼]을 닫으면 내부에도 해와 잎이 나타난다.

잎사귀는 나비도 날지 않는 벽돌빛 더위에 힘을 빨아올리며, 열매의 중량을 시간에 반영한다.

나를 잊으며 본연의 모습이 된다, 잎사귀는 무엇으로…… 무엇은 모든 것으로……

1953

285

반수신半獸身의 독백

어느 날, 내 몸이 나의 우상偶像임을 보았다. 비가 낙엽에 오
거나 산새의 노래를 듣거나 마음은 육체의 노예로서 시달렸
다. 아름다운 거짓의 방에서 나는 눈바람을 피하고 살지만 밥
상을 대할 때마다 참회하지 않는다.

언제 끝날지 모르는 생을 두려워 않는다. 언제나 일월성신日
月星辰과 함께 괴로워 않는다. 추호라도 나를 속박하면, 나는
신을 버린다.

순간이라도 나를 시인하면, 나는 부처님을 버린다. 몸과 정신
은 둘 아닌 것, 비단과 쇠는 다르다지만 그러나 나에게는 하
나인 것, 언제나 여기에 있다.

시침이 늙어가는 벽에 광선光線을 긋는다. 산과山果는 밤에
도 나무가지마다 찬란하다. 돌은 선율로 이루어진다.

사람 탈을 쓴 반수신은 산 속 물에 제 모습을 비쳐 보며, 간혹
피묻은 입술을 축인다.

1953

286

이별

무거운 차 바퀴가 협골脇骨처럼 결구結構된 침목枕木과 터널
로 굴러 내린다. 몸은 어디로 가건만 마음은 미명未明에 떠나
온 항도港都로 지나온 레일을 다시 달리어간다. 앞뒤로 뻗는
무한의 속도! 바람이 일어난다. 수많은 사념思念의 낙엽이 공
간에 확 풍긴다. 빨간 산들과 썩어 문드러진 초가들과 돌밭을
파는 사람들이 차창에 가득히 흐른다. 뱅뱅 돌아가는 적막한
풍경에서 포탄처럼 나의 면상面上에 날아오는 모습의 확대,
그리운 얼굴, 상냥한 얼굴, 병든 얼굴, 착한 얼굴, 슬픈 얼굴,
심각한 얼굴, 외로운 얼굴, 점잖은 얼굴, 냉정한 얼굴, 잊을 수
없는 얼굴들이 낱낱이 나의 뇌리를 뚫고 사라지며, 다시 돌아
오며 앞뒤에서 부르고 있다. 나의 겹겹이 교차된 마음 위를
기차는 달린다. 나의 길은 어지러이 분산하는 레일들을 헤치
며, 어디로 뻗는지 알 수 없다. 무엇이 일시에 붕괴하는 듯한
음향이 일어나고, 온통 총알을 둘러쓴 벽이 끊어지면서 폐허
의 촌 역驛은 조각조각 흩어져 달아난다. 나는 존경하는 사
람, 사랑하는 사람, 정든 사람, 친한 사람들을 두고 잊지 못하
여 어디로 가고 있나뇨. 어째서 가야만 하나뇨. 혼잡한 승객

들은 어떻게 나와 구별할 수 있는 사람이뇨. 그러나 이유는 언제나 나의 과중한 여구旅具가 된다. 조각달은 내 이지러진 인내처럼 부옇게 걸렸다. 눈을 감으면 바람이 뺨에 시리다. 내 몸이 점점 멀어져가는데, 생각은 그리운 과거로 모여든다. 기차가 갈 수도 있을 수도 돌아올 수도 없는 나의 내부를 소리치며 달린다.

1953

그림자

그림자는 내벽內壁에 있었다. 머리카락을 드리우고 움직일 줄 몰랐다. 담배를 빨면 음향이 그림자의 가장자리에 불 켜졌다. 그것은 잃어버린 얼굴이었다. 주위가 무너지지 않으면 안 되었다. 바깥은 구름의 제비꽃과 샘물의 이야기와 나무들의 춤과 산의 애무였다. 그림자는 팔방八方의 벽에서 시들었다. 누구인지 "오너라, 나랑 놀자"며 부르는 소리가 들리었다. 귀에 익던 음성이었다. 벽은 눈을 부릅떴다. 그림자는 미약하나마 별이 되어 꺼지지 않았다.

1953

성숙
— 너의 눈은 하나의 과실果實이었다

법칙이란 이 과실을 완숙시키기까지의 필요이다. 아름다운 꽃이여, 눈이여, 남이 보는 열매이며, 그리고 만상萬象을 스스로 판단하는 눈이여. 환희에 넘쳐야 할 자방子房을, 그리고 점양漸釀하는 이 감미로운 영양소를 깨닫지 않으면 안 된다. 너의 육체와 정신이 어떻게 우주와 총화되어 있는가를 또는 단적端的으로 내포하고 표현하였는가를 지적해야 한다. 그와 동시 황진黃塵 속에서 성숙하는 네 응시하는 눈에 생멸生滅하는 바다 파도의 소란한 음향이 퍼진다. 이 결과를 위하여 얼마나 싸느란 세월이 너를 비치었던가를, 그리고 꿈처럼 사라진 지난날과 너의 꽃들이 얼마나 그 빛을 열심히 흡수하였던가를 안다. 날마다 드나드는 철선鐵船들이 보이는 위치에서, 너의 목숨이 지상에서 어떻게 발상發想하는 배구胚球인가를 조형하고 있다. 많은 잎들마저 병들어 떨어지고, 억센 가지에 매달린 과실은 하늘과 바다와 땅의 사물을 바라보면서 자신의 의미를 제시할 때가 왔다.

1953

요기도療飢圖

담배 연기는 지하 식당에서 치마 자락으로 너울거리다가 사라지고는 한다. 굶주림에서 반사하는 열사熱砂와 밤의 현기증을 조절하려고, 나는 썩은 나무토막에 주저앉았다. 가지가지 반찬 접시들과 별별 통조림의 색채들을 비치는 카바이트 화수火穗에 가리워져 요리인料理人의 목이 벌겋게 뚜껑을 연다. 그러나 밥을 담느라고 움직일 때마다 그의 뺨과 이마와 또 모발毛髮의 언덕은 불로 변하며 연신 살점으로 나타난다. 나는 무너지는 광경을 유지하려고 사계절의 열매들을 그대로 반영한다. 그리고 좁은 회로回路에 일어서는 매음녀賣淫女와 서로 향하여 진단을 받고자 벌써 경련하고 있었다. 공중선空中線이 굶은 흑우黑牛의 눈에서 타오른다. 육식 손님들 중에는 불에 가리워진 요리인과 내가 운동 선수처럼 식욕으로 연소하며 패배처럼 소생하는 것으로 경기를 보고 있었다. 그러나 불을 사이에 두고, 가엾이도 나는 임상대臨床臺에 누워 그들과 요리인을 성당의 천정으로까지 우러러보았다. 내 시궁창 같은 내장의 시험관에 음식이 질겅질겅 고이면서 세계는 요기하였다. 요리인이 어깨를 뒤로 젖히고 승리자로서

나를 비웃었을 때 그 얼굴에 퍼지는 광명을 감탄하였다. 유리
빛 비를 맞으며, 간판뿐 아무도 없는 골목을 걸어 나간다. 통
행 금지 시간이 지하 식당의 불 같은 권태로 육박해온다. 밤
은 담배 연기가 그리는 여자 치마 속의 꽃술을 보며, 어느덧
노인으로서 졸고 있었다.

1953

정경情景

라디오의 보도로 갑자기 긴장하는 것은 습관이 되어 있다. 그
럴 때면 바다는 창에 일제히 몰려들어와 우리가 내다보던 시
설과 잡답雜沓과 고역苦役을 뒤덮어버리고, 모두가 무애無涯
로 전개하는 자실自失이 된다. 뉴우스는 내 심안心眼에 지구
의 어느 곳으로도 통할 수 있는 미명未明의 바다를 달린 함정
艦艇들을 재현시켜주는 것이다. 빗발 너머 육중肉重한 용골
龍骨 위에서 싸우는 내 아들의 눈이 어두움 속에 타오르는 조
국 땅과 동족들의 항사抗射하는 불길 앞에서 이 늙은 아비의
눈으로 변하는 것이다. 문득 나의 창을 폭파하는 물보라 사이
로 무섭게 내 아들은 사라지고, 미쳐 날뛰는 파도의 굽이마다
선혈鮮血이 흩어져, 나의 앞에서 검푸른 깊이에서 철편鐵片
들과 찢어진 사지四肢가 무참히 해조海藻 사이로 침몰하는
이러한 앞에서 나는 기절할 경계에 이르다. 방송은 끝나고 갑
자기 조용하다. 그 어느 날과 다름없이 바다는 나의 창에서
물러나 나가고, 땀과 먼지에 쌓인 부두埠頭의 소음과 시꺼먼
역내로 달려드는 열차의 기적이 나의 신경을 불러일으키다.
매연에 때묻은 각국의 기들이 나부끼는 항구에서 저기 어떤

사람이 거지가 내미는 손을 물리치며, 피곤한 손짓으로 담배에 불을 붙인다. 바다는 언제나 우리를 영위하는 창에 여전히 확대되어 수평의 위아래로 장두檣頭의 임립林立, 묵묵한 포신砲身들, 기중기들의 분망紛忙, 거리距離를 연결하는 전선들, 이러한 선과 점과 활곡滑曲과 양량의 의장艤裝들이 인가人家들의 창과 눈들과 선창船窓들 사이를 맥락脈絡하여 있는 것이다. 나는 모든 아버지와 아들을 생각하고 바다의 재구성을 위하여, 참다운 은혜 있기를 중얼거리다.

1953

나비

눈물은 괴로움을 씻어버리지 못한다. 서운자병瑞雲磁瓶에 핀 동백꽃이 원고지에 일제히 그림자 진다. 내가 왜 혼란을 느끼는가. 원래 악독할 수 있는 기쁨은 없다. 괴질怪疾 같은 고독을 걸머질 선심은 없다. 불안은 눈먼 나비가 되어 두뇌의 꽃들 사이로 기어간다. 나비가 찢어진 날개를 칠수록 펜 끝은 푸르르 정액을 쏟고, 종이의 빈 칸마다 알[卵]을 슨다. 내 정신의 기록이 무수한 나비로 부화하여, 잎들과 나무가지들을 방황하다가 마침내 동백꽃으로 날아 솟는 어느 태양일 수 있을까. 그러한 꿈을 보는 생리生理가 나를 괴롭힌다. 나는 미소를 품고 들리지 않는 노래를 더듬는다. 황혼을 향하여 검게 변하다.

1953

이월의 소식

눈은 마음의 해와 별들을
가리며 내린다.
밤이면 전등불들이
가슴 깊이 싹트는 땅 위에
죄악처럼 화려하고
햇볕 퍼져 안막眼膜에 끼워지는
어쩔 수 없이 누잡陋雜한 풍경을
얼어붙인 눈물이 있다.
나를 스스로 위함이 아닌
사색의 이월
창을 눈보라로 정화해다오.
저 안에서 그림자처럼
소생하는 영혼이 있어
비정非情의 시가市街를 휙짓는
절망의 가지마다 홀로 핀 매화는
이 어디서 온 소식이뇨.

1953

지침指針 없는 시계

우리를 보아라.

<u>1953</u>

십자로

십자가를 멘 예수님의 대신인가. 십자로 위의 그들은 불행히
성스러울지라도 죽을 수 없는 신이기에 차륜車輪들을 비키
느라 시간과 능력을 계산하기에 바쁘다. 하늘이 회상回想으
로 들어오듯 어디로 가야 할까. 십자로는 우리에게 집중하는
포화砲火들로 타오른다. 순간마다 피하며 방황하는 사람들은
너 · 나 없이 인조 인간이 되어 물질의 종언終焉할 날을 실험
하고 있다. 그러나 출발하는 십자로에서 육신의 진통은 얼마
나 존엄한가. 흰 눈이 십자가에 쓰러진 그들을 덮는다.

1953

생명의 능각稜角

일은 어디서 시작하여, 끝날지 모르는 심서心緒를 한 형상으로 만들기까지의 삭제이다. 점토에서도 공간을 발견한다. 변화를 현미경으로 들여다본다. 침묵이 지적하는 판자집들은 무슨 뜻인가. 언덕을 쏘는 초점, 시체들은 어쩌라는 것인가. 전폭全幅의 배경인 주황빛 달이 휙휙 돌면서 녹아 흐르는 산협山峽은 어떤 결정을 촉구하는가. 관찰은 갈피를 잃어 난선亂線으로 뒤엉킨다. 그 하나하나를 긁고 끊고 뜯어내어 살려야 한다. 잉크는 백지에서 날마다 피투성이였다.

1952

시각視覺의 결정結晶

현실의 그림자는 내 외로운 시각 안에서 결정한다. 눈은 헛된 꿈의 각도를 통하여 내다본다. 바람에 흩어지는 매연이 내 칠색七色의 애정을 지워버린 지 오래였다. 저기에는 비애도 없이 독사가 똬리를 튼다. 아니, 방심한 톱니바퀴가 돌아간다. 얼마나 매혹적으로 흘러내리는 피가 꽃처럼 만발하느뇨. 몸은 비를 노박 맞는다. 더러운 절벽切壁에 침투한 내 골육의 그림자는 관념의 환광幻光으로 나타났을까. 나의 안계眼界는 짜디짠 눈물에서 암흑으로 용해한다. 거기에는 하나의 태양과 수면睡眠도 없다.

1952

뇌염腦炎

하얀 세균들이 몸 안에서 불가해한 뇌를 향연饗宴하고 있다. 자아의 시초始初이던 하늘까지가 신음과 고통과 뜨거운 호흡으로 저주에 귀결歸結하였다. 그 결화結火의 생명에서 이지러지는 눈! 피할 수 없는 독균毒菌의 지상地上이 시즙屍汁으로 자라난 기화奇花 · 요초瑤草로서 미화하였다. 구름을 뚫는 황금빛 안정과 울창한 냄새가 해저처럼 만목滿目되어 절규도 구원도 없다.

이때에 뇌염 환자는 운명하는 것이다. 곁에는 처자도 없이 송장이 송장 위에 누적될 따름이다. 인류의 지뇌智腦는 균에 의하여 정복되었다. 균들은 그들의 주조主調를 보이지 않는 무용舞踊과 소리 없는 환소歡笑로 교차하며 정精을 이루었다. 균들의 신, 균들이 발생한 사람 몸은 가속도로 백골이 된다. 감미로운 부육腐肉도 공기로 변하고, 고혈枯血마저 맑은 빗발이 되어 폐허를 씻고, 매몰된 문화의 파편을 축일 때 병균은 멸망할 것이다. 언제인가 사람은 두골頭骨을 집어들고 아내에게 말하겠지. 보라, 이것은 우리가 고문서古文書에서 흔히 읽을 수 있는 그러한 뇌염으로 사망한 자는 아니다. 구멍이 여기에 증거로 있다. 이것은 탄혈彈穴이다. 사람이 사람의 지뇌智腦에 의하여 사람을 서로 죽인 생명의 투쟁이었다. 염균炎菌은 그 부뇌腐腦에서 퍼졌을 것이라고. 순수한 빛의 영역에서 검붉은 파장을 일으키며 헤엄을 치는 세균들은 그들 각자의 순수한 빛을 완성하려는 지향志向이었다. 생명이 생존하는 생명을 침식하며 번식하고 있다. 싸움은 열려熱麗한 승리의 반기斑旗를 펴는 동시, 그것은 그대로 부란腐爛하는 형국의 수의壽衣였다.

1952

302

제비

열 마리, 백 마리, 천 마리 제비들이 막막한 해면 위로 뭍의
향훈을 꿈꾸며, 이 공포를 횡단하고 있다. 나의 어지러움이
어느 바다에 부침浮沈하는 제비의 유해와 같을 숙명이라 하
여도 좋다. 그러나 제비들이 단 한 송이의 장미와 녹음과 첨
하檐下를 삽입할 여백도 없이 말아 오르는 성난 파도 위를 날
으며 있다. 그것은 노력이 반요反要하는 무형의 바탕에서 나
의 제비가 날으는 힘이라고 하자.

1952

내일

너는 네 능금 같은 몸을 파먹는 벌레가 나 자신인 것을 몰랐
으리라. 네가 웃을수록 내 살도 흐물어진다. 꽃다운 허영이었
다. 너는 관 안에서 나와 이별할 때가 왔다. 나는 너를 찾는다.
너의 형태인 울음이 미웁다. 누구나 몸을 떠나면 순화純化하
리라.

사랑은 독한가 보다. 우리는 자멸에 이르렀다. 너는 무성한
머리카락 밑에서 샘이 넘쳐흐르는 습성을 길러왔다. 나도 무
거운 생각을 버틴 팔이 장마비에 썩는다. 밑바닥에서 너는 일
어나지 못한다. 원을 손으로 그리며 자아에 예배하지 못한다.
나는 사실 어쩔 수도 없었다. 너의 유방乳房이 사라진 곳에서
시간은 시작하였다.

너는 내 참회도 끝나기 전에 몇느뇨. 움직이지 않는 눈동자가
무의미한 시가市街에 남긴 원願은 무엇이뇨. 우리는 이유도
없이 살아온 셈이다. 내일의 가치도 없이 육욕肉慾으로 생멸
生滅하는 허무야. 비린내 나던 손도 굳어버렸나! 붉은 언덕이

뻗은 바다와 나무들 사이로 도박장과 Z 전투기가 지나가는
방안에서.

상흔은 장미빛으로 살아난다. 너는 지상에 흩어진 별[星]이
다. 내 가슴에서 겨울바람이 분다. 나는 나의 그립자를 안고
쓰러진다. 널 뚜껑은 우리 위로 덮인다. 아무도 모를 것이다.
내일이 날마다 우리에게서 태어남을.

1952

다방

전등은 저 어항도 비친다. 나는 능금과 빵이 들어 있는 유리
관을 통하여, 금붕어가 이중의 간격을 일순一瞬으로 노는 것
이 보이는 위치에 있다. 내가 물 속에 있는 것이다. 계산서가
점점 물 속으로 일렁거리며 나타난다. 이끼가 나의 희망에 파
룻파룻 돋아난다. 모색摸索의 고기들은 구름도 없는 분위기
를 헤치며, 은린銀鱗을 번쩍이며 내 주변을 헤맨다. 내 함부
로 뻗은 정신의 구성인 산호의 가지들 사이로 눈을 감으면 수
많은 고기들이 감벽紺碧의 해심海心을 뚫는 만월을 넘는다.
그러나 내 얼굴은 저 벽의 DEATH MASK, 기름땀을 흘리며
음악과 전광電光으로 산화酸化하고 있다.

1952

차이

달빛이 넘쳐 들어오는 바깥에서 두견은 운다. 피가 텅 빈 흉
벽胸壁에 흐르는 소원이 솟아오른다.

모든 것은 진리였습니다. 존재와 사실에는 자비가 있습니다.
그 미묘함을 알겠나이다. 그러나 생명은 또한 현재는 중요하
지 않나이까. 지금이 없다면 우리는 과거도 미래도 있을 수
없습니다. 현재가 없는 당신의 말씀은 진리일 수 없습니다.
이렇게 되리라고는 우리는 꿈에도 생각하지 못하였습니다,
어떤 이상理想이라든가 더구나 양심으로는 살 수 없으리라
고. 어떻게 하면 당신의 정당한 모습을 대할 수가 있습니까.
이제 나는 당신과의 차이를 버립니다.

달빛에 백의관세음보살 상像은 꽃 그림자의 자위를 옮긴다.
나의 기원은 내가 들을 수 있는 유일한 대답이었다.

1952

기도

내가 배고플 때
당신은 어디서 저 달을
바라보실까 생각하였다.

당신이 괴로우면
그제는 나의 마음을 알아주고
이 초막으로 돌아오리라 믿었다.

당신이 온 날,
당신은 나의 평화를 빌며
세상에 태어나기 전처럼
영원 그것이 되었다.

등불은 무심히 밝건만
싸늘하니 누워 있는 당신이
바로 나의 앞날일 것 같아서
공손히 합장하였다.

1952

성염盛炎

— 뱀의 소묘素描

그리움은 긴 몸에 화문花紋으로 돋는다.
스며드는 열풍熱風과 병든 눈으로 멀리
산호초를 넘는 파도가 허옇게 소리치고
기어오는 청동빛 두꺼비 등 너머로
다시 세월이 한아름 솟아오른다.
날아가는 과실果實 아래, 구름 빗긴 바위에서
사무치는 사념思念이다. 화문은 조용히 탄다.

1952

무無의 존재

무를 통하여 떡장수 아낙네는 공원에 종일 앉아 있고
무를 통하여 밤 열차의 불들은 철교를 두 쪽으로 나누며 달
리고
무를 통하여 언제나 시詩는 해산解産하고
무를 통하여 해와 달과 별들은 숨을 빛으로 쉬며 떨어지지
않고
무를 통하여 조상의 무덤은 연못 되어 영상映像과 속삭이고
무를 통하여 울음과 동작은 변화하고
무를 통하여 무는 없어지다.

나는 담배를 피고 믿음으로써 아내를 돌아보는데
아내는 설익은 살구를 먹다가
눈으로는 나에게 웃으면서
이맛살을 찌푸린다.

다시 무를 통하여 변하는데
피곤하거든 잠시 머리를 돌려

무의 존재를 보소서.

실實은 여기에 있나이다.

1952

나는 유리창을 나라고 생각한다

나는 이 유리창이라고 생각한다. 이처럼 계절마다 가지가지
로 변하는 벽화는 없을 것이다. 전등을 죽여도 해와 달과 별
들이 창에 끓어올라 심심하지 않다. 당신이 날씨를 살피며 기
다리던 사람이 오후의 길을 오는 것이 보이는 나는 이 유리창
이라고 생각한다. 왜 이러한 생각을 하느뇨. 암만하여도 나는
그 순수한 투명이 좋은가 보다. 아지랭이를 따라 꽃에서 꽃으
로 날으는 나비의 기쁨도, 책상 너머 바깥에서 오랫동안 더위
를 씻어주던 녹음綠陰이 낙엽지는 고요도, 잘 익은 과실나무
아래서 생각하던 사람이 부르는 목소리도, 다 그대로 전하여
주는 나는 이 유리창이라고 생각한다. 나는 어둠을 차별하지
않기에 한 쌍의 제비가 단꿈 꾸는 그믐밤도 미워하지 않는다.
이 유리창과 나를 분리할 수는 없다. 눈보라 칠 때 유리는 추
위가 방안을 침범하지 못하도록 막아주건만 방안의 나는 젊
은 소경이 피리를 삐이삐이 불며 지나가는 것을 무심히 듣는
나를 슬퍼한다. 그러나 유리창이 맑음을 잃고 추위에 복잡한
꽃무늬로 동결凍結한 모양이 내 아름다운 슬픔의 형상임을
보기도 한다.

1952

반수신半獸身

너는 사람 탈을 쓴 굶주린 짐승
옛 벽화에 서성거리는 나의 그림자

이 밤 가냘픈 등불인 양 빗발에 떨며
오롯이 돌아가는 시침時針에 몰리노니

아아 병든 꽃술이 무거이 벌어져
섬벅 아롱질 듯 빙주氷柱 같은 이빨디여

오오 비린내를 풍기는 모진 포효咆哮들

물결 위로 솟는 해를 더듬으며
수많은 시체에서 일어서는

오늘도 나는 사람 탈을 쓴 굶주린 짐승
알몸의 피를 잎으로 씻으며
낡은 벽화에 꿈을 담는 사나이

1952

비상飛翔

날개야, 소원을 품고 잔디밭에서 뜨라. 하늘을 깊이 날으는
기체機體는 어족魚族과도 다른 사람의 꿈의 실현實顯이거니,
심장을 태양 위치에 두고, 일용의 기명器皿을 애호하여라. 날
개를 몰아 구름을 뚫으면 타오르는 조수潮水에서 너의 죽은
몸이 연신 날아오른다.

1951

묵상默想

하숙하고 있는 친구에게 가서, 그의 밥 한 그릇을 염치없이 반쯤 얻어 먹고 나니, 아침 햇살에 오르는 김[蒸]이 곱기도 하다. 삶이 부끄러워 수은이 드문드문 벗어진 거울 안으로 숟가락과 얼굴을 보았다. 그러한 것을 기도라고 하는가. 공허에 나타난 한 마리 까마귀가 울음만 남겨놓고 나의 머리 속을 지나 수평선으로 사라진다. 나는 떠나갈 재주도 없었다. 싹이 트는 힘에도, 뼈가 휘는 구슬땀에도, 감사할 곳이 없었다. 사람들에 휩쓸려 걷는 두 다리가 마하불가사의摩訶不可思議* 해서 못 견디겠다. 생존의 서슬에 찢기다 보니, 하 미안해서 피가 흐르는 손으로 합장한다. 또 배가 고프다. 아무도 원망하기가 싫다. 인정은 구멍난 판자 가게의 음식을 기웃거린다. 밥은 소금빛이었다. 나는 입언저리의 맛난 눈물을 훑는다. 까마귀가 사라졌던 곳으로부터 기원의 갈매기는 온다. 불쌍한 인가人家들과 얼굴들을 스치며 활활 날아오른다. 나는 창 너머 때묻은 항도港都를 굽어보았다.

1951

피난지

목숨을 찾아 해안선까지 쫓겨왔다. 눈바람으로 울부짖는 집
들은 폐선廢船 냄새가 났다. 파도를 남루로 가렸다. 폐벽肺壁
은 무너지며, 지난날의 꽃잎들로 날았다. 어디로 들어가든지
들어가면 무덤들은 골목을 바다로 열었다. 찾아도 나는 없었
다. 등불들이 곰팡난 육신들에서 깜박이었다. 이야말로 기적
이었다.

<u>1951</u>

노래

천하에 이러한 일도 있나, 깨끗이 조각난 심장. 그런데도 죽
지 않고 소위 문명을 생각한다.

1951

희망

나는 죽었다. 또 하나의 나는 나를 조상弔喪하고 있었다. 눈
물은 흘러서 호롱불이 일곱 빛 무지개를 세웠다. 산호뿔 흰
사슴이 그 다리 위로 와서 날개를 쓰러진 내 가슴에 펴며 구
구구 울었다. 나는 저만한 거리에서 또 하나의 이러한 나를
보고 있었다.

1951

양지陽地

누가 흐느껴 우는가. 우리의 아픔임을 알아야 한다. 언제까지
그러고 있으려는가. 서로는 만나야 한다. 우리는 역사 책보다
도 더한 체험을 하였다. 목숨이 쓰러지는 사람들을 밟는다.
바퀴가 죽어가는 사람들 위로 지나간다. 그들은 어쩌다가 죽
었는지를 모른다. 그들은 어쩌다가 살았는지를 모른다. 서로
가 지옥의 불사조들이었다. 나에게서 너를 찾아야 한다. 정신
이 더 해부되기 전에 핏줄을 따라 손이나마 만나야 한다. 거
절하는 까닭이 믿어지지 않는다. 철鐵들이 왜 불을 뿜는지 아
는가. 너의 울음은 서로의 아픔임을 알아야 한다. 시체들만이
만나서 양지에 다정히 누워 있구나.

1951

인간 기계

마음은 철과 중유重油로 움직이는 기체機體 안에 수금囚禁되다. 공장의 해골들이 핏빛 풍경의 파생점을 흡수하는 안저眼底에서 암시한다. 제비는 포구砲口를 스치고 지나 벽을 공간에 뚫으며 자유로이 노래한다. 여자는 골목마다 매독梅毒의 목숨으로서 웃는다. 다리[橋] 밑으로 숨는 어린 아귀餓鬼의 표정에서 식구들을 생각할 때 우리의 자성自性은 어느 지점에서나 우리의 것 그러나 잡을 수 없는 제 그림자처럼 잃었다. 시간과 함께 존속하려는 기적의 기旗가 바람에 찢겨 펄럭인다. 최후의 승리로, 마침내 명령일하命令一下! 정유精油는 염열炎熱하고 순환하여, 기축機軸은 돌아올 수 없는 방향을 전류 지대로 돌린다. 인간 기계들은 잡초의 도시를 지나 살기 위한 죽음으로 정연히 행진한다. 저승의 광명이 닫혀질 눈에 이르기까지 용해하는 암흑 속으로 금속성의 나팔소리도 드높다.

1951

미지未知의 모습

무거운 어둠이다. 혈조血潮가 내 얼굴을 더듬는 손에 따뜻이
전한다. 아침이 문을 열면 설원雪原에 발자국만 남기고 없는
사람이다. 그들은 누구일까. 어디서 밤을 사루며 쉬고 있을
사람이다. 숲의 신음이 찢어지는 구름 사이로 들린다. 누구일
까. 떠오르는 미지의 얼굴들을 더듬으면 혈조가 다시 나의 손
에 따뜻이 전한다.

1951

겁却

너는 나와 다르지 않다. 나는 너와 다르지 않다. 너는 지금에
있으며, 나도 지금에 있다. 네가 노래를 부르면 나는 춤을 추
었다. 나는 네가 울기에 아팠다.

웬일인가. 우리는 무섭지 않으면 괴롭다. 괴롭지 않으면 무섭
다. 살아야 하기에 괴롭고 죽을까 봐 무섭다. 사람은 사람을
없애버린다. 사람을 사람이 없애버린다. 사람을 없애야 한다
던 사람과 사람에게 없어짐을 당하라던 사람도 없어진다.

송장만이 쌓인다. 썩는 냄새가 흩어진다. 지구는 뼈만 남고
흐른다 별처럼 떨어진다 무한으로 조각도 없이⋯⋯

생각하고 고쳐 생각해도 그럴 리야 있습니까. 한 말씀을 들려
주십시오.

1951

밤

.

벽 너머에서 아내를 침범하는 오랑캐꽃물 냄새가 풍긴다. 무
엇을 생각하느뇨. 귀뚜라미도 잠이 들었다. 원인은 지나갔다.
내 곡성哭聲이 먼 동네에서 들리어온다. 나의 두 손목에 채워
진 황금 수갑의 순수한 광망光芒을 굽어본다.

1951

이유

나의 눈물은
"그대의 고운 마음이 어째서 나를 울리는지."
그 이유처럼 알 수 없다.

나의 사랑은
"등불이 어째서 어두움을 녹여버리는지."
그 이유처럼 알 수 없다.

나의 기쁨은
"침묵의 잎 사이에서 어째서 꽃이 웃는지."
그 이유처럼 알 수 없다.

1951

탈출

한 실체實體가 무수한 주의主義들에 의해 여러 가지 색채로 나타났다. 제각기 유리한 직감의 중첩과 교차된 초점들로부터 일제히 해결은 화염으로 화하였다. 이러한 세력들과 규각 圭角은 모든 것을 분열로 구렁으로 싸느랗게 붕괴시켰다.

철탄들이 거리마다 어지러히 날으고 음향에 휩쓸린 방 속 나의 넋은 파랗게 질려 압축되었다. 한 벌 남루의 세계 지도에 옴추린 내 그림자마저 무서웠다.

발가벗은 본능은 생生 · 사死의 양극에서 사고思考와 역사성이 없었다. 조상祖上이 미지未知 앞에 꿇어 엎드렸던 바로 그 자세였다.

그러나 지식과 과학이 인간을 부정함에 만질 수 없는 용모와 보이지 않는 구호救護를 힘없는 입술로 불렀다.

역시 신은 한 가지도 아쉬운 것이 없으니까 누구나 상상할 수 있는 한의 행복 · 존엄 · 미 · 전능으로서 슬픈 바탕에 나타날 수 있다. 그러나 절대는 빛나는 목숨의 태양을 버리고 있을 수 없었다. 아니라면 오늘날의 난리는 신의 뜻으로 이루어진 걸작일 것이다. 길은 피투성이의 현실을 외면하고 없었다.

진동하는 벽 너머로 끔직스레 생명들이 서로 죽어가는 시가
전이 열을 띠자 이러한 환상은, 신은 저절로 없어졌다.

우리의 손으로 만들지 아니한 무기들은 불비를 쏟는다. 주검
들이 즐비하니 쓰러져 도시는 타오르며 거듭 변질하였다.

조국은 언제나 평화를 원하였을 따름이다. 승리의 기旗를 목
적한 일은 없었다.

무사히 남쪽으로 탈출한 것은 능력이 아니고 우연과 요행이
었다. 생각하는 갈대는 없었다. 거칠은 기상氣象에 빙결氷結
한 갈대를 밟으며 도중에서 죽지 아니한 것은 돈이 종교 이상
임을 실증한 데 불과하였다.

나는 이 항도港都에 온 뒤로 교회 앞을 지나기 싫어한다. 십
자가가 사람들에게 피살된 시체로 보여 매스껍기 때문이다.

나는 점점 눈뜨고 볼 수 없을 만큼 가지가지 말과 행동으로
부패한 그리고 저주할 자기 육괴肉塊와 양심을 할절割切하는
천재가 되어 아사餓死를 면하고 있다.

오늘날의 괴멸에서 나는 오늘날의 사람과 같은 나다, 음모다,
생활이었다.

그러나 참혹한 생존은 결국 사람이 얼마나 사랑이 필요한가
를 스스로 깨닫기 위한 끊임없는 변동임을 알았을 때 나는 강
도질에 쓰던 권총으로 자살을 단념하였다.

무한대의 미지에서 수리적數理的 의욕은 작열하며, 피가 흘

러 우리는 무서운 과정에 있다.

선박들이 오가는 풍경에 서서 바다와 하늘이 입을 맞춘 영구
선永久線의 안정을 보며, 내 고통이 아무런 가치도 없음을 생
각하고 있다.

1951

마지막 곡예

괴로움이 뚫어지는 날은 죽음이다. 여자가 원圓을 향하여 선
다. 발은 시간의 선 위를 걸어간다. 까마득하니 어지럽다. 위
와 밑은 톱니바퀴로 돈다. 날으는 포말泡沫이다. 미친 파도가
창窓들이 총총 박힌 절벽에 기어오른다. 동정하는 사람도 없
다. 위험할수록 재미나니 돈까지 내고 구경한다. 인육人肉은
여자가 가까이 갈수록 넓어지는 죽음의 원에 걸려 있다. 천정
에서 줄을 타고 내려오던 큰 거미의 그림자가 고기에 박힌다.
밑에서는 수많은 눈들을 쳐들고 있다. 여자가 걸음을 멈추고
권총을 한 방 쏘자, 가면을 벗은 거미는 병정兵仗으로서 떨어
진다. 장내는 박수 갈채가 일어난다. 여자는 이마의 땀을 씻
고 한숨을 몰아쉰다. 군중은 다음이 궁금하다. 여자는 고기를
먹어야 할 순서인데, 파도소리가 뒤흔드는 시간의 줄 위에서
야만종처럼 벌벌 떨며 주저한다. 구경꾼들은 재미가 없다고
격려한다. 곧 끝나기를 바라는 사람도 있다. 여자는 다시 손
을 내밀다 말고 머리를 움켜쥔다.

죽음의 한계가 사라지면서 불을 뿜는다. 절벽이 터지는 소리
였다. 피바다는 밀어닥친다. 여자는 하얗게 떨어져온다. 관중

은 일제히 일어섰다.

1951

계절

다리가 계단을 오른다. 모자를 벗고 사무실로 들어선다. 육부
六腑가 쏟아진 퇴적堆積이다. 정신의 배자胚子가 잎사귀로서
솟아오르는 계절이 수은주에 나타난다. 아내는 이유도 없이
나를 사랑하지만 나는 이해를 무시하고 미소가 피어나지 않
는다. 나날이 시드는 손이 있다. 전등도 켜지지 않는 계단을
내려온다. 제비꼬리 같은 웃수염이 악취惡臭에 자꾸 오무라
든다.

1951

판화版畫

자고로 그랬는지 모른다. 식성이 그래야만 풀리는지 모른다.
눈을 가리고 아웅하자 불은 활활 피어 오른다. 물은 **뽀**얗게
끓는다. 연기에 싸여 벌벌 떤다. 살은 경련하면서 살을 살이
씹는다. 핏덩어리로 꿈틀거리며 구수하게 익는다. 갖은 양념
을 원대로 발라 큰 쟁반에 올려 모셨다. 웃음소리가 일제히
일어난다. 달은 십자창에서 굽어본다.

1951

눈

비가 온다. 엽맥葉脈에 걸려 파닥거리는 나비가 눈[眼]에 확
장擴張한다. 손을 들자 홍수에 떠내려가는 아우성소리가 들
린다. 그것은 나비가 아니라, 그들의 몸짓이었을 때 피가 나
의 눈동자인 보석에 묻었느니라.

1951

어둠에서

눈을 어둠에서 뜨고도 자신을 보지 못할 때 누가 너를 좋아한
다면 믿겠느뇨. 자기 자신을 믿지 않듯이 그를 비웃는다, 어
둠으로 침몰한다, 별 하나 없는 깊이로.

타버리고 부서진 길거리에서 아귀餓鬼되어 생각에 잠길 때
세상이 무엇인지 알 듯 모를 듯할 때 너는 누구를 위하여 잠
을 못 자느뇨.

그가 너를 좋아했을 때 너는 믿지 않더니, 회상은 지워버려도
어둠에서 빛난다. 맨 밑바닥에 쓰러진 너는 차츰 그의 마음씨
가 된다.

1951

검은 꽃

물이 넘쳐흐르는 투명체에 구근球根을 두었더니 각 면마다
굴절한 햇빛이 수심에서 서로 투사投射하며 꿈을 짜넣어 싹
트기 시작한 잎이 드디어 바위에까지 푸르르 그림자 진 것을
기뻐했으나 쥐는 고양이처럼 지나가며, 고양이는 쥐처럼 지
나가 단말斷末의 비명이 일어날 적마다 놀라서 검은 꽃이 피
고, 이루어질 수 없는 소원만 금빛 꽃술로 반짝이니, 어찌한
까닭이뇨.

1951

신화

내가 볼 적마다 놈은 흘끔흘끔 나를 보기에 무슨 할말이 있다면 시원히 들어보려고 가니까 놈도 긴한 일이나 있는 듯이 내게로 온다. 우리 인사 합세다 하니까 놈은 음흉스레 입술만 들먹일 뿐, 대답을 않는다. 내가 수상한 놈임을 알았지만 선심으로 악수를 청해도 놈은 싸늘한 제 손끝만 내 손끝에 살짝 들이댄다. 놈의 소행이 괘씸하나 나로서는 기왕 내민 손을 옴칠 수도 없어서 정답게 잡으려는데, 놈은 기를 쓰며 그 이상 응하지 않는다. 어처구니가 없어 웃으니까 그제는 따라 웃는다. 하 밉살스러워서 뺨을 쳤더니, 거울은 소리를 내며 깨어진다. 놈은 깨끗이 없어졌다.

목[首]을 잃은 나는 방안에 우뚝 서 있는 놈의 동체胴體를 보았다.

1951

이씨李氏 일가

어린이가 엎드려 그리는 태양에 털이 난다. 바깥에서는 편대
기編隊機가 날아가고, 바람이 분다. 기울어진 십자가가 등에
하늘을 지고 방으로 이씨의 눈동자에 넘어 박힌다. 딸아이는
노래를 부르며 들어서다가 동생이 흩어놓은 제 화구畵具를
보고 언짢아하더니, 털이 난 햇님 앞에서 깔깔 웃는다. "왜들
시끄렇게 구니." 이씨는 꾸짖고 다시 새우잠으로 쓰러진다.
가다가 죽을망정 남쪽 천리길이다. 목적은 살아야 한다. 지붕
가득히 피난민들을 실은 기차가 오늘도 몇 번이나 폐허를 빠
져 달아난다. 옷감과 결혼 반지까지 싸서 들고 남편의 무능을
종알거리며 나간 아내의 심정을 생각한다. 흑춘黑椿은 UN
군량軍輛들과 사람들을 비키며 팔리지 않는 물건을 안고 한
숨마저 얼어붙는가. 이씨는 "감사할 곳이 없다"고, 온세상이
불쌍해지는데, 어린이는 "이게 아버지야" 하고 제 그림을 자
랑한다. 딸아이는 웃음을 손으로 틀어막으며 트럭 바퀴처럼
낭떠러지로 데굴데굴 구른다. 그림 속의 이씨 머리는 털이 없
었다. 진눈깨비가 풍경을 지워버린다. 눈 먼 창이 덜덜 떨며
불러쌌는다.

1951

해바라기

폐허의 해바라기를 보게나
내 마음에
부활하신 어머님은
관세음보살,
그 원광圓光을 받아
무성한 그림자는
어머님을 감돈다.
꽃술의 금빛 반사는
내 전생前生,
밤의 종소리.

1950

잎은 우거졌는데

잎들은 저리도 우거졌는데
집들은 하나하나 터만 남고
꽃들은 이리도 만발한데
송장들이 어디서나 썩는 냄새

알 수 없는 일이다.
모를 일이다.

1950

유리창

커튼을 떨리는 손으로 걷는다. 도시가 들어찬 유리창에 전투기는 검은 배를 노박 드러내며 넘어간다. 안개를 흔드는 저승의 아우성소리, 망령亡靈처럼 선 고층高層들은 소스라쳐 놀라, 눈마다 불을 껐다. 그도 불을 죽였다. 창이 먼 포砲소리에 떨린다. 마음속까지 진동한다. 닿으면 불이 활활 당길 듯, 해는 뱅그르르 돌며 첨탑으로 떨어진다. 사람들은 행길마다 골목마다 집집마다 어쩔 줄을 몰라 들끓는다. 라디오는 이십 세기의 비극을 고한다. 그는 미래의 위치에 서서 빛도 냄새도 소리도 맛도 없는 유리창을 내다본다. 비가 두 눈에서 내린다.

밤이 내린다. 얼굴은 액연額椽 속의 나라 없던 백성, 비가 죽죽 흘러내릴 때마다 유리창 안의 그는 계속 무너진다. 바깥도 어둠에 가려 쓰러진다. 포소리가 연신 날아온다. 백골들이 유리창에 늘어선다.

1950

피곤疲困

광명이 밤 길거리의 매력이라면 무엇이 나타난다는 말인가.
나는 걸을 때 과일집, 이발관, 구두점, 극장, 다방, 은행, 골동
상, 포목전, 고깃간, 악기점, 요리집, 책집, 백화점, 운동 기구
점, 인쇄소, 관공서, 신문사, 이러한 연속에서 혹란惑亂한다.
생각은 직업에 부침浮沈하는 군중들로 휩쓸린다. 공간에 꾸
겨지는 호흡이 무겁다. 건물과 불빛 사이의 현상現象은 주의
할 단 하나의 진행 방법이다. 그러한 사이를 가노라면 나의
그림자는 건물들의 종면縱面에 혹은 광고지에 금세 거목巨木
으로 자라나고, 어떤 각도에서는 고무줄처럼 늘어나 목이 꺾
여진 채 끊어질 듯이 소리를 낸다. 그 모양은 용하고도 놀랍
다. 그림자들이 충돌해도 사고 없이 교류하는 사실을, 나는
이상히 여기며 가야만 한다. 인조人造 물품들의 현혹한 기상
氣象이다. 가지가지 색채, 조형, 음향이 나를 부르는 진열창
의 내부 앞에서 의욕은 덜미를 잡혀 반대편 아스팔트 위로 나
동그라진다. 나의 저항은 화려한 빛에 밀려날 때마다 기쁨을
조작한다. 그것은 구매력과 소유욕을 정확히 지표하는 나침
반이었다. 이러한 사실을 살피지 않는다면 언제 암초에 파산

할지 모른다. 한숨의 안개가 지침을 뒤덮는다. 헤드라이트가 계속 내 그림자를 양단한다. 자동차, 전차, 여러 가지 차량들이 질질 끌려가는 내 위로 질주하나 나는 아프지 않다. 속도와 방향에 따라 차체마다 기어오른 나의 그림자들이 요란스레 떨면서 유동流動을 헤어난다. 안계眼界가 무너질 듯이 흐느적거린다.

누구나 한 물체가 두 개 이상의 불빛에 의해서 꽃잎들로 분현分顯하는 사태를 유의할 것이다. 그러한 분열을 모르는 바는 아니나 날마다 지나던 곳에서 그날 밤처럼 그러한 자기 자신을 본 적은 없다. 내가 위도緯度를 벗어나 골목으로 들어서기 직전에 불빛들은 호젓이 모인다. 두 전주電柱 위의 전등들과 변호사 사무소의 외등 등 이들 광선의 교차점에 이르렀을 때였다. 간데라 불을 든 직공이 앞에서 온다. 꽃잎들로 분현한 나는 간데라 불의 이동에 따라 기계가 되어 마구 돈다. 현기증이 나서 서버린다. 내가 나를 근심하듯 사람들도 자기 자신만을 생각하는 것 같아서 충격에 흔들린다. 감성은 파도에 말려 올라 작용을 정지한다. 눈을 감고 쓰러질 듯이 뛴다. 눈을 뜨면 역시 제자리걸음이다. 나의 능력은 아무 소용이 없음을 고백한다.

먼 불들이 드문드문 사라진다. 그림자도 나타나지 않아서 방향을 상식에 맡긴다. 악한惡汗은 거미줄을 등골에 친다. 통금시간이 다가오니 그냥 서 있을 수도 없다. 보이지 않는 것을 밀며 나아간다. 신경 구도는 무거운 걸음에 오무라들며 늘어나며 삐뚜러지면서 낡은 용수철 소리가 난다. 신열身熱이 쓰레기와 시궁창의 악취惡臭로 난다. 내 내부의 철판이 우그러들면서 의식은 위험 신호로 말려든다. 어둠은 걷잡을 수 없이 스민다. 침몰은 방파제를 찾는다. 명멸하는 구별區別로 어떻게 집에를 왔는지 모른다. 짐승처럼 기어 맷돌로 오른다. 해골은 불빛이 흐르는 대청에 나와 서서 나를 내려다본다. 이[齒]를 오물거린다. 무서워할 힘도 없다. 내가 술을 여러 잔 마시고야 해골은 점점 육체로서 태고연太古然한 애정이 싹튼다. 아내를 실감하기는 자정이 넘어서였다.

1950

실내

벽에는 에덴 동산이 한 폭 걸렸을 뿐. 뱀은 거울 깊이에서 또 아리를 틀며 불을 뿜는다. 제 몸인 나를 노려본다. 곡조는 미처 날뛰는데, 벽은 문이 아무데도 없었다.

암뱀은 나를 칭칭 감아 애무한다. 운율韻律은 속속들이 파고 들어와 찬 땀이 내 살갗에 솟는다. 여자는 피를 달라며 조른다. 잎사귀의 독한 냄새가 코를 찌른다. 고름이 그 사이로 흐른다. 한낱 썩은 능금이었다.

1950

백탑송白塔頌

녹음綠陰과
흰 탑이 비쳐진 호수로
그대는 횡단하여 온다.

배가 소리 없이 부서지는
파편을 남기며
향하는 언덕에
슬픈 꽃들은
영원한 핵심으로
절대의 존재로서 난만하고

그대는
허무의 극점에서
눈물 안에 진동하는
나침의 빛을 따라
다시 탑의 절정으로 비상한다.

공간에 쌓은 인력의 피땀 위에
내일의 뱃군들을 위하여

그대의 넋이여
나의 불사조는
또한 노래한다.

달빛이 아롱지는 밤
그대는 대리석으로 변하여

녹음綠陰
위에 더 한층
드높이 현존하는 것

흰 탑은 꽃을 사랑의 뱃노래 속으로 감고
수심水深을 찌른다.

1950

해

사랑에 밝은 해가
녹슨 몸 위로 굴러

정오의 심장을 찌르면
나의 피는 하늘꽃이어라.

눈동자에 스미는 해의 호흡은
어느 황금 여인이기에
화염의 옷을 입고
도시의 굳은 벽마다 나타나느뇨.

신음이 흐르는 기름땀은
그대 품에서 빛나

그것이 하늘을 수놓는
지상地上의 노래일 때

오오 사랑에 녹슨 몸을

스스로 솟아 올리는 작열灼熱한 해여.

1950

바다의 꽃

꽃 위에 앉아라.
잎사귀를 밟은 맨발,
여기는 현재가 없다.

이곳은 바다이다.
큰 나신裸身이 이곳에 있다.
이곳은 꽃이다.

바람과 순수에서 일어나는
해맥海脈의 난무亂舞,
난파한 사람들이
좀더 가까운 문제에서
검은 하늘을 펄럭이는
손으로 움켜잡고
등불을 해저에 켠다.
파도는 비정의 안개
사이로 눈을 뜬다.

꽃이 스스로 핀다.

자기 안구眼球를 스스로 못 보는
큰 나신裸身이
바다의 꽃에 앉아
소라를 분다.
잎사귀에 올려놓은 맨발,
여기는 현재가 없다.

1950

절벽絶壁

해는 무한으로 저문다.

그들의 육신이
싸늘한 절벽에
깃발로 펄럭인다.

시간도 없는 시선이
석각石刻에서 날개를 편다.

청동빛 기름이 단면에 흐르는
구천九天,
바람이 분다
무거운 연기緣起*의 바퀴소리.

늘어붙은 손들이
쇠끝으로 불꽃을
암질岩質에 기른다.

위기는 아직도 호수에
메마른 숲의 절정으로 깊다.

마침내
그들의 조각이
노래하는 금오金烏,
석벽石壁은
열매를 맺는다.

1949

님이여

— 오호 백범白凡 선생

님이여

해여

님의 얼은

앙상한 겨레의 가슴마다

혈맥血脈으로서

덩굴지고 휘감겨

가닥가닥 우거졌소이다.

님의 원願이 사무친

강산江山에

묵묵히 뚫린

두 총알의 구멍을 보나이다.

님의 평생은

원한도 녹이시더니

사랑하신 동포의 저격에는

떠나시나이까.

님 앞에

부끄럽소이다.

유리琉璃는 옳음도 거짓도

이승도 저승도 통하지만

탄혈彈穴에 꽃필 날은 없으리라.

삼팔선도 무너지는

님을 그리사와 부르는 소리

조국의 울음소리.

총탄 구멍이 경교장京橋莊* 이층 유리창에 둘 나 있었다.

1949

바다

바다의 검푸른 살결이 햇빛에 부서지며 반짝반짝 일어들 선다. 배들은 가지가지 빛깔이 명멸하는 음향의 육체에 실려, 어디로 가는 것인가. 여기는 무서운 깊이와 끝없는 넓이 외에는 아무것도 없다. 하얀 배가 하늘을 씹는 파도 위로 지나간다. 바다에서는 어디를 가도 영원의 초점焦點을 벗어날 수 없다. 바다는 곧잘 기름처럼 지글지글 끓는다. 어여쁜 인어人魚는 그러기에 항상 꿈이었다. 타는 노을은 꽃밭 같은 구름이다. 무수한 어족魚族과 보물을 간직한 바다는 생사生死의 획劃진 시울들이 늘 춤을 춘다. 파영波影의 반사가 그물처럼 사람들의 얼굴을 싸느랗게 덮는다. 어느 날 어부가 바람의 속도를 헤아렸을 때에 찢어진 돛폭에서 만삭한 아내의 신음이 들리었다고 한다. 점점 하늘도 바다도 없어지고 남은 것은 깜깜한 어둠이다. 별이 황황煌煌한 호선弧線을 그으며 떨어졌다. 바다가 독한 폭풍을 따라 온통 하늘로 쏟아지면 번개불이 공간을 분별할 수 없는 파도의 노호를 뚫고 칼처럼 날았다. 일등 선실의 영양令孃은 외마디 소리를 질렀을 뿐이다. 이리하여 바다는 모든 것을 삼켜버리기도 한다. 바다는 사정私情이 없다. 그러나 푸른빛이 쏘는 밤은 고요도 하다. 달은 구름 사이로 곱게 웃으며 간다. 제비 떼는 소리도 없이 바다 위를 날았다. 구슬 같은 해가 솟으면 사람들은 항구마다 바다로 나간다. 희망을 찾아 금빛 은빛 찬란한 칠색七色 바다로 떠난다. 고기를 배 가득히 잡아 저물 무렵에 돌아온 바다에서 늙은 노인이 기울어진 돛대를 아비 없이 자라난 손자에게 가리키며 바다를 모른다고 한다. 바다는 생각으로 따질 수 없다고 한다.

1949

비둘기

불 속을 날으는 무색의 비둘기는 내 눈보다 맑다. 내가 구 구 구 노래를 들으면 너는 늘 원광圓光을 수정처럼 어린 생각 너머로 감고 있다.

활활 타오르는 시가市街에는 잎 한 점이 없는데, 비둘기야, 너의 매력은 변함 없어 차라리 무심하구나.

뜨거운 혓바닥이 나를 핥는다. 나는 네 영롱한 칠색七色의 가락을 받아 날마다 염원하며 옥피리를 분다. 구름도 불이 붙었다. 내 뼈가 빙수氷樹로 서 있다. 하늘의 해도 피투성이다. 나는 피리를 쉬지 않고 분다.

왜, 이리도 견딜 수 없느냐. 착한 마음은 약한가. 울고 있지 않는가. 불사조는 불을 끄는 눈물에 온누리로 변한다. 꽃이 구 구 구 노래를 전한 옥피리에 피어도 좋을 그날이 그립다.

흐느낌은 무너진 벽돌 너머로 온다. 내 이마에 닿는 입술은 고요히 떠는구나.

1949

조혼弔魂

바람이 비구름을 몰아오건만
너는 여기 무덤도 없이 누웠구나.

소리 없는 눈이 사람을 서로 노릴 때
훨훨 날으는 새가 차라리 부러웠으리라.

어머니가 그리워도 가지 못하고, 조국 하늘 아래 고향이 무서
워 어두운 마음에
은하처럼 흐르던 한숨도 이제야 말랐는가.

순진한 몸이 오죽이나 사무쳤기에 목숨을 걸고 이 산을 밟았
더뇨.
살아 있듯이 눈을 뜨고 석상石像처럼 뜻할 뿐 말이 없구나.
총탄이 너의 하늘을 뚫은 흔적, 가슴에 말라붙은 핏줄은 너를
쏜 동포에게 사랑으로 빛나라.

불길한 까마귀 울음이 들리어온다.

한 떨기 꽃과 잎들이 되어 너를 덮지 못함을 누구에게 하소
하랴.
백골을 수습할 수 있는 날이 오면, 삼팔선의 표목을 너의 무
덤 앞에 세워주마.

말하라.
네 유언을 거기에 무엇이라 새기면 좋겠느뇨.

1949

오후의 기류

변화가 청우계晴雨計에 일어난다. 호흡은 층계를 밟고 하늘
로 올라간다. 먼 풍경이 창 앞에 일어선다. 창들은 나를 보며,
합창한다.

여자는 웃음이 백랍白蠟의 표정에 붉다. 음악은 육계肉桂의
냄새를 풍겨 향수鄕愁롭다. 여자는 내 성욕性慾의 더위를 식
혀주고, 다시 고달픔을 몇 푼의 수입으로 성장盛裝한 채 문을
나간다. 거울의 실내에 돋아나는 나의 수많은 분신分身들

깃발이 바닷가 같은 하늘로 오른다.

1949

고궁古宮

하늘로 날아오르려는 용龍이 기와둥에서 이끼에 싸여 있다.
구름은 영영 희망의 비늘이 되어주지 않는다.

풍악의 자세로 에이굽은 소나무 그림자는 계하階下에서 종
일 자취도 없이 맴을 돈다. 채의彩衣를 입은 원혼冤魂의 여자
가 먼지로 썩은 난간에서 삽시에 사라진다.

어디서일까. 종소리는 목단牧丹꽃 안에서 울려 퍼지는데 만
월은 여의주인 양 추녀 끝으로 내려온다.

1949

그리운 고백

태고太古 같은 밤이 내리는데, 모두 다 자기를 만연하여 알몸 부림친다. 나의 사랑, 맑은 눈물이 어두운 가지가지 마음 방에 휘황한 불을 켜면 그대가 바로 그대의 신神, 스스로를 길들일 수 없는 자기에의 저주는 나의 경전經典이 되어 책장은 넘어간다. 금빛 종소리는 자욱한 연기를 뚫고 톱니 같은 계단 위, 내 염원의 창 너머로 솟아올라서 그림자처럼 늘어진 이 죄수의 육체를 부르고 있다. 사람이 사람을 서로 사랑할 날을 믿노니, 그날 숨 끊어진 얼굴의 덜 마른 눈물을 씻어다오. 그리고 푸른 곡식이 한 줌으로 변한 흙에도 미풍微風 부는 시절마다 내 알지 못할 그대들의 기쁨으로 자라나다오.

1949

원천源泉

대밭 사이 홈대에 흐르는 물은 절간 수각水閣의 돌 함函에서
비취빛이 된다. 비취빛은 넘쳐 미나리꽝을 빙 돌아 앞 계곡의
급류에 휩쓸려든다. 사람들은 계곡 물과 홈대의 물이 각각 다
른 방향에서 오는 줄 알지만 한 근원이라는 점은 옛 노장들도
모르고 열반涅槃에 들었다. 시왕봉十王峯* 너머너머 꽃송아
리 같은 골짜구니마다 휘영휘영 휘감아 흐르는 물줄기의 시
점始點은 짐작도 아니 닿는다. 아무도 가본 일이 없으나 원천
源泉은 한밤중의 별처럼 확실하였다. 물길을 따라가면 제비
의 날개도 견디지 못한다. 억지로 우기면 해골을 어느 험한
곳에 남길 것이다. 아무리 높이 오른 눈[眼]도 닿지는 않는다.
그러나 멀다기에는 너무나 분명하였다. 어디서나 고요한 물
에는 해와 달이 내려와서 놀듯이 그곳도 그러하였다. 간혹 적
은 영혼은 스스로를 불지르며 산과 숲을 거쳐 멀고도 가까운
그곳으로 향한다. 그림자도 없이 날은다. 시간에서 벗어난다.
깊은 산속은 적막이며, 에워싼 봉우리는 압력이다. 촉루燭淚
인가, 버섯인가, 국수 가락인가, 가지가지 모양이 격格을 벗
어나 그 높이를 알 수 없다. 정상頂上과 정상들은 일광日光이

반사하여 영락瓔珞의 비단 줄을 하늘에 드리운다. 점점 침범할 수 없는 장엄과 부드러운 고요로 변한다. 자고로 나서 그대로 마른 아름드리 고목들과 꽃나무들 외에는 별의별 이름 모를 잎들과 가지가지 덩굴이 깊이를 자아낸다. 갈수록 사계절의 변화는 없어진다. 더위도 추위도 없다. 잎사귀들은 나무가지들마다 귀를 서로 기울인다. 녹음綠陰에는 새소리가 없다. 나비도 벌도 없다. 바위 틈에도 벌레 한 마리 보이지 않는다. 가지가지 열매들은 향내를 조절한다.

홀연 숲을 엄습하는 기봉괴만奇峯怪巒이 나타난다. 산은 수많은 모양으로 끝없이 솟아오른다. 초목도 없는 절정을 날으는 구름, 연신 찢겨져 나가는 하늘, 안개는 깊은 산밑을 돌아나가면서 끼기 시작한다. 무엇을 지키는 안개였다. 때로는 우모羽毛처럼 살랑인다. 점채點彩는 약간의 반사에도 아른거린다. 몇 아름드리 활엽수들은 농염濃淡으로 섰을 뿐이다. 잡초나 낙엽은 없다. 안개 속으로 속으로 불로초들만 졸고 있다. 마침내 동·서·남·북은 없어진다. 안개뿐이다. 현율絃律은 여기서부터 들린다. 한동안 높다가 차차 은은해지면서 황홀해진다. 가도 가도 거리距離는 없다. 물의 세계에 온 것이다. 듣기만 하지 안개 때문에 보지는 못한다.

1949

산중야山中夜

열매들 고운 살이 흐물어질 때 달빛은 푸른 산 가슴에 스며, 골짜기마다 조개처럼 흩어진 희끄무레한 뼈다귀도 굶주린 짐승들의 검붉은 주둥이도 꿈이 잔조殘照로운데, 소슬한 빗발이 흐느끼면 썩은 씨가 움트는 기약은 어둡기도 하더니, 십오야 밝은 빛을 올올이 받아 사무칠 듯이 향기로운 샘 곁에 외로운 국화야 다시 꽃은 폈건만, 숲 사이 아롱지는 바람도 없고, 짙은 밤 온 산은 잠이 깊구나.

1948

헌사獻詞

능금은 그늘 속 깊이 감미롭건만

쇠사슬이 풀린 상흔傷痕의 팔은 머리를 움켜쥔다.

허리에 홍청대는 뱀과 함께 꾸겨진 그림자.

누가 옛 신화보다 어리석은 짓을 되풀이하느뇨.

횃촉도 녹인 심장이었다.

불을 부수는 물결의 곡조 아래

너는 물고기인 양 유리에 병들었구나.

종소리야, 잎들을 살랑살랑 나부껴라.

파도야, 하얗게 비둘기들로 날아라.

태양을 가린 위치는

서로가 함께 춤을 추는 자랑이었거니

수포水泡보다 조그맣게 우주를 놓고

거울을 대하듯 자아도 보았거니

태엽처럼 조여드는 독사의 비늘에 저무는 호흡

너는 고름나는 젖을 빨리며 바람 부는 울음 속이다.

머리에 눈물로 엮은 원광圓光을 쓰고

태고의 전설에 서 있는 능금나무 아래 쓰러지느뇨.

사조思潮가 안벽岸壁에 싯누런 안개를 덮어준다.

비가 순수한 가슴을 두드려, 흉한 냄새를 풍긴다.

너는 해가 솟고 월몰月沒하는 곳, 다 버리고

발목을 비끄러맨 쇠사슬의 한계에서 백골로 꽃피는가.

모순은 생명의 빛되어 피리소리가 아스무레 감기는

오오 나의 조국이여, 시드는 금강석이여.

지각地殼은 구름을 튀기며, 구원救援이 없어 썩고 있다.

1948

물

물. 나는 보았으나 너의 형자形姿를 모른다. 하늘빛 같은 허실虛實이 동굴에 시원한 노래로 태어난다. 나의 얼굴을 조각조각 부수는 샘으로부터, 너의 생각을 좇아, 나의 의미에 의하여, 처녀다운 너를 방으로 옮겨놓는다. 그리고 송사頌辭를 자기磁器에 광석光石으로 새기고자, 세월도 허虛스럽지 않는 매력이 고요 속 율동律動으로 아물거리다. 삼림森林의 목적에서 생겨난 과실의 눈은 때에 빛나며, 너의 전달을 지시한다. 물의 순종이 언제고 희망으로 존재하며, 포용할 수 없는 미소를 보이나, 너는 나의 움켜쥔 손아귀에서 아득한 별들로 흩어지다. 검은 산 위에 작열灼熱하는 숨결, 그러나 물의 화신化身 구름은 나의 해를 휘감고 춤추며, 칠색 신화七色神話를 이루는구나. 날아라, 구름이여. 숲속의 비밀을 누가 안다더뇨. 사념思念, 한 마리 새[鳥]되어 보내면 남기지 못한 울음, 돌아오지 않는 명상이 있다. 나는 잎들과 잎들에 돋는 빗발 밑으로 크나큰 순간을 이루는 물들이 바위들과 희롱하며, 난무亂舞하는 것을 듣는다. 이제야 어느 곳, 내 사념의 새가 죽었나 보다. 비로소 숲속에서 안개를 헤치며 돌아오는 나의 생명을 본다. 물이여, 바람에 나부끼는 풀잎인 나의 몸을 뚫고 달리라. 네 동경憧憬의 바다와 내 먼 생각의 신비 위로 무너지는 파도와 그 깊이에서 홀로 빛나는 진주여, 이제 해저海底의 마음도 버렸노라. 명멸明滅하는 거품들이여, 옷을 벗겨다오. 물이여, 너를 내 그림자마저 없어지도록 품에 안아주마. 나를 흐름 속에서 분별分別하지 말라. 눈부신 물결의 오점汚點인 방향을 찾는 돛대를 지워버리고, 내 그대 본질과 더불어 층벽層壁의 나무처럼 잎을 구름에 펴며, 썩은 진흙 침상에 누워 연꽃 옷을 감고 녹음綠陰과 짐승들을 애무愛撫하는 심장으로 영원하라. 일적一滴의 허실인 눈물이 자기磁器의 물에 나타난 얼굴로 떨어져 무늬를 편다. 비는 이제 창 밖에 끝났다. 큰 달이 도처마다 내 마음의 수면에 영자映姿한 수목들과 꽃덩굴들 사이로 솟아오르는구나.

1948

그대

눈은 무엇을 찾느뇨. 정열은 어떤 빛깔을 받아 이루어지는가.
나는 안경을 벗어 서랍에 넣고 다시 낼 수 없는 과거의 열쇠
로 잠그었다. 나는 바람에 나풀거리는 잎들과 팔락이는 누더
기 빨래에서도 분명, 그대가 움직이는 모습을 보았다.

도시의 기슭을 흐르는 물소리에서 나는 그대 말씀을 들었다.
그것은 나의 속삭임이었다. 바람은 불지 않고 종일 떠들던 소
란도 없었다. 모든 사람들이 괴로워하는 심정을 내 자신이 괴
로워하는 심정으로 이해하였다.
달의 호흡이 적산 가옥 맞은편 탁류에 은빛으로 부서질 때 나
는 그대의 말씀을 흘러내리는 물소리에서 들었다.

1948

동冬

용트림진 고매古梅 등걸이 밤에 눈을 맞더니
이끼를 툴툴 털고 하늘로 날아올라
먼 새벽의 향기인가, 꽃이 하마 피었네.

1948

밤

난리 이야기가 미닫이에 타오른다.
서재에 돌아와 신간新刊을 펴다.
말쑥하게 꾸민 꼭두[幻]들이 놀아난다.
마지막 장이 끝나기도 전에
혹, 등잔불을 꺼버렸다.

한낮의 그림자가 등대燈臺 위를 지나간 기억도 새로운데
지구는 이 밤, 열이 올라 어디를 항해하는가.
사람들이 사람들을 잡아먹는 매일은 전파로 날은다.

오소소 춥다.
재를 헤치니 화로에서
오두수五頭手가 나온다.
태고太古를 찢는 총소리
아우성소리는 밀어닥친다.

무기도 없는 밤

어둠 속에서 노리는 눈을

내가 감으면

비로소 흐르는 산속 물소리.

1948

길거리에서

생황笙簧 부는 동자상童子像이 날개를
골동가게 유리창에 접는다.

녹[鏽]은 연륜年輪을 감아
밝기도 하다.

꽃나무 그늘마다
착한 곡조를 불며,
날렵하니 감아올린 추녀와
맞닿은 하늘에
날개를 백합百合으로 펴서
구름과 춤을 추면
오죽이나 좋을까.

상표도 없이 깊은 생각을 남기고
해골마저 사라진 예술가들

그대가 오늘날이라면 녹[錆]을 읽으며 읽으며
비 오는 길거리에서 어찌할 테뇨.

1948

관음찬觀音讚

구름이 하늘과 바다 사이로 활활 오르내리는 보타락가산寶陀洛迦山˙ 머리, 성에 어린 꽃들은 휘휘 흩어지른 골마다 산들산들 좋다. 길도 없는 녹음綠陰에 산호 젓대를 불며, 사슴을 타고 돌아오는 남순동자南巡童子˙는 고와라. 기우뚱거리는 수평선이 둥긋 부풀어, 어긋막이로 깎아 솟은 바위에 쏴아 검푸른 파도가 하얗게 부서져, 일 천 구슬들과 일 만 송이 꽃들은 소스라쳐 휘날아, 우렁찬 소리 속에 출렁 철썩 뛰는 물결, 홀홀 나부끼는 흰 옷자락이 바위에 두렷이 자리하신 나[我] 없는 자태여. 금빛을 온몸에 감으사 눈매는 부실듯이 다스로워라. 향기는 솔솔, 푸른 눈썹은 윤이 사르르 흘러, 오오 맑은 원적圓寂˙이 일체를 먹음다. 모든 합장들을 향하여, 입술은 환히 웃으사 감로병甘露甁을 기울이시니, 산호 젓대 소리는 늙은 솔가지 등걸에 층층이 굴러나려, 바다는 잠이 들고 용녀龍女가 나와서 살포시 춤을 추다.

1947

동화童話

나는 장벽臟壁에 자욱한 안개를 헤치며
새소리를 따라간다.

물방울은 연잎사귀에서 도그르르 굴러 떨어진다.
태초 같은 초당草堂이 황혼의 숲에 있더라.
버섯 위에서 별을 향하고 날개를 편 나비와
소나무 밑에서 자는 사슴 곁을 지나

산방山房으로 들어가면
쩌르렁, 산을 넘는 종소리는
그새 어디로 가고
밝아오는 침묵

자아自我를 향하여 향을 고로古爐에 피운다.
달은 창에 둥긋이 솟아오른다.

원적圓寂에 부각浮刻하는 조응照應이여

먼 흐름으로 날아 내리는 하얀 새야.

<u>1947</u>

산속의 오후 2시

하늘은 나무들 사이로 열렸다. 숲을 비스듬히 막은 생철 지붕 방부제 빛깔이 눈에 맵다. 엉성한 담에는 잠자리가 석화化石 되어 있었다. 꿀벌 날개의 진폭振幅이 추녀 끝 적막과 겨룬 다. 삼라만상은 일제히 눈을 껌벅인다. 하늘은 나무들 사이로 바다였다. 영원이었다. 바다에 일어나 앉으며, 부서지는 구름 들과 날으는 파도는 어디서 생긴 것일까. 우스운 일이다. 가 슴이 삼킨 부르짖음은 오장五臟 굽이굽이마다 흘러내린다.

현기증은 눈을 감았다. 돛단배는 태양을 떠나 숲과 지붕과 돌 담을 지나 시장市場과 도회지의 집들로 드나든다. 방마다 부 엌마다 광 속마다 먼지로 떠다니면서 논다.

매미들은 시끄럽게 운다. 송진이 흐르는 오후 2시, 산들은 일 제히 낮잠을 잔다.

<u>1947</u>

각옥사刻玉師 야마

아침 햇빛은 서다림逝多林*에 퍼진다. 낙성落成된 중에서도 육십 곳의 큰 정사精舍들과 육십오 곳의 정사들은 숲 사이로 드러난다.

부처님이 목련目連*과 비구比丘들을 데리고 기원祇園*에 들 때에 파사익 왕波斯匿王*과 수달장자須達長者*를 위시하여 도성의 영접은 굉장하였다.

며칠이 지나서였다. 사리불舍利弗*과 목련은 모하나무 그늘에서 오랫만에 만난 그간 이야기를 서로 하다가 밤 늦게야 선정禪定*에 들었다.

두 사람은 새벽 안개 속으로 흐르는 물에서 세수하고, 향사香舍를 향하여 숲을 나왔다. 동남쪽 장엄한 석사石舍를 돌아 사위성舍衛城* 쪽으로 날아가는 산비둘기 떼를 목련은 보다가 눈을 스르르 감는다. 목련은 출자出資한 수달장자와 공사를 감독했던 사리불의 공덕을 말없이 찬탄하였다.

그들은 향사 가의 연못을 돌아들다가 발제跋提*와 만났다. 발제는 묻는다.

"두 분은 어디에 있었습니까."

사리불은 대답한다.

"목련은 어젯밤에 모하나무 그늘에서 그간 왕사성王舍城˚ 소식을 들려주었고, 나는 모든 정사를 공사했던 일을 알려주었습니다."

세 사람은 발우鉢盂를 챙겨가지고 일곱번째 난간 밑을 돌아나왔다.

부처님은 발우를 가지고 온다. 뒤따르는 비구들도 각기 발우를 가지고 있었다. 부처님 앞으로 가서 세 사람은 오체五體를 땅바닥에 던져 절하였다. 우루빈나가섭優婁頻羅迦葉˚과 교진여憍陳如˚가 좌우에서 부처님을 모시고 있었다. 부처님은 한없이 고요하며 한없이 평화하였다. 백 살이 넘은 우루빈나가섭의 벗어진 대머리와 근엄한 관골과는 대조적이었다. 그간 공사 운력運力을 했던 비구들과 이번에 왕사성에서 온 비구들이 이곳 저곳에서 거닐기도 하며, 꽃나무들 그늘에서 선정禪定에도 들어 있었다. 도성都城에 들어가 밥을 빌어와 식사를 마친 이들이었다. 목련과 사리불은 아난阿難˚의 곁으로 갔다. 그리고 부처님의 뒤를 따랐다.

부처님이 네번째 석탑문石塔門을 지나 세번째 석탑문 가까이 이르렀을 때였다. 그 일대는 사위성으로 가는 도중에서도 제일 호젓한 곳이었다. 공작孔雀들은 모여들었다. 목련은 사리불에게 묻는다.

"사리불하, 저 사람은 누구며, 저기서 뭘 합니까."

어떤 사람이 밧줄을 뿔처럼 우그러든 석탑문 위 난간에 걸고 매달려, 무엇인가를 열심히 새기고 있었다. 사리불은 그 사람이 누구인지를 알았다. 큰 흉터가 그 밑 코끼리 볼기짝에 있었던 것이다.

"사위성에 사는 각옥사刻玉師 야마耶摩인데, 뭘 하는지 모르겠군요."

사리불은 대답하였다. 모든 눈들은 그리로 쏠렸다. 비구들은 서로 소곤거린다.

각옥사 야마는 우담바라優曇婆羅*꽃 머리를 한 뱀을 석탑문에 새기고 있었다. 그래서 야마는 부처님과 여러 비구들이 가까이 오는 줄도 몰랐다. 인기척이 나기에, 아래를 굽어본 야마는 밧줄 한 가닥을 급히 풀고 내려온다. 코끼리는 주인을 등으로 받아 내려놓는다. 야마는 부처님 앞에서 오체五體를 던져 절하였다. 부처님은 묻는다.

"야마야, 기원의 모든 공사는 끝났는데, 너는 무엇을 하느뇨."

"세존世尊하, 저는 친구들과 함께 정사들의 장엄莊嚴을 맡아서 했습니다. 어젯밤에야 우담바라꽃 머리를 한 뱀을 이 석탑문에 새기면 좋겠다는 생각이 들었습니다. 새벽에 집을 떠나와서 일하는 중입니다."

"야마야, 사람들은 받을 것을 받고 돌아간 지 오래다. 너는 이처럼 뭣 때문에 수고하느뇨."

"세존하, 저는 사리불에게서 많은 법을 들었습니다. 야마는 중생을 위해서 일하고 싶습니다."

"착하다. 야마야, 너의 바라는 바를 말하여라."

"세존하, 실은 아무 소원도 없습니다."

야마는 대답하기도 힘드는 모양이었다. 부처님은 자단금紫檀 金빛 손을 들어 야마의 이마에 흐르는 땀을 씻었다.

"착하다, 야마야, 너의 복은 한량이 없느니라."

비구들은 합창하였다. 목련은 사리불이 공사를 감독한 공로 보다 그 교화教化의 빛을 찬탄하기에 이르렀다. 목련은 오른 쪽 무릎을 꿇고 청한다.

"세존하, 이 일이 끝날 때까지 제가 한 발우의 밥을 더 빌어 다가 야마에게 공양供養할 것을 허락하십시오."

"착하다, 목련하."

부처님은 대답하였다.

1946

보이지 않는 손님

누가 바깥에서 방문을 두드린다.

"청정한 마음을 합시다."

그는 흩어진 원고지를 정돈하며 묻는다.

"거, 누구시오."

"내 말에 대답이나 하오."

그는 방문을 열고 내다보았다. 그러나 아무도 없었다. 월계꽃 담장 너머로 치닫는 산이 아지랭이에 아슴하다. 흰 구름이 드문드문 흩어져 있었다. 그는 뜰로 내려섰다.

맑은 바람이 어수선한 머리를 쓰다듬는다.

며칠이 지났다. 누가 바깥에서 속삭인다.

"화살을 맞으면 꿈에 잠기오. 그 화살은 햇빛과 같아서 알아볼 도리가 없다오."

그는 그 소리를 찾아 방을 나왔다. 이번에는 소리가 방안에서 난다.

"찾지 마오. 당신은 그 화살이오."

그는 걸음을 맷돌에서 멈추고 아무말도 묻지 않았다. 그는 숲속에서 노는 물을 따라 오솔길을 걷는다. 친구는 오면서 묻는다.

"어딜 가나."

"날마다 만나는 터인데 무슨 소린가. 자네야말로 어데 갔다 오나."

"갈 곳이 있을 리 있나. 난 바빠서 어서 돌아가야 하네."

친구는 돌아가면서 이상하다는 듯이 그를 돌아본다. 그도 수상하다는 듯이 친구를 돌아보았다.

그는 그날 밤에 일기를 썼다.

"가끔 내 방문을 두드리는 놈을 앞으론 얼씬도 못하게 할 요량이다."

1946

사색의 날개

투명한 사색의 날개짓이 이다지 숨가쁜 밤, 못[池]은 고요하
다. 창을 열면 두 별[星] 이상의 별들이 시각視覺에서 연결하
는 착잡한 각도들과 선들의 접맥점接脈點들을 집어낼 수는
없으나 분명한 현실로서 저마다 빛나는 자유의 통솔에 놀라
지 않을 수 없었다.

싸늘한 콤파스의 송곳을 어느 곳에 박아, 한 원 속에 쩔은 호
흡과 바쁜 구두소리로 한계 없는 도가니 속 명상을 제사祭祀
할까.

친구가 옛 병瓶에 꽂아주고 가버린 꽃봉오리 끝에 불이 켜진
밤, 공연한 초조일까. 분粉을 아스스 흩날리며, 날아온 나비
와 더불어 의논하는 것은 이르지 못한 계절을 기다리기 위해
서가 아니다.

1946

석사자石獅子

괴로움의 무게를 아시는지요. 돌사자와 의논한 날은 숨이 가
빴다. 돌사자의 목을 안고 늘어져 울었다. 빗방울들은 이끼
낀 돌털[石毛]들에 뚝뚝 돋았다. 돌사자는 크게 부르짖었다.
물 속의 행렬을 따라갔으나 단청 짙은 상여 앞의 촛불들도 꺼
졌다. 요령소리는 은은히 넘어간다. 얼굴들은 어둠에 사라진
다. 돌사자는 돌아보았다. 그는 머리카락을 나부끼며 옛터에
서 쌔근쌔근 자고 있었다.

1943

등불

파아란 등을 달고 어둠을 가노라.
가기도 하려니와 저기서도 지나가는구나
험할수록 가는 길은 고되어서 보람이라.

연약한 등불에도 만나면 반가웁고
헤어져 슬프기는 호수처럼 맑음인 듯
모르는 사람들이 그리워서 가노라.

알고자 하옵는 것 맑아서 밝으면
애꿎은 파아란 등불은 소용도 없으련만
서로가 다 만날 때까지 나와 함께 꾸준히 가노라.

1943

고려 자기부高麗磁器賦

돌바위 이끼처럼 이렇도록 몇백 년고
살결은 비바람을 겪을수록 더욱 아름다워
말없는 긴 이야기는 언제나 끝없어라.

영겁永劫의 꿈을 실은 네 숨결이 정다워라.
정성을 다하옵던 그 모습이 피에 스며
외로운 님의 얼만 불멸하고 타오르니

아득한 꿈이런가 문득 깨쳐 이제인 듯
하늘의 정적이여 진사辰砂빛 젖 꽃판을
듣는 바 없으면서도 너에게서 듣노라.

1943

바람이 부는 밤

바람이 부는 밤, 동네는 잠이 깊어

말방울소리가 뒷성터로 사라진 뒤

시내의 얼음은 부서지고 달님이 솟았세라.

1943

설야雪夜

흰 눈은 은밀히 사뿐사뿐 쌓이는데
깊은 밤 단칸방에서 귀를 기울여 듣는 일은
가슴에도 오는 양하여 포근히 서림이라.

흰 눈이 더러운 마음에도 쌓여 순결하여
온화한 태양 아래 비치어서 녹은 연후
새싹은 봄바람에 트소 바라노니

한 생각은 올라가며 눈은 솔솔 내리웁고
내리며 올라가고 올라가며 내리는 일은
이 밤에 잠을 못 자고 홀로 즐거워함이다.

1943

빛

불을 노오란 밀초에 켜놓은 뒤
푸른 향을 올리고 정화수를 바치니
빛 안에 넘나노는 색은 향연香煙 솔솔 굽이쳐

치마자락은 외씨 같은 버선을 덮어
엎디어 두 손을 모을 때 가슴 안에 서리는 빛.
빛 안에 곱게 켜진 빛은 빛과 빛이 맺히니.

1943

수상隨想

살고 싶네 살고 싶네
분명한 보람을 보았기 때문

신神도 무섭지 않네
내 마음을 두려워할 따름

지금까지의 나를
용서할 수 있을지
용서할 수 있을지.

1939

무제無題

흰빛도 검은빛도 좋지 않네.
검정이 흰 바탕에 묻으면 곧 아는 걸
흰 점이 검정에 묻어도 마찬가진 걸
같은 빛이 같은 빛에 묻으면 모르는 걸.

어려운 일인가. 무슨 빛이 좋을까.
흰빛도 검은빛도
차별 없이 대하는

사랑이야말로 좋은 빛이지.

1939

나그네

낙엽은 쓸쓸하네.
푸른 하늘에는 흰 달
길은 끝없어라.
못 잊는 지난날인데
우리 아버님은 어디에 계시나.

가을은 산성山城에도 짙어
마음은 멀다. 다리가 아푸건만
반나절이 지났네.

푸른 연기 오르는
고향에를 돌아왔으나
닭소리, 샛바람에 다시 떠난다.
생각도 버리고 간섭도 않으리
마음의 평화를 찾아가느니.

1939

394

청류정淸流亭

능라도에는 강이라 수양버들들
청류정 단청은 옛날로 흘러서
슬픔과 아름다움을 함께 모시네.

1939

내 마음

누가 알꺼나
내 마음을 아느니, 나뿐이로세.

아직도 두려운가
한 번 마음하면 부처님도 되느니.

아들아, 보람을 찾아라
넘어서 못 넘을 산은 없느니.

1939

아버님 생각

저녁 개구리는 운다.

하염없이 눈물을 닦고

빈소 방에 절하면

홀로 밝은

푸른

등불.

1938

시詩

시여 둘도 없는 친구여
괴로움에서 건져내어
새로운 슬픔으로 안내하는가.
나는 황홀하여 들어선다,
한없는 낙원으로.

1938

부여扶餘

내 꿈에 놀던 산천을
이제 와서 노니니 꿈 같네.

때는 사월 만발한 꽃
새는 그늘에 울어 한적하네.

사비루泗沘樓*에서 쉰다.
고요히 흐르는 백마강白馬江
하늘에 솟은 낙화암落花岩.

가버린 꽃들과
타서 남은 곡식 낱은 대답 없으나
저녁 노을에 밀려드는 뱃노래인가
평제탑平濟塔*은 슬프네.

1938

회고懷古

맑고 푸른 가을날
고려의 옛 도읍을 찾아드니
송악松嶽은 반기건만
산들바람은 적적도 하네.

충성의 어린 피가 풍상風霜을 겪어도
선죽교善竹橋는 변함이 없건만
무심한 구름은 오락가락
만월대滿月臺*는 잡초만 우거졌구나.

박물관의 유물들에
황진이黃眞伊가 떠올라
해는 서산에 가깝고
집들은 연기에 젖네.

돌 하나, 나무 하나
모두가 다 회고懷古로다.

오백 년 왕조는 어디에 가고

바람만 전하는가.

1936

편집자 주

- 가이사 ── 본디 로마의 절대 집정자 케사르와 그 양자 아우구스투스를 가리키던 말. 이후 일반 황제를 가리키는 말이 되었다.
- 경교장 ── 백범 선생이 암살된 곳. 현 강북 삼성병원 본관.
- 경정산 ── 이백의 시 「독좌獨坐 경정산」에 나오는 산 이름으로, 삼매경에 이른다는 뜻이다.
- 교진여 ── 석가모니의 10대 제자 중 하나.
- 기원 ── 옛날 중인도 사위성 남쪽에 있는 기수급고독원祇樹給孤獨園에 있던 절. 부처와 제자들을 위해 수달장자가 세웠다.
- 남순동자 ── 관세음보살의 왼쪽에 있는, 곧 성불할 미륵보살.
- 다라니 ── 불교에서, 모든 악법을 막고 선법을 지킨다는 뜻으로, 범어로 된 긴 문구를 번역하지 않고 그대로 읽어나 외는 일.
- 단지걸음 ── 단지斷趾는 형벌로 발뒤꿈치를 자르던 일. 따라서 단지걸음은 발뒤꿈치를 들고 걷는 걸음을 말한다.
- 마조도 ── 중국 남동부 복주 근처 본토에서 약 8km 떨어진 작은 섬. 바위로 된 불모의 섬으로 대만군이 주둔하여 중국군과 맞서고 있는 최전선이다.
- 마하불가사의 ── 불교에서 마하는 많음, 큼, 나음의 뜻으로 쓰인다.
- 만월대 ── 개성 북방 송악산 남쪽 기슭에 있는 고려 450년의 왕궁 터.
- 명도 ── 불교에서, 사람이 죽어서 간다는 영혼의 세계.
- 목련 ── 목건련. 석가모니의 10대 제자. 신통神通 제일이라고 칭한다.
- 무간지옥 ── 불교에서 팔열八熱 지옥의 하나, 오역죄五逆罪를 짓거나, 절이나 탑을 헐거나, 시주한 재물을 축내거나 한 자가 간다는 지옥으로, 살가죽을 벗겨 불 속에 넣거나 쇠매가 눈을 파먹는 따위의 고통을 끊임없이 받는다.

- 무량수광 —— 아미타불을 일컫는 말.
- 무량수화 —— 아미타불을 일컫는 말.
- 발제 —— 석가모니의 제자.
- 백의관세음보살 —— 관음의 하나로, 흰 옷을 입고, 흰 연꽃 가운데 앉아 있는 모양.
- 보타락가산 —— 관세음보살이 있다고 하는 팔각형의 산.
- 부상 —— 동쪽 바다의 해뜨는 곳에 있다는 신령스러운 나무, 또는 나무가 있는 곳.
- 사리불 —— 석가모니의 10대 제자 중 지혜가 가장 많은 사람.
- 사문 —— 진언다라니의 네 방위문. 동쪽의 발심문, 남쪽의 수행문, 서쪽의 보리문, 북쪽의 열반문을 일컫는다.
- 사비루 —— 사비수泗沘水는 부여 백마강의 백제 때 이름이다.
- 사위성 —— 중인도 교살라 국의 도성. 석가가 살았을 때는 파사익 왕, 비유리 왕毘瑠璃王이 살았고, 성 남쪽에 기원 정사가 있다. 석가가 25년간 설법 교화하였다는 곳이다.
- 서다림 —— 수달장자가 석가에게 바쳤다고 하는 기원 정사가 있는 숲.
- 선정 —— 불교에서 결가부좌하여 속정俗情을 끊고 마음을 가라앉혀 삼매경에 이르는 일.
- 수달장자 —— 석가가 세상에 머물 때 인도 사위성의 장자이다. 자비심이 많고 가난한 사람에게 많은 혜택을 주었으며 기원 정사를 세웠다.
- 시무외인 —— 부처가 중생을 보호하여 두려움을 없게 하는 인상印相. 팔을 들고 다섯손가락을 밖으로 향해 물건을 주는 시늉을 하고 있다.
- 시왕 —— 불교에서 저승에 있다는 십대왕十大王을 이르는 말. 죽은 사람이 생전에 지은 죄를 심판한다고 한다.
- 실버텍스 —— 미국산 콘돔의 상품명. Silver tex.
- 쌕크드래스 —— 자루같이 생긴 부인용의 헐렁한 드레스.
- 아난 —— 석가모니의 10대 제자이자 사촌. 미남인 탓에 여자들의 유혹이 많았으나 이를 물리치고 수행을 완성했다.

- 연기 —— 불교에서 말하는 모든 사물의 기원이나 유래.
- 왕사성 —— 중인도 마갈타 국의 수도. 불교 교화의 중심지로, 석가 세존 일대의 설법이 이곳에서 행해졌다.
- 우루빈나가섭 —— 석가의 10대 제자 중 하나로, 석가 여래가 죽은 후 왕사성 제1회 경전 결집의 주임이 되어 이를 대성大成했다.
- 원적 —— 입적入寂.
- 이화 —— 대한 제국 때 관리들이 쓰던 휘장.
- 장주와 호접 —— 장주는 장자壯者의 본래 이름. 장자가 꿈에 나비가 됐다가 깬 후 장주가 나비가 됐는지 나비가 장주가 됐는지 판단하기 어려웠다는 고사故事, 장주지몽莊周之夢이 전해진다.
- 파사익 왕 —— 석가와 같은 시대 중인도에 있던 사위국舍衛國의 왕으로 불교를 믿고 보호했다.
- 표훈사 —— 표훈은 신라 중기 의산 법사의 10대 제자 중 하나. 훗날 신라 10성聖의 한 사람으로 일컫는다. 표훈사는 금강산의 4대 사찰 중 하나로, 신라 문무왕 10년에 표훈 선사가 창건한 고찰.
- 함지 —— 옛날 해가 지는 곳이라고 믿었던 서쪽의 큰 못.
- 혜초 —— (704~787) 신라의 고승. 인도 기행문 『왕오천축국전往五天�竺國傳』을 썼다.
- 호생관 —— 조선 영조 때의 화가. 「금강산 표훈사」라는 작품이 유명하다.
- 화향 —— 부처 앞에 올리는 꽃과 향.
- 환장 —— 환심장換心腸. 전에 비해 마음이 막되게 달라짐을 의미한다.

현실 중압과 산문시의 지향

홍신선 | 시인 · 문학 평론가

현실 중압과 산문시의 지향

1.

긍정적인 입장이든 부정적인 입장이든, 그 동안 김구용 시에 대한 일치된 의견은 난해하다는 것이다. 통상적인 독법으로는 그의 작품에 접근이 불가능하다는 의견들이 그것이다. 흔히 일반적인 시 읽기에서 우리는 한 편의 작품을 읽으며 행간이나 텍스트 심층에 도사린 작자의 의도를 헤아리고 그 언술된 내용을 산문으로 되번역해낸다. 이때 좀더 시 읽기에 훈련된 독자라면 작품의 구조와 결에 따라, 또는 해석의 층위에 따라 다양하게 분석과 감싸기를 행할 것이다. 대부분의 작품들은 이 같은 과정을 거치다 보면 어느 정도 내밀한 모습이나 의미를 우리 앞에 드러내게 마련이다. 물론, 아무리 정치한 분석과 감싸기를 수행한다고 해도 그 결과물이 바로 작품 자체라고 할 수는 없을 터이다. 잘 알려진 바와 같이, 작품에서 생산해낸 의미란, 제 아무리 완벽하게 탐색한 것이라 할지라도, 그 작품을 대체한다거나 작품 자체라고 말할 수는 없다. 작품은 작품 나름대로 역동적 구조를 지니고 끊임없이 그 자체의 의미를 빚어내고 있기 때문이다. 일종의 신비주의적 태도라고 험구당할 수도 있겠으나, 실제의 여러 예가 가리키듯이 고전적인 작품 또는 좋은 시 작품은 이와 같은 예에서 벗어나지 않는다. 그렇다고 할지라도, 우리는 시 읽기의 갖가지 다양한 노력들을 쉽게 포기해서는 안 될 것이다. 그것은 시 작품과 시 읽기에서 생산된 의미들이 서로 바람직스런 상보 관계에 놓일 때 우리는 좀더 행복한 독자로 거듭날 수 있기 때문이다. 물론, 시 읽기에서 우리는 많은 장애들을 만날 수 있다. 시인 각자의 독특한 개인 방언idiolect에서부터 작품 문맥의 뜻 겹침ambiguity에 이르기까지의 여러 난관들이 그것이다. 하지만 이들 장애나 난관들은 대부분, 훈련된 독자의 경우, 세심하고 꼼꼼한 작품 읽기를 통하여 극복할 수 있는 것들이다. 나아가서는 일부 독자 지향 비평에서 말하는 창조적 오독을 통하여 때로는 뜻밖의 의미를 찾아내는 데까지 이를 수 있다. 이처럼 시 읽기에서 맞닥뜨리는 장애는 대부분 분별 있는 독서에 의하여 극복된다. 말하자면 시의 난해성은 비록 정도의 차이는 있을망정, 시 읽기의 노력에 의하여 극복되고 풀릴 수 있는 무엇인 것이다.

김구용 시의 난해성 역시 훈련된 독자들의 노력 여하에 따라서는 상당한 수준에서 많은 부분들이 극복되고 풀릴 수 있는 것들이다. 한때 김구용 시의 난해성은 "소피스티케이션을 위한 소피스티케이션"(유종호, 「불모의 도식」)이니 "난해의 장막"(김수영, 「난해의 장막」)이니 하는 등등으로 집중 비판된 바 있었다. 특히 작품 「거울을 보면서」를 대표적인 사례로 한

김수영의 난해성 비판은 그 무렵 전봉건과의 유명한 '사기 논쟁'으로 확대되기도 했었다. 이러한 난해성은 이후 김구용 시의 등록 상표처럼 간주돼온, 숨길 수 없는 사실이다. 어림잡아 50년이 넘는 긴 시의 이력에도 불구하고 우리 시 동네에서 아직도 그에 대한 논의나 평가가 활발하지 못한 데에는 바로 이같은 등록 상표 탓이 있다고 해도 지나친 말이 아닐 것이다. 윤병로의 「인간애로 감화시키는 중후한 시」에 따르자면, 김구용은 1949년 『신천지』에 시 「산중야山中夜」, 「백탑송白塔頌」을 발표하면서 작품 활동을 시작한 것으로 되어 있다. 당시 잡지 『신천지新天地』는 청년문학가협회의 대표적인 이론가였던 김동리가 실질적인 편집 책임을 맡아 만들던 잡지였다. 김동리와의 관계에 대하여 김구용은 먼 훗날 한 좌담에서 다음과 같이 말한 바 있다.

해방 후 서울로 올라와 동리 선생을 찾아뵈었죠. 그때 동리 선생이 처음으로 『신천지』에 작품을 발표해주셨지요. 그때가 49년도였으니 끼니조차 어려운 때였는데, 곧 6·25가 터졌어요. 피난처에서 어머니가 돌아가시고 그 이듬해에 부산으로 갔는데 동리 선생을 만나니 취직을 시켜줬어요.
          — 대담 「나의 문학, 나의 시작법」에서

김동리에 의하여 공식적인 작품 활동을 시작하게 된 이래 김구용은 아주 띄엄띄엄 시집을 내놓았다. 사실상의 첫 시집

『시詩』가 1976년에 나왔으니 등단 후 물경 27년 만의 일이다. 물론, 그 이전 고故 육영수의 후원으로 한국시인협회가 기획한 시집 총서 가운데 하나로『시집·Ⅰ』이 1968년 삼애사三愛社에서 나온 바 있다. 그러나 이 시집의 작품이 모두『시』에 전재된 사실을 감안하면 명실상부한 첫 시집은『시詩』라고 해야 할 것이다. 그리고는 이어서 시집『구곡九曲』,『송頌 백팔百八』등을 내놓은 것이 고작이다. 굳이 이런 사실을 열거하는 까닭은 그의 시작 활동이, 좋게 말해서 은둔적이라고 할 만큼, 세간에 크게 드러난 것이 아니었음을 말하고자 하는 것이다. 이와 같은 지나친 은일적 자세는 시인으로 하여금 시 동네 한복판의 중심 화제에서 벗어나게 만드는 부정적 결과를 가져왔다. 시의 난해성과 시인으로서의 은일적 자세가 어우러지면서 김구용은 우리 시에 대한 숱한 담론 한복판에서 많이 벗어나게 된 것이다.

아마도 이 글은 김구용의 등록 상표 같은 난해성은 무엇으로부터 기인하는가, 그 난해성을 헤치고 그의 시 세계를 열어갈 코드는 무엇인가, 더 나아가 그의 시가 담론하는 세계, 혹은 메시지는 어떤 품목들인가를 따져보게 될 터이다. 이미 필자는 비록 주문 생산이기는 하지만 김구용 시에 관한 글을 두어 편 쓴 적이 있다. 그 글들은, 지금 돌이켜보자면, 주로 김구용 시의 성격과 내용들을 개략적으로 살핀 것이었다. 그 글들에서 논의한 내용을 바탕으로 여기서는 그의 시집『시』에 나타난 두드러진 작품 세계를 논하고 그에 대한 자리매김을 해보고자 한다.

그리고 그의 시 앞에 드리워진 '난해의 장막'을 다소나마 걷고 독자로 하여금 그의 작품 세계의 심층을 엿보게 하는 데 한 길라잡이가 될 수 있다면 주어진 몫을 다하는 셈이 될 것이다.

2.

김구용 시의 두드러진 한 방향은 말할 것도 없이 산문 지향성이다. 그 산문성은 줄[行] 갈이 없는 줄글 형태에서, 또는 한 작품이 이 같은 줄글 형태의 한 문장만으로 이루어진 데에서, 그리고 한 논자論者에 의하여 '중산문시'라고 일컬어질 정도의, 일정한 줄거리 서사를 담은 긴 분량 등에서 확인되고 있다. 김동리의 주선에 의하여 『신천지』에 발표된 「산중야」는 한 문장으로 이루어진 작품이다. 마치 박태원의 소설 『방란장 주인』처럼 이 작품은 비록 쉼표 몇이 중간에 삽입된 형태이긴 하지만 한 문장으로 이루어진 특이한 형태를 보여주고 있다. 뿐만이 아니다. 작품 「소인消印」, 「꿈의 이상理想」, 「불협화음의 꽃 II」 등은 분량만으로 볼 때에도 여느 단편 소설 길이에 가까운 양적 규모를 보이고 있다. 이들 작품은 시집에 들어 있기에 그렇지, 우리가 소설이라고 불러도 크게 어긋나지 않을 그런 산문시들인 것이다. 말하자면, 김구용이 젊은 시절 경도했던 이상李箱의 소설들, 예컨대 「날개」나 「지주회시」 등과 여러 면에서 비견될 수 있다고 해야 할 것이다. 시집 『시』에는 이 밖에도

410

초기 작품인 「석사자石獅子」, 「사색의 날개」 등을 비롯하여 「미지의 모습」, 「인간 기계」 등 비교적 짧은 산문시들이 상당수 들어 있다. 수록 작품 160편의 절반 이상이 산문시들인 것이다.

그러면, 이와 같은 산문시 지향이 의미하는 것은 무엇인가. 실제로 김구용은 시인 김종철과의 대담(이하 '대담'으로 줄인다)에서 자기 시의 산문 지향성에 대하여 이렇게 언급하고 있다.

그리고 6·25 사변 중에 산문시를 많이 썼는데 그것은 그 당시 복잡한 시대적 어지러움 속에서 산문시로밖엔 나를 소화할 능력이 없었기 때문입니다. (중략) 시가 길어진 것은 사실 짧게 쓸 능력이 없었기 때문입니다. 시는 질이 중요한 것이지 양이 중요한 것이 아니라는 점을 명심해야 한다고 그 무렵 일기에 기술하기도 했습니다. 그러나 나에게는 질적으로 압축시킬 능력이 없었습니다. 특히 압축시킬 여건이 그 당시 시대적 상황으로 불가능했기 때문입니다.

옮겨온 말이 얼마간 길어지긴 했지만, 이 진술은 김구용이 왜 산문시를 지향했는가 하는 나름대로의 사정을 소박한 대로 보여준다. 그것은 시인이 극도로 혼란한 전쟁의 와중에서 겪은 갖가지 중층적인 체험을 산문 형식으로밖에는 구조화할 수 없었음을 설명하고 있기 때문이다. 또 시를 짧게 쓸 능력이 없었다는 진술 역시 따지고 보면 이 같은 명분의 다른 한 면일 터이다. 일반적으로 사전적인 뜻에서의 산문시는 짜임의 견고함과 내적 불규칙성을 특징으로 한다. 우선 짜임의 견고함은 화자의 언술이 일정한 하나의 초점을 향해서 집중되어야 함을 의미한다. 말하자면, 산문시 역시 여느 시 작품처럼 초점이 분명해야 하는 것이다. 그것은 형식을 통하여 체험을 일정하게 질서화하는 여느 자유시의 경우보다 오히려 산문시에 한결 더 절실히 요구되는 사항이다. 산문시는 줄글 형식 탓에 자칫하면 일정한 규제나 절제 없이 방만하게 풀어지기 때문이다. 반면에 내적 불규칙성은 운과 율격을 통한 리듬의 생산이 불가능한 데서 자연스럽게 초래되는 현상이다. 굳이 외국의 예까지 들 것 없이 우리 현대 시에서의 몇몇 뛰어난 산문시들은 이와 같은 특성들을 모범적으로 보여준다. 한용운이나 정지용, 미당 서정주의 뛰어난 산문시편들이 바로 그것이다. 대담에서 김구용이 뒤미처 말한 압축을 할 능력이 없다는 진술 역시 이 같은 내적 불규칙성을 의식한 말일 것이다. 특히, 시인이 활발하게 시적 대응을 한 1950년대의 공간이란 6 · 25 전쟁으로 인한 "폐허를 씻고, 매몰된 문화의 파편"(「뇌염腦炎」)들만이 널린 곳이었다. 이러한 공간 현실에 대한 대응은 정제된 시 형식을 통한 질서화의 노력보다는 산문으로의 즉응적인 표출이 보다 효과적이었을 것이다. 그가 시대의 어지러움을 두고 자연만 노래하는 데 회의를 느꼈다고 언술한 것이나 전통 양식의 표현만 가지고는 의도화한 표현이 결코 될 수 없었다고 고백하는 것은 모두

이와 같은 사정을 단적으로 감지한 때문이었다. 산문 형식이 갖는 현실에 대한 즉응성 때문에, 곧 장르 선택의 힘을 감지한 탓에 김구용은 한국 전쟁 이후 대부분의 작품을 산문으로 밀고 나갔던 것이다. 그것도 잘 정리되고 다듬어진 산문시이기보다는 독자들이 그 앞에서 당황하기 일쑤인 그런 줄글 형식의 작품을 계속 선보였다.

마음은 철과 중유重油로 움직이는 기체機體 안에 수금囚禁되다. 공장의 해골들이 핏빛 풍경의 파생점을 흡수하는 안저眼底에서 암시한다. 제비는 포구砲口를 스치고 지나 벽을 공간에 뚫으며 자유로이 노래한다. 여자는 골목마다 매독梅毒의 목숨으로서 웃는다. 다리[橋] 밑으로 숨는 어린 아귀餓鬼의 표정에서 식구들을 생각할 때 우리의 자성自性은 어느 지점에서나 우리의 것 그러나 잡을 수 없는 제 그림자처럼 잃었다. 시간과 함께 존속하려는 기적의 기旗가 바람에 찢겨 펄럭인다. 최후의 승리로, 마침내 명령일하命令一下! 정유精油는 염열炎熱하고 순환하여, 기축機軸은 돌아올 수 없는 방향을 전류 지대로 돌린다. 인간 기계들은 잡초의 도시를 지나 살기 위한 죽음으로 정연히 행진한다. 저승의 광명이 닫혀질 눈에 이르기까지 용해하는 암흑 속으로 금속성의 나팔소리도 드높다.

　　　　　　　　　　　　　　　—「인간 기계」전문

옮겨온 시는 한국 전쟁이 한참이던 1951년에 쓴 작품으로 되어 있다. 이 작품은 김구용의 산문시 가운데 「뇌염」, 「소인」, 「불협화음의 꽃 II」 등의 작품처럼 널리 알려진 것은 아니나 그의 시적 특성을 고루 갖추고 있다. 사람들의 삶을 기계적인 것 또는 기계라고 인식하는 태도나 '수금囚禁'이란 말이 암시하는 감금 의식, 그리고 성의 상품화 같은 내용들이 짧은 길이 속에 모두 내장되어 있는 것이다.

먼저 사람들의 삶이 기계적인 것 또는 기계라고 인식하는 태도는, 그것이 전쟁 공간에서 빚어진 것이라고 할지라도, 김구용만의 독특한 발상은 아니다. 지난날 우리의 모더니즘 시에 상당한 영향을 끼친 T. S. 엘리어트의 시 가운데서도 쉽게 발견되는 것이기 때문이다. 지난 세기 초 유럽의 정신적 상황을 『황무지』를 통해 특이하게 보여준 엘리어트의 시구,

보랏빛 시간, 눈과 등이
책상에서 일어나고 인간의 내연 기관이
택시처럼 털털대며 기다릴 때,
            ―「불의 설교The Fire Sermon」, 『황무지』에서

와 같은 대목이 바로 그것이다. 해가 막 지고 나서 본격적인 어둠이 오기 전의 시간은 대체로 보랏빛으로 어슴푸레 한 때이다. 흔히 박모薄暮라고도 불리는 그 시간은 밝음과 어둠의 경계답게 사람들에게 각별한 정서를 자아내는 시간이다. 이를테면, 김영랑이 "먼 산 허리에 슬리는 보랏빛"이라고 노래한 그

특이한 분위기와 정서의 시간인 것이다. 이 시간은 그러나 대도시의 일상을 꾸리고 사는 사람에게는 기계처럼 움직이던 하루의 노동에서 해방되는 시간이다. 흔히 극적인 일탈이나 변화 없이 반복해서 지속되는 일상을 기계적이라고 하는 것도 굳이 따지자면 이와 비슷한 의미를 염두에 둔 언술일 것이다. 작품「인간 기계」에 나타난 인간, 곧 기계라는 상상이나 인식도 따지고 보면 이와 같은 발상에서 크게 벗어나 있는 것은 아니다. 다만 이 작품에서는 화자가 자신과 동일한 대상으로 지목한 기계가 전쟁의 공간답게 탱크라는 점을 주목해야 한다. 화자는 철과 중유로 움직이는 탱크에 마음을 뺏기고 있다. 그리고 그 군장비가 몰려 있는 저 밑 지대에는 공장의 앙상하고 살벌한, 해골이라고 표현할 수밖에 없는 모습이 눈에 들어온다. 때마침 제비가 포신砲身을 스치듯 지나 날아오르고 있다. 이 같은 풍경이 펼쳐진 공간에서 화자는 다시 성을 상품화해서 생계를 꾸리는 여인네들과 다리 밑에 거적을 치고 사는 굶주린 어린 거지들을 떠올린다. 황폐한 전쟁의 뒷풍경인 이 헐벗고 굶주리는 정황은 어느 지점, 어느 누구, 예컨대는 화자의 식구들에게조차 마찬가지인 당시의 참상이었다. 전쟁 공간에서 "시간과 함께 존속"해야 하는, 또는 생존하는 일만이 사람들에게는 유일한 미덕처럼 통용되고 있었던 것이다. 인간 기계는 이와 같은 유일한 미덕인 생존을 위해 묵묵히 잡답의 일상을 통과해가는 전쟁 중의 군상들을 의미하고 있다.

　김구용 시의 또 다른 두드러진 담론인 성의 매매도 생존이

유일한 미덕이라는 전시의 상황 논리로 그의 작품 곳곳에서 표출되고 있다. 특히 작품 「벗은 노예」에 나타난 윤락가의 정황 묘사는 이 점을 극명하게 보여준다.

꽃 같은 화장품이 늘어 있고, 수면水面처럼 맑은 경대 안에서 좁은 방안의 양두사兩頭蛇는 일심이신一心異身이 아닌 이심일신異心一身으로 나타났다. 누가 이 괴상한 생명을 본대도 서로 싸우며 동신同身을 괴롭히는 자멸의 형벌이 어디서 기인하였는지 모를 것이다. 긴 몸이 축 늘어지고, 애증의 독아毒牙가 섬광을 일으키며 서로의 대가리를 물어뜯자, 피는 거울에 튀고 물결은 방안을 핏빛으로 바꾸었다. 그는 눈앞이 캄캄해지면서 정신을 잃었다.

시간이 어느 정도 지났는지 알 수 없었다. 몸은 조여들며 입술과 혓바닥이 타들어갔다. 그는 몸부림치며 구원救援을 불렀다. 누가 흔들기에 눈도 뜰 사이 없이 물을 받아 마시었다. 감로수였다. 조그만 창은 새벽빛이었다. LIFE 잡지를 뜯어 바른 벽이 아스무레 나타나고, 한기가 들어서 놀랐다.

벽 너머 바깥에서 어린것이 엄마를 부른다. 우는 소리가 들리었다. 빈상貧相으로 생긴 여자는 그가 벽인 줄만 알았던 문을 열었다. 길바닥에서 넝마를 입은 어린것이 벌벌 떨며 들어와 눈치를 살금살금 보았다.

여자의 마른 몸뚱아리와 더러운 이부자리가 역해서 그는 옷을 주워 입고 도망치듯 밖으로 나왔다.

416

"또 오셔요."

여자의 목소리가 그의 뒷덜미를 밀어냈는지도 모른다.

— 「벗은 노예」의 일부

서울로 환도한 지 몇 달 뒤에 '그'는 술을 마셨고 소문만 듣던 뒷골목, 사창가를 찾는다. 매매된 성이 교환되고 난 이튿날의 정경은, 옮겨 적은 대목 그대로, 한 말로 설명하기 어려울 정도의 극도의 참상을 보여주는 것. 그녀는 "넝마를 입은" 어린것과 먹고 살기 위해서 매음을 하고 있는 것이다. 그 매음은 "아내도 굶지 않기 위하여 수치 없이 몇 장의 지폐를 받고, 언제나 발가숭이가 되는 인육人肉, 제 그림자 앞에서 움직이지 못하는 고독에"(「오늘」) 사는, 사회 금기의 파괴는 물론 가족 관계의 황폐화마저 몰고 오는 극단의 것이다. 이상이나 김유정 소설의 아내 매매(음)를 연상시키는 가난과 결핍의 모진 병리 현상인 셈이다. 다른 작품 속의 수사대로 하자면, "생존한다는 것까지가 죄악이" 되는 현실인 것이다.

성의 상품화는, 잘 알려진 그대로, 기존 사회의 가치 체계가 여지없이 붕괴 또는 해체되었음을 뜻한다. 그것도 유교적 상상력이 지배하는 사회에서의 성의 문란은 사람의 가장 기본적인 강상綱常이 무너졌음을 의미한다. 말하자면, 이는 아버지와 아들, 그리고 군주와 신하 다음 자리의 인간 사회를 꾸리는 가장 기본적이며 중심적인 근본 위계가 해체된 것을 상징하는 것이다. 따라서 성의 상품화, 성 윤리의 실종은 한 사회의 기본적이

면서도 중심적인 축이 무너졌음을 단적으로 증거하는 현상이
된다. 일찍이 미셸 푸코에 따르면 결혼이란 성의 방종과 문란
을 제도적으로 봉쇄하기 위하여 인류가 오랜 시간 동안에 걸쳐
마련한 대표적인 제도라고 한다. 그와 같은 제도가 비록 굶주
림과 가난 때문이기는 하지만 성의 매매 형식에 의하여 철저히
무너진다는 것은 무엇을 뜻하는 것일까. 간단히 말하자면 사회
의 모든 가치 체계가 와해된 혼란상, 즉 아노미 현상을 뜻하는
것이다. 일련의 산문시뿐만이 아니라「구곡」과 같은 장시를 통
하여 김구용이 성의 상품화 현상을 집요하게 추적하는 것도 실
은 이 때문일 것이다. 유교적인 환경 속에서의 성장이나 한학
에의 깊은 소양 등 시인의 개인사적인 일들을 통하여 미루어보
면 이 사실은 더욱 자명해진다. 말하자면 그에게 있어 성의 상
품화 현상은 기존의 가족 제도나 사회 가치 체계를 근본부터
흔드는 충격적인 일로 다가왔던 것이다. 실제로 김구용은 성의
매매 문제만이 아니라 결혼 풍속의 변화에서도 비슷한 반응을
보이고 있다. 작품「꿈의 이상」은 여의사, 여교사, 여대생이란
세 사람의 미혼 여성 사이를 오가는 '그'의 이야기이다. '그'
는, 이 작품뿐만이 아니라 상당히 긴 다른 산문시 작품에도 빈
번하게 등장하는 인물인데 직업은 대학 시간 강사이다. 그는
때로 노예처럼 번역 원고를 작성하기도 하고 때로는 실직의 고
통 속에서 거리를 하릴없이 방황하기도 하는 인물이다. 마치,
일제 시대 서울 거리를 배회하던 소설가 구보丘甫처럼 김구용
산문시의 '그' 역시 전시의 부산 거리나 환도 후의 서울 뒷골

목들을 자의식 과잉의 룸펜처럼 헤매다닌다. 이 같은 점에서 그는 우리 근대 문학사상의 창백한 지식인 캐릭터들 뒤를 그대로 잇고 있는 인물이라고 해야 할 것이다. 뿐만 아니라, 그는 자의식 과잉 현상을 주특기처럼 내보인다. 그 자의식 과잉은 자신의 정체성이 무엇인가를 따지게 만들고 곧잘 '거울' 을 소도구로까지 들먹이게 한다. 시집 『시』를 통독하다 보면 우리는 작품 여러 대목에서 거울 이미지를 만난다. 산문시뿐만이 아니라 짧은 자유시 작품들 속에서도 자주, 그리고 인상 깊게 등장하고 있다. 거울 이미지는 일찍이 우리 시에서 이상李霜 시의 등록 상표처럼 널리 회자된 바가 있다. 주로 시인이 주체를 기획하고 확립하는 주요한 매개로써 사용한 대표적 이미지의 하나이다. 이 거울 이미지의 근원은 서구의 나르시시즘까지 거슬러 오를 수 있지만 우리 시의 경우는 이상 같은 모더니스트들에게서 한 전범을 본 바 있다. 마찬가지로 김구용 역시 거울 이미지를 작품 속에 소도구처럼 적절하게 배치하고 있다. 이 거울 이미지는 다시 한 번 이 글의 뒷부분에서 살펴보기로 하자.

산문시 「꿈의 이상」 가운데 그는, 앞에 적은 그대로, 쇠약하며 우울하기만 한 존재이다. 뿐만 아니라, "나는 본래부터 이유가 없어요" 라고 실존적 번민에 사로잡혀 있는 인물이기도 하다. 흔히 말하듯, 세계의 합리성은 원인과 결과라는 일련의 연쇄에 의하여 설명된다. 이러한 의미선상에서 원인이 없다는 것은 결과들만이 우연처럼, 혹은 우연으로 존재하는 것을 뜻한다. 마찬가지로 사람에게도 그 존재 이유나 본질이 선행하지 않는다면, 그 인물은 우연에 의하여, 혹은 잉여성만으로 존재하는 꼴이 될 것이다. 세계나 삶의 제1 원인으로서 일찍이 인류가 신을 상정한 것도 바로 이와 같은 사정 때문이었을 터이다. 그러나 F. 니체류의 신은 죽었다는 선고는 세계와 삶에 더 이상 선험적 본질이 존재하지 않음을 단적으로 알린 사건이었다. 이른바 실존적 고뇌는 이러한 선험적 본질이나 제1 원인이 사라진 자리에서 사람들이 앓는 고도의 정신적 질환인 셈이다. 흔히 1950년대 우리의 전후 문학에서 중요한 의미강의 하나로 꼽히는 실존적 고뇌 역시 혹심한 전쟁에 의하여 세계와 삶의 일체 선험적 본질이나 의미들이 파괴된 데 따른 당연한 결과였다. 대규모의 파괴와 살상이 무차별로 이루어진 전쟁을 통과하며 사람들은 누구나 합리성을 가장한 모든 기존 가치가 실은 보잘것없는 허상이었음을 절감했던 것이다. 따라서 우리의 전후 시나 소설 등에서 실존적 고뇌란 없어지지 않는 흉터로 깊이 남아 있다.

뿐만 아니라, 우리의 외계로서 세계란 것이 하루 아침의 신기루처럼 쉽게 파괴되는 믿을 수 없는 것이었다면 남는 것은 개개인의 고독하고 단절된 내면 세계뿐일 것이다. 이는 지난 1950, 60년대 우리 시의 한 가닥이 내면 심리의 탐구로 질주해 간 사실로도 잘 입증되고 있다.

마찬가지로 세계와 삶에서 원래 이유를 망실한 김구용 시의 '그'는 자의식 과잉의 내면을 수시로 보여준다. 이를테면,

그는 영향을 끼칠 수 있는 한계 안에서, 종언終焉의 상복喪服을 입고 있었다. 머리 속에서 "나를 돌려달라, 나를 돌려달라"는 광야의 반향反響이 일어났다. 고막이 울린다. 휘황한 전등이 꺼졌다 "나[我]라는 너는 어디 있느냐 뭣을 돌려달라는 거냐"가 어둡기만 하였다. 범람한 달빛이 실내를 엄습하였다.

— 「꿈의 이상」의 일부

와 같은 대목이 그것이다. '그'의 외면과 내면이 정치하게 교차하면서 드러내는 것은 이 대목에서 보듯 유동하는 의식 세계이다. 곧 자의식 세계를 집중적으로 노출하고 있는 것이다. 여기서 우리는 현실 속에서 우유부단하기 짝이 없는 '그'의 실체를, 반면에 내면에서는 자의식 과잉으로 혼돈을 겪고 있는 인물을 보게 된다. 이와 같은 '그'가 결국은 우여곡절 끝에 "세여인 중의 누구인가가 나를 찾아올 것이다. 그날은 둘이서 오렌지를 먹기로 하자. 그리고 구혼求婚하자"라는 결단 아닌 결단(?)에 이른다. 이 작품은 이 같은 결단으로 끝마무리를 짓는다. 이상의 설명에서 보듯, 「꿈의 이상」은 자기 진정성의 탐색을 세 여인 사이를 오가는 과정을 통해서 보여주고 있는 작품이다. 이러한 기본 구도와 함께 우리가 다른 한편으로 확인할 수 있는 것은 세 여인들의 결혼관을 통해서 확인하는 결혼에 대한 의식이다.

작품 「소인消印」은 살인 혐의로 수금囚禁된 내가 취조를 받는 이야기이다. 서사체로 보자면 범죄 소설의 일종이라고 해

야 할 특이한 줄거리의 작품이다. 그 줄거리는 이렇다. 나는 녹
빛 외투 여인을 살해한 혐의로 구속된 채 조사를 받고 있다. 살
인 혐의는 그야말로 혐의일 뿐, 나는 녹빛 외투 여인을 죽인 적
이 없다. 내가 녹빛 외투 여인을 만난 것은 우연에 불과했다. 늦
은 시간 밤 전차에서 차표 한 장 때문에 운전사와 실랑이를 벌
이는 그녀에게 대신 차표를 내어준 것이 그녀와의 만남이 되었
기 때문이다. 그러나, 그녀는 내가 목적지에서 하차하자 따라
내렸고 근처 다방에서 차를 함께 마신다.

"댁의 주소 좀 알려줄 수 있을까요. 사람을 좀 보낼까 하는
데…… 신세를 졌으면 으레 인사쯤 있어야 하니까요. 비록 전
차표 한 장이지만."

이런 제의 때문에 나는 이름과 직장 주소를 적어 그녀에게
별 생각 없이 건네준다. 그리고 이 쪽지 때문에 그날 밤 돈암교
근처 개천에서 피살당한 그녀의 살해 용의자로 체포된 것이다.
우리가 읽기에 지루하리만큼 장황하고 긴 이 산문시는 서사 구
조와 세부 묘사 때문에 한 편의 소설로 읽어도 무리가 없는 작
품이다. 일찍이 발표 당시 유종호에 의하여 "산문에의 무조건
항복"이라고 비판당하기도 했던 작품답게 오늘날 우리가 읽기
에도 상당한 인내가 필요한 난해한 산문시이다. 비록 살인 사
건의 틀을 빌고 있지만, 김구용의 시적 의도는, 그가 즐겨 쓰는
'수금囚禁'이란 말 그대로 이 조리 없는 세계 속에 구속 · 감금
당한 실존 의식을 드러내려 한 것이다. 이 작품 속의 '나'는 마
치 이유 없는 살인 행위 끝에 사형을 당하는 실존주의 작가 A.

카뮈의 소설 『이방인』의 주인공 뫼르소를 연상시킨다. 어떠한 필연이나 합리성이란 것이 없는 세계 내에서는 살인 행위에도 필연의 이유가 있을 리 없다. 마찬가지로 뫼르소가 행복하게 맞게 되는 사형 역시 굳이 뚜렷한 합리적인 이유나 설명이 있을 수 없는 우연의 사태일 뿐이다. 일체 조리가 없는 세계는 무의미로 가득 찬 허무의 공간에 지나지 않는다. 이 같은 세계의 무의미에 대해서 취할 수 있는 반항의 형식은 자살이거나 무의미하기에 의미 있는 것을 창조해야 한다는 당위적인 삶을 선택하는 길밖에 없다. 작품 「소인」의 주인공 '나' 역시 적극 무죄를 주장하지만 이 주장은 일방적인 주장으로 끝날 뿐, 취조관에게 전혀 받아들여지지 않는다. 이처럼 서로의 주장이 일방통행의 형식을 취함으로써 나와 세계(취조관)의 소통은 근본적으로 불가능하다. 결국 이러한 소통 불가능성은 사람들로 하여금 타자와의 유대가 근본에서 막힌 단자로서의 개인만으로 이 세계 내를 부유하도록 만든다. 그 개인은 따라서 자기 내면 속에 깊이 수금된 존재일 뿐이다. 실제로 「소인」 속의 '나'는 아무리 무죄를 주장하여도 끝내는 살인범으로 다른 곳으로 넘겨지고 만다. 이 작품의 줄거리는 여기서 끝난다. 그러면 이 작품에서의 감금이나 구속이란 무슨 의미를 지니는가. 이는 개인 내면 속으로의 수금은 물론 완강한 세계 속에 우리가 감금되어 있음을 의미한다. 잘 아다시피 인간의 실존은 뛰어넘을 수 없는 저 한계 상황 속에, 일체의 탈출 가능성도 없이 갇혀 있는 것이다.

우리가 지금도 1950년대의 전후 문학에 관한 담론에서 빼놓을 수 없는 것이 있다면, 거듭되는 말이지만, 실존에 관련된 문제이다. 전쟁은 대량의 물리적인 힘에 의하여 외재적 세계뿐만 아니라 개개인의 내부 세계 역시 파괴한다. 모든 합리적 가치 체계가 붕괴된 내면 정황이 그것이다. 이와 같은 외부 현실 세계의 파괴뿐만이 아니라 내면 세계마저 붕괴된 '시대적 어지러움'에 대하여 김구용은 시적 대응으로서 과감하게 산문시를 선택한 것이었다. 말하자면 산문시의 보다 자유롭게 열린 형식을 빌어, 때로는 줄거리 중심의 소설 같은 즉응의 형태로, 때로는 서경敍景의 형태로 현실과 삶을 가감없이 드러내고자 했던 것이다. 특히 그는 당시 현실이 기존 가치 체계의 붕괴를 상징적으로 보여준 성의 상품화 현상이나 굶주림과 가난, 수금 의식, 실존의 잉여성 등등의 문제들을 집중적으로 담론화하였던 것이다.

3.

대략 1936년부터 1971년까지 40년 가까운 동안의 작품들을 망라한 시집 『시』에는 산문시들을 뺀 자유시 형식의 작품들 또한 절반 넘는 편수를 차지하고 있다. 어림잡아 80편의 작품이 실려 있는 것이다. 대담에서 김구용은 본격적으로 문학에 매달리기 시작한 것이 11세 때라는 술회를 한 적이 있지만, 이

80편 작품 가운데는 14세 무렵의 작품들도 수록되어 있다. 이제 우리는 이들 청소년기의 작품을 뺀 그의 등단 이후의 작품들을 집중 검토해보자. 이 논의에서 청소년기의 작품들을 논외로 하는 것은, 이미 필자 나름으로는 그들 작품을 개괄적이나마 살펴보았지만, 굳이 시인의 조숙한 시 의식을 문제삼는 것이 아니라면 일단 접어두는 것이 논의의 효율성을 위해 바람직스럽다는 생각 때문이다. 이미 산문시에 대한 검토에서 우리는 한국 전쟁을 통과한 시인의 내면 풍경이 어떤 것이었는가를 살펴본 바 있다. 자유시 형식의 작품들에서도 우리는 이 같은 전후 의식을 구조화한 경우들이 꽤 있음을 확인할 수 있다.

    잎들은 저리도 우거졌는데
    집들은 하나하나 터만 남고
    꽃들은 이리도 만발한데
    송장들이 어디서나 썩는 냄새

    알 수 없는 일이다.
    모를 일이다.

                              ─「잎은 우거졌는데」 전문

    옮겨온 시는 김구용의 작품치고는 아주 간결하고 평이한 수사로 전쟁의 참상을 그려낸 작품이다. 집들이 하나같이 파괴된 폐허의 모습과 살육당한 "송장"들의 시취屍臭를 일련의 자연 현상들과의 대비를 통하여 보여주고 있는 것이다. 이렇게 파괴된 도시와 피폐한 삶을 소박한 인본주의의 관점에서 자연과 대비하며 그려낸 작품들은 김구용만의 것이 아니며 그와 동시대 시인이었던 전봉건, 박남수의 작품에서도 발견된다. 따라서 우리가 새삼 주목해야 할 작품 양상이라고 할 수는 없을 것이다. 굳이 우리가 눈여겨보아야 할 점이 있다면 그와 같은 엄청난 비극적 상황 앞에서도 시인은 일체의 개인적 정서를 작품 속에 담고 있지 않다는 사실이다. 범박하게 말하자면, 탄식이나 감상 같은 주관적 반응을 극도로 삼가고 있다는 것이다. 이 점은 김구용 시가 앞서 든 동시대 시인들과 남다르게 보여주고 있는 두드러진 성격의 하나로 꼽을 만하다. 왜냐하면 시각을 축으로 한 대상의 감각적 해석, 또는 회화성이라고 불러야 할 특징을 보여주고 있기 때문이다. 사실 그의 작품들에는 질척거리는 감정의 부스러기들이 전혀 스며 있지 않다. 이는 정지용의 시를 가장 좋아했다는 그의 술회에서도 짐작할 수 있듯이 T. S. 엘리어트 유의 영국 주지주의 시학의 감염 현상으로 이해해도 좋을 만한 태도이다.

이왕 말이 난 김에 더 이야기하자면 김구용 시의 모더니즘 양상은 복합적인 것이다. 왜냐하면 그의 시 가운데 초현실주의의 절연 기법이나 의식의 흐름, 주지주의적 몰개성의 태도 등 현대 시다운 요소들이 다양하게 뒤섞여 있기 때문이다. 어느 정도 개인적 기질의 탓으로 돌려야 될 부분도 없지 않지만, 아무튼 김구용 시의 건조성은 6 · 25, 4 · 19 같은 역사적 사건이

나 공분公憤을 살 만한 현실사現實事를 작품화한 경우에도 그대로 잘 견지되고 있다. 이를테면, 4·19를 담론화한 「많은 머리」나 분단 현실을 작품화한 「절단된 허리」, 「끊어진 땅은 없었다」 등의 작품에서도 이 같은 메마름이 그대로 드러난다. 이들 일련의 작품들은 지난날 우리 현실주의 시들이 보여준 구호 같은 거친 말투나 과격한 감정 표출 등을 거의 내장하지 않고 있다. 있다면, 예의 그만의 기이한 문채文彩(figure)를 통한 분위기나 정경 묘사가 있을 뿐이다. 예컨대,

영혼을 부리다가
버림받을 무기武器의 가장자리에
곡식을 기르려고 고혈枯血은 봄비에 씻기고
공장은 방송되어, 다음해면
간소한 혼례나마 올릴 것인가.

— 「절단된 허리」의 일부

와 같은, 지금은 비록 무기가 차지한 땅이지만 언젠가는 흘린 피를 봄비에 씻어내고 경작을 하겠다는, 그리고 공장에 다니는 여공들이 혼례를 올려야 한다는 내용을 담은, 김구용 시만의 특이한 언술 형식이 그것이다. 사실 김구용은 동시대 시인들 못지 않게 만만치 않은 현실 의식을 보인 바 있다. 그러나 그 현실 의식은 직설적 토로가 아닌, 앞의 예에서 본 바와 같은 그의 독특한 문채에 가려 거의 주목받지 못했다. 비록 그것이 앞

에서 살핀 산문시들처럼 현실의 깊이 있는 천착에 이르지 못한 병리적인 도시생태학 수준의 것이었다고 해도 다른 시인들, 예 컨대 전봉건, 조향 같은 시인 정도의 주목도 받지 못했던 것이 다. 하지만 이제 우리는 도시 일상에서 만나는 극단적인 소외 의식의 산물인 기계 인간, 가난과 매음, 수금 의식 등을 김구용 시의 개별적인 성과로서가 아닌 1950년대 모더니즘 시의 중요 품목으로 평가해도 좋을 시점에 온 것 같다.

시집 『시』의 자유시 작품들을 통독하면서 만나는 또 한 가 지 중요한 마음의 움직임은 불교적 상상력이다. 굳이 일제 말 기 징용 징집을 피해 동학사로 피신하여 10여 년 간 불경 공부 를 했다는 전기적 사실을 고려하지 않더라도 김구용 시 가운데 상당수의 작품들에서 우리는 불교적 세계 인식이나 상상력을 만날 수 있다. 초기 작품인 「석사자石獅子」, 「각옥사刻玉師 야 마」, 「관음찬觀音讚」같은 산문시는 물론, 자유시 형식의 「무無 의 존재」나 「축祝」 등에 이르기까지 불교적 상상력이나 세계 관적 기반을 가진 작품들이 많다는 것이다.

부처님은 사문四門을 나가고
너는 사문으로 들어온다
그들은 들어오나 나가나
다르지 않다.

보살은 고해苦海를

여의주로 바꾸어

당초에 도덕은 없고

당초에 인과因果는 없고

과학은 계율

다라니陀羅尼는 창조 예술,

그래 세상은

생 · 노 · 병 · 사가 없고

사람마다 수많은 우주일세.

사리불舍利弗아

물고기를 안 먹느냐.

죽음을 꾸짖고

죄를 비웃는가,

의문은 대답이 없어

스스로 깨닫느니.

— 「축祝」의 일부

불교의 가장 두드러진 종교적 미덕은 인간 중심주의이다.
초월적이고 선험적인 존재를 별도로 설정하지 않고 인간들 스
스로가 자신의 깨달음을 통하여 바로 부처가 될 수 있다는 가
르침이 그것이다. 이는 부처가, 세계와 자아에 대해 제1 원인으

로서 근본적인 규율을 가한다는 다른 종교의 신과는, 원천부터 다른 것임을 보여주는 것이다. 특히 선禪은 누구나 직관에 의하여 자기 본성을 깨닫고 자타自他의 완성을 성취한다는 자력 불교의 면모를 잘 보여준다. 여기서 자기 본성이란 일체의 집착과 분별심을 버린, 본래부터 아무것도 없는 마음 그 자체이다. 마음이 있다는 그 마음(의식)마저 버린 것이기도 하다. 이와 같은 마음의 상태는 모든 것을 있는 그대로 비추고 나타내주는 거울에 자주 비유된다. 이 경우의 거울은 서구적인 의미에서처럼 우리가 '나'를 대상화하여 바라볼 수 있는 하나의 물건이 아니라 텅 빈 마음 자체인 것이다.

일체의 분별이 지워진 이와 같은 거울로서의 마음으로 보면 옮겨온 시의 화자가 말하는 '들어오거나 나가는 것'의 차이가 있을 수 없다. 선불교의 수사대로 하자면 불이법문의 경지인 것이다. 작품의 화자는 이어서 보살이 '고해'를 '여의주'로 바꾼다고 진술한다. 말하자면, 고통 역시 우리의 마음이 빚는 헛된 환영에 지나지 않는 것. 그래서 마음이 빚어낸 환영임을 아는 순간 고해(삶)는 여의주로 새롭게 인식된다. 이와 같은 인식선상에서 보면 도덕이나 인과 역시 사람들이 분별심에 의하여 만든 인위적인 허상에 지나지 않는다. 일찍이 선불교의 선사들은 깨달은 마음에는 본래 어떠한 한 점의 물건이나 생각도 있을 수 없다고 가르쳤다. 모든 것이 공空이다. 우리 삶의 네 가지 큰 고통인 생로병사도 따지고 보면 분별과 집착에 의한 것일 뿐, 깨닫고 나면 하나의 허상이나 껍데기에 지나지 않는다는 것이다. 이와 같은 마음을 만나고 보면 '너'와 '나', 주관과 객관의 구분이 따로 있을 수 없다. 흔히 말하는 반야바라밀의 '무아·무심'이 그것이다. 그리고, 분별과 고통으로 가득 찬 소자아는 홀연 사라지고 무아·무심의 대자아인 우주만이 남는다. 사람마다 "수많은 우주"로 거듭나는 것이다. 또한 대자아만 남다보면 "중생의 괴로움을 괴로워하고/중생의 기쁨을 기뻐하시기에/평생 자기가 없게" 된다.(「원허 대사圓虛大師」)

그런데 이 같은 '무아·무심'은 세계와 삶에 대한 체계적인 지식이나 앎에 의하여 획득되는 것이 아니라 스스로의 수행과 깨달음으로 얻어진다. 선의 돈오頓悟는 언제나 자신의 힘으로 성취되는 것이다. 김구용은 앞에 인용한 작품「축祝」,「원허 대사」등에서 이러한 선적인 인식을 간결하게 진술한다. 그러나 그 인식이 모든 작품들 속에서 한결같이 드러나고 있는 것은 아니다. 불교적 관심이나 불교적 색채가 농후한 작품이라고 해도 시집『시』에서 대개는 세계와 삶에 대한 인식의 차원보다는 작품의 대상이나 소재를 불교에서 구하는 수준에 머물고 있기 때문이다.

과거 우리 시에서 선에 대한 관심은 시적 인식의 차원보다는 주로 기법적인 측면의 것이었다. 조지훈은 일찍이 "현대 시가 섭취한 것이 선의 사상 자체보다는 선의 방법의 적용"이라고 말한 바 있다. 그는 선의 수행이나 선시 작품에 나타나는 비논리성, 부조화, 비약, 정중동靜中動, 동중정 등과 같은 방법론적 측면에 주목하고 이를 현대 시의 근본 원리에 적용할 것을 주장하였던 것이다. 이와 같은 방법론으로서의 선에 대한 관심이 세계와 삶에 대한 인식 내지 '정신의 해방'으로까지 변화 발전한 것은 최근에 와서의 일이다. 잘 알려진 바와 같이, 현대의 선취시禪趣詩인 정신주의 시들은 오늘의 소비 사회에 팽배한 물질적 욕망의 억압으로부터 정신 해방을 추구하고 있다. 이들 시는, 좋든 궂든, 선리禪理를 세계와 삶에 대한 인식 방법으로 삼는다. 우리가 이들 시의 성과를 본격적으로 따지기에는 아직 때 이른 감이 있지만 현대 시의 활로를 새롭게 열고 있다는 점에서 주목할 만한 것이 아닐 수 없다.

『시』에 나타난 불교적 양상은, 앞에서 살핀 바와 같이, 불교적인 세계 해석의 독특한 틀을 간결한 언술로 직접 드러낸 경우도 있지만 시적 대상이나 제재만을 가져온 경우가 많다. 석굴암이나 관음보살 등을 담론화한 작품 「충실充實」이나 「관음찬觀音讚」I, II 등은 그 대표적인 예이다. 그 밖에도 '당신'이나 '말씀' 같은 보다 일반화된 불교적 상징들을 작품 속에 들여온 경우도 있다. 이는 그가 최근의 정신주의 시들처럼 불교적 상상력을 인식의 근간으로 삼았다기보다는 관심 정도로 여기고 있었음을 뜻하는 것이다. 오히려 김구용 시에는 지난날 조지훈이 시의 근본 원리로 지적한 선적 방법론이 의식하든 의식하지 않든 두드러진다고 해야 할 터이다. 시 문맥의 비논리성이나 비약, 이질적인 극단의 이미지 연결 등에서 오는 부조화 등은 바로 이 같은 선적 방법론에 많이 의존한 것이다. 이제 이를 확인하기 위하여 김구용의 불교 시 가운데 가장 아름다운

432

작품인 다음 시를 읽어보자.

"관세음보살, 별로 소원은 없습니다. 관세음보살 하고 입 속으
로 부르면, 관세음보살 정도로 심심하지 않다.
비극에 몽그라진 연필만한 승리를 세우지 마십시오. 때가 오
거든, 이 몸도 가을 잎처럼 별[星]이게 하십시오."

호생관豪生舘의 애꾸눈과 루드비히 반 베에토벤의 귀를 가진
나무가 서 있었다. 그는 도시의 계단을 밟고 산으로 올라가, 그
나무와 함께 정처없이 바라본다. 성지聖地는 보이지 않는 곳에
있었다. 혜초慧超가 갔던 곳에서 구름은 돌아온다.
저녁노을에 향수鄕愁의 항아리가 놓인다. 항아리 밑에서 번져
나간 그림자의 깊이가 저 백월白月의 언덕을 개항하고 있었다.

— 「9월 9일」 전문

짤막한 산문시인 이 작품은 그의 다른 산문시와는 다르게
연 구분이 되어 있다. 그 구분은 독백 형식의 진술과 정경 묘사
간의 나눔이기도 하다. 작품 앞부분은 화자의 무료한 독백으로
서 관세음보살의 명호를 반복하는 데 따른 리듬까지 대동하고
있다. 그 리듬은 화자의 무료와 권태를 환기하면서 우리의 청
각적 영상을 자극한다. 반면에 둘째 연은 잘 그린 수채화 같은
선명한 그림을 이룬다. 여기서는 앞부분과 달리 시각적 이미지
들을 축으로 회화를 지향하고 있다. 그러면 둘째 연 그림 속에

는 무슨 정경이 들어 있는가 살펴보자. 우선 도시의 시가지와 시가지 뒤의 야트막한 산이 그림 속에 들어 있다. 특히 이 야산에는 눈귀가 먹은 불구의 나무가 서 있고 또 '그'가 나무 곁에 서서 성지를 바라본다. 그리고는 흘러온 구름 층에 번진 저녁 노을이 원경으로 떠 있으며 언덕 아래로는 항구가 열려 있다. 그림의 전체 구도는 대강 이렇게 잡을 수 있을 것이다. 그러나 이 그림은 객관적인 사물들을 즉물적으로 그려낸 단순무미한 것이 아니다. 우선 나무만 해도 이국적인 분위기를 환기하는 호생관, 베에토벤 등의 어사로 장식되어 있기 때문이다. 아마도 이 어사의 함축적 의미는 이국 정조의 환기는 물론 침묵을 통하여 소리를 듣고 안 보이는 가운데 보이는 것들을 본다는 초절적인 인식을 뜻하는 것이리라. 그런데 화자가 막연하게 동경하는 성지는 보이지 않는 먼 곳에 있으며 그곳으로 구법求法의 순례를 떠난 인물 또한 돌아오지 않는다. 돌아오는 것은 덧없는 구름뿐이다. 그 다음, 우리의 독해를 어렵게 만드는 대목이 또 있다. "향수의 항아리"라는 쉬운 듯하나 쉽지 않은 비유가 그것이다. 단순한 관념의 연합으로 읽고 싶지만 항아리는 다음 문장에서 "그림자가 번져 나가는" 실체 있는 존재로 그려지고 있다. 따라서 우리는 향수의 항아리, 곧 나무와 그가 함께 서 있는 야산이라고 상상을 하게 된다. 말하자면, 향수의 항아리는 야산이라는 원관념을 은폐시킨 채 독자적으로 돌올突兀하게 문맥 속에 삽입되어 있는 것이다. 이렇게 산문적인 의역을 시도하고 보면 '그림자'란 바로 야산의 그림자라고 새기게

434

된다. 이 같은 의역 다음에야 비로소 산 그림자에 덮인, 그리고 낮달이 뜬 언덕 밑에 항구가 열려 있다고 읽을 수 있게 되는 것이다. 이와 같은 작품 「9월 9일」에 대한 산문적인 되번역은 얼마간 무리가 섞인 설명이지만, 작품 가운데 드러난 표층 문맥만으로는 더 이상의 해독이 가능하지 않다.

이상의 검토에서 알 수 있듯이 김구용 시의 이미지들은 때로는 엉뚱한 것끼리 폭력적으로 결합하기도 하고 때로는 의미 연결을 원천적으로 거부하듯 돌올하게 문맥 속에 등장한다. 비교적 정연한 문장 구조를 보이는 이 작품에서도 산문으로 되짚어 읽기는 쉽지 않은 것이다.

4.

그러면, 김구용 시가 우리로 하여금 그토록 산문적 의역이나 해독을 하기 어렵게 만드는 근본 요인은 무엇인가. 결론부터 말하자면, 여러 논자들에 의하여 이미 지적된 바와 같이, 그 난해성은 주로 그의 시가 내장한 모더니티 기획에서 기인한 것으로 설명할 수 있다. 꽤 드물고도 이례적인 자기 시에 관한 여러 가지 설명을 한 대담에서 김구용은 다음과 같은 몇 가지 주목할 만한 언급을 한 적이 있다. 하나는 "전통 양식의 표현만 가지고는 도저히 내가 의도한 표현이 안 될 것 같아 내 나름대로 시적 표현에 노력"했다는 말이고 다른 하나는 "죽고 사는 문제가 코앞에 있는데 앉아서 산천 초목과 자연만 노래하고 있으니 회의를 느끼지 않을 수 없다"는 발언이 그것이다. 그리고 세번째는 "언제나 결론부터 출발한다"는 시작 과정을 설명한 이야기이다. 작품을 해독하는 코드로서 시인 자신의 말을 얼마만큼 신용할 수 있는가 하는 근원적인 회의가 없는 것은 아니나 우리는 이상의 언급에서 상당한 시사를 얻을 수 있다. 먼저, 전통 양식의 표현만 가지고는 자기 의도를 도저히 드러낼 수 없다는 말은, 범박하게 보자면, 시인의 미학적 자의식을 천명한 언술이다. 바로 이러한 미학적 자의식 때문에 유럽 중심의 서구 모더니즘은 숱한 전위적 표현 기법을 동원한 바 있다. 예컨대, 콜라주나 몽타주, 자유어 운동이나 무선 상상력, 혹은 이미지의 오브제화, 자유 연상 등등의 많은 실험적 기법 탐구들이 그것이다. 지난날 우리 시의 모더니티 기획 역시 이 같은 기법 탐구에서 멀리 떨어진 것이 아니었음은 익히 알려진 사실이다.

김구용이 그러면 실제 작품 속에서 보여준 새로운 기법은 어떤 것인가. 그것은 우선 일상 규범을 벗어난 말의 운용을 들어야 할 것이다. 일상 규범을 벗어난 과격한 말의 운용은 기존의 문장 구문이나 통사법을 해체하는 양상에까지 이르러 있다. 이를테면 문장 성분들을 순서 없이 뒤섞거나 때로는 둘 이상의 동일 성분이 들어가 있는 혼란스러운 양상을 보여주는 일이 그것이다. 이런 경우 빈번하게 사용되는 쉼표가 그 혼란을 완화해주는 어느 정도의 역할을 한다. 이를 다르게 설명하자면,

말의 일상적 용례에서 벗어나 있으며 그만큼 문맥들은 독자의 해독을 지연시킨다. 곧, 일상의 지시적 진술로 읽을 수 없게 만들고 있는 것이다. 독자는 따라서 낱말의 의미들을 새삼 점검하고 문맥에 맞게 그 의미를 재조정한다. 특히 빈번히 쓰인 난해한 한자어들의 경우 이 같은 현상은 극대화된다. 이 과정에서 한자어는 의미의 파괴와 생성이 함께하는 일종의 장場인 셈이다. (말은 여러 가지 의미들이 빈 방처럼 울린다.) 말하자면, 단어의 의미는 문맥 가운데서 역동적으로 거듭 생산되고 있는 것이라고 할 수 있다.

라는 언술이 될 것이다. 인용된 글은 졸고 「실험 의식과 치환의 미학」의 한 대목이다. 이 대목은 김구용 시에서의 과격한 언어 운용의 효과를 나름대로 지적하고 있으며 이 글을 쓰는 지금에도 나에게는 유효한 것으로 보인다. 특히, 그의 시에서 수없이 드러나는 난해한 한자어의 기능을 재미있게 살펴보고 있다고 할 것이다.

　어렵다 못해 생경한 조어造語처럼 보이는 한자어의 사용은 김구용 시의 주요 원리인 환유 때문에도 빈번해진다. 이 경우 환유는 주로 사물의 속성이나 가치를 추상화한 헐벗은 추상 명사의 꼴을 취한다. 김구용은 이들 추상 명사의 사용을 "물질 명사만 쓰다 보니 보기만 좋지 내부 세계는 허술하다 싶어 일부러 추상 명사에 천착하기 시작"했다(대담 「나의 문학, 나의 시작법」)라고 설명한다. 그는 추상 명사의 사용을 정신의 내부성

(주로 혼란스런 의식의 유동—필자 주)을 표현하기 위한 수단이었다고 언술하고 있는 것이다. 과연 내면 심리의 묘사에서 추상 명사는 어떤 기능을 하고 있는가. 그의 언술처럼 추상 명사에의 깊은 천착은 어떤 결과를 가져온 것일까. 우리는 이와 같은 물음을 그의 언술 끝에 갖게 된다. 일단 추상 명사는 작품 속에서 진술되고 있는 정황과 사물의 의미들을 추상하고 동시에 압축하는 구실을 한다. 가령, "불가해한 뇌를 향연饗宴하고"(「뇌염」)와 같은 표현에서의 향연이란 낱말의 역할이 한 예일 터이다. 이처럼 사상事象의 추상을 통한 압축은 압축의 강도만큼 낱말들의 의미를 새롭게 충돌 재조정하는 역할을 하기도 한다. 이 밖에도 작품 속에서의 추상 명사는 관념 연합이나 은유 등에 두드러지게 사용된다. 특히 그는 대담하게 시 문장에서 추상 명사들을 주어로 내세운다. 이는 과거 전통시들과는 판이하게 다른 양상으로 그의 시의 근본 원리인 환유를 성립시키는 것이다. 요컨대, 김구용 시 문장의 추상 명사들은 환유의 형식이나 관념 연합, 은유 등과 같은 의미의 비유들에서 그 광채를 발하고 있다. 의미의 비유는 R. 야콥슨에 따르자면 언술의 수직적 차원에서 끝없이 나타나는 치환 현상에 다름아니다. 곧 선택과 대체의 원리에 의한 단어들의 끝없는 치환 놀음인 것이다.

결국 이와 같은 시 문장 통사 구문의 일탈과 해체에 가까운 왜곡 현상이나 추상 명사 사용을 내세운 끝없는 단어의 치환 놀음이 김구용 시의 난해성을 결과한 셈이다. 그 밖에 더 지적

438

할 점이 있다면 그것은 시인 자신이 정신의 혼란상이라고 부른 내면 심리의 묘사를 꼽아야 할 것이다. 전쟁과 혁명 같은 외면 현실 세계의 감당하기 힘든 격변을 통과하면서도 김구용은 앞에서 적은 대로 기이하게도 내면 심리 묘사에 집착하고 있다. 이는 지난 1960년대 자유 연상의 초현실주의적 기법이나 절연 絶緣의 수법이 애용되면서 의식의 흐름을 복사하던 우리 시의 흐름과 궤를 같이 한 것이었다. 김구용 시의 본적을 따질 때 우리가 서슴없이 모더니즘이라고 하는 것도 실은 이 때문이라고 해야 할 것이다.

일찍이 시에 대화 형식을 끌어들인 것은 T. S. 엘리어트였다. 그 대화 형식은 작품에서의 속도감이나 세부 사실성을 높여주는 것으로 설명되어왔다. 우리 현대 시에서 누구보다도 이 같은 대화 형식을 많이 사용한 사람으로 우리는 김구용을 꼽아도 좋을 터이다. 김구용 시는 내면 가운데 숱하게 부유浮遊하는 이미지들을 보여주면서 이들 대화 형식을 군데군데 적절히 배치한다. 이 경우 대화들은 거의가 내면 의식 세계에서 외면 세계를 내다보고 확인하는 창문 역할을 하고 있다. 말하자면, 혼란스럽게 유동하는 내면 심리 가운데서 외부 세계나 정황을 표지해주는 부표등 같은 역할을 하고 있는 것이다. 따라서, 김구용 시 읽기에서 우리는 이 같은 대화들을 표지로 삼을 때 비로소 외부 세계의 정황들을 보다 분명하게 가늠할 수 있게 되는 것이다.

이상에서 검토한 바와 같이 김구용 시의 난해성은 복합적이고 중층적인 여러 요인에서 비롯되고 있다. 신비평류에서 말하는 뜻 겹침 같은 시적 장치에서 오는 단순 소박한 난해성과는 근본적으로 거리가 먼 현상이다. 오히려 지난 20세기 초 유럽 중심으로 전개된 모더니즘 시의 갖가지 실험적 기법이나 미학적 장치들에 근사한, 또는 근사해지려는 그의 시의 모더니티 기획에서 연유된 것이다. 시인 자신의 말을 신뢰한다면 "시대의 어지러움"이나 "정신의 혼란상"을 드러내기 위한 어쩔 수 없는 미학의 선택인 셈이다.

시는 의미하는 것이 아니라 존재하는 것이라고 어느 외국 시인은 말했다. 과거 시처럼 작품의 핵심 사항들을 쉽게 산문으로 되짚어 설명하고 독해할 수 없는 현대 시—그렇다. 그것도 이미 20세기의 일이 되었다—의 숙명을 두고 한 말이다. 그렇기는 하지만 김구용의 정말 좋은 시들은 (그의 초기 대표작인 「뇌염」은 얼마나 아름다운 시인가) 이제 서서히 난해의 장막을 걷고 독자들 앞에 본모습을 드러내게 되리라.

1922. 2. 5.(음력)	경상북도 상주군尙州群 모동면牟東面 수봉리壽峰里에서 부父 김창석金昌錫, 모母 이병李炳의 6남 1녀 중 4남으로 출생.
1925	몸이 허약한 구용은 철원군 월정 역에서 멀지 않은 어느 마을에서 유모 싸마와 그 해 겨울을 보내다. 싸마는 일찍이 그의 탯줄을 잘라낸 안노인이다.
1926~1930	금강산 마하연에서 싸마와 함께 불보살님께 지심정례至心頂禮를 드리기 시작하다.
1931	경남 대구 복명보통학교에 입학. 그 해 다시 철원군 보개산 심원사 지장암에서 병 치료를 위해 요양하다.
1932	서울 창신보통학교에 2학년으로 전학, 5학년까지 수학.
1936	수원 신풍보통학교 6학년으로 전학.
1937	서울 보성고등보통학교에 입학.
1938	금강산 마하연에서 다시 병 치료를 위해 요양.
1939	충남 공주公州 집에서 부친 세상 떠나다.
1940~1962	부친 대상大喪을 마치고 공주군 동학사東鶴寺에서 일제 시대의 징병, 징용을 피해 은둔, 독서와 습작을 계속하다. 이후 동학사에 수시로 기거하면서 경전 및 수많은 동서 고전을 섭렵하고, 시작詩作에 깊은 관심을 보였으며, 한편으론 동양 고전 번역에 관심을 갖게 되다.
1949	『신천지新天地』에 시 「산중야山中夜」, 「백탑송白

塔頌」발표. 성균관대학교 입학.

1950   6·25 발발, 전쟁의 와중에 비명횡사를 면하고
구사일생하였으나 천애 고아가 되다. 시인의 '부
산 시절'이 시작되다.

1951   부산에서 『사랑의 세계』지 기자.

1952~1954   부산 상명여자중고등학교 교사.

1953   성균관대학교 국문과 졸업.

1955~1956   『현대 문학』지 기자. 육군사관학교 시간 강사. 현
대 문학 신인 문학상 수상.

1956~1987   성균관대학교 문과대학 강사, 조교수, 부교수, 교
수 역임.

1956~1973   서라벌예술대학교 강사.

1957~1958   건국대학교 강사.

1958~1959   숙명여자대학교 강사.

1958~1961   숙명여자중고등학교 강사.

1960   능성綾城 구具씨와 결혼.

1960~1961   성균관대학교 성대신문 주간.

1962   동학東鶴 산방山房을 떠나 책들과 짐을 서울 성
북동 집으로 옮기다.

1987   성균관대학교 정년 퇴임.

저서

1969   시집 『시집詩集·Ⅰ』 삼애사三愛社

1976   시집 『시詩』 조광출판사朝光出版社

1978   장시 『구곡九曲』 어문각語文閣

1982   연작시 『송頌 백팔百八』 정법문화사正法文化社

번역서

김구용

1922년 생. 시인이자 한문학자.
육군사관학교 강사, 서라벌예술대학 강사, 건국대학교 강사, 숙명여대 강
사를 지냈으며 1956년부터 1987년 정년 퇴임할 때까지 성균관대학교 교
수로 재직했다. 저서로는 『송 백팔』(1982), 『구곡』(1978), 『시』(1976), 『시
집1』(1969), 역서로는 『(동주) 열국지』(1990, 1995), 『삼국지』(1981), 『수
호전』(1981), 『노자』(1979), 『(완역) 열국지』(1964), 『옥루몽』(1956,
1966), 『채근담』(1955)과 편서 『구운몽』(1962)이 있으며, 일기 형식으로
기록한 다수의 수필이 있다.

김구용 문학 전집 1──── 시

1판 1쇄 2000년 6월 5일
지은이 ──── 김구용
펴낸이 ──── 임양묵
펴낸곳 ──── 솔출판사
책임 편집자 ──── 임우기
부편집자 ──── 김소원
북디자인 ──── 안지미
제작 ──── 장은성
인쇄 ──── 제형문화사
제본 ──── 성문제책사

서울시 마포구 서교동 342-8
전화 332-1526~8 팩스 332-1529
출판 등록 1990년 9월 15일 제10-420호
© 김구용, 2000
ISBN 89-8133-356-4 04810(세트)   89-8133-357-2 04810

*저자와 협의하여 인지를 붙이지 않습니다.